A LATINA

2

María Elena Arévalo
Edith Bautista
Jaime Corpas
Agustín Garmendia
Helena Jiménez
Carmen Soriano

Coordinación pedagógica
Neus Sans

INTRODUCCIÓN

El proyecto **AULA LATINA** nace como respuesta a la necesidad creciente de materiales didácticos adecuados a la enseñanza del español como lengua extranjera en México.

En los últimos años, México se ha convertido en un destino educativo cada vez más atractivo y ha despertado el interés de personas de todo el mundo que quieren aprender, en el contexto latinoamericano, una lengua universal como el español. La enseñanza del español en México, por tanto, ha ido evolucionando y nuestros grupos de estudiantes constituyen actualmente verdaderas comunidades de aprendizajes multiculturales y plurilingües.

Hasta ahora, sin embargo, la oferta de materiales didácticos adecuados para la enseñanza del español en México es escasa y no siempre responde a las necesidades y a las condiciones de los proyectos educativos de los centros dedicados a la enseñanza del español como lengua extranjera.

Merece la pena señalar que la gran mayoría de los materiales al alcance de los docentes mexicanos está elaborada por especialistas extranjeros y se dirige a un público con características diferentes. Dichos materiales, además, están diseñados para ser utilizados en entornos educativos distintos a los de México o Centroamérica y, por tanto, no reflejan fielmente nuestro uso de la lengua ni los rasgos de nuestra cultura.

De esta situación surge la idea de publicar **AULA LATINA**. Un equipo de autores, con amplia experiencia en el diseño de materiales didácticos, asesorados por numerosos colegas de diversos centros que les han ayudado a tener una visión de conjunto de las características y de las necesidades de los cursos de E/LE en México, han abordado la elaboración de **AULA LATINA** con el objetivo de dar respuesta a las necesidades del profesorado mexicano.

AULA LATINA constituye un material didáctico completo y coherente que, teniendo en cuenta los distintos estilos de aprendizaje, logra integrar con éxito la práctica de las habilidades comunicativas, la reflexión gramatical y el conocimiento y la comprensión de las diferentes culturas hispanoamericanas.

Organización del material

En muchos casos, nuevos alumnos se incorporan a los cursos cuando ya se han realizado algunas sesiones y no todos los estudiantes permanecen el mismo número de semanas. Las unidades didácticas permiten a los alumnos abordar un contenido variado, tanto desde el punto de vista lingüístico como del temático y del cultural. **AULA LATINA** está estructurado de tal manera que facilita la labor de coordinación de los diferentes profesores a cargo de un mismo curso.

Programación

Como en cualquier contexto de aprendizaje, en los cursos intensivos, la presentación y la práctica de nuevos contenidos debe adecuarse al ritmo de aprendizaje y a las expectativas de los alumnos. En concreto, en este tipo de cursos, la progresión debe estar muy medida por razones obvias: la capacidad de procesar información y de construir conocimiento lingüístico de un individuo en dos, tres o cuatro semanas es forzosamente limitada. **AULA LATINA** está articulado cuidadosamente para mantener el equilibrio entre una abundante selección de contenidos y muchas ocasiones para retomar y afianzar el manejo de aspectos lingüísticos ya abordados en unidades o en niveles anteriores.

Características metodológicas del material

En los cursos intensivos, más que en cualquier otro tipo de cursos, se precisa un trabajo especialmente compensado entre la práctica de destrezas comunicativas y la reflexión gramatical. Un alumnado en situación de inmersión, que evalúa diariamente sus progresos en un entorno hispanohablante, aspira a obtener resultados tangibles e inmediatos en ambos frentes.

Por ello, **AULA LATINA** ofrece actividades muy variadas tanto en sus contenidos como en las dinámicas de aula que propician. Las destrezas implicadas en cada actividad y los procesos cognitivos que impulsan están hábilmente combinados para que cada día de trabajo resulte un todo coherente y equilibrado: debe haber momentos para lo lúdico y tiempo para la reflexión, actividades en grupos y tareas individuales, atención a aspectos formales e interacción significativa entre los miembros del grupo, tiempo para el estudio y para la práctica de la lengua, y materiales para el descubrimiento de la cultura.

AULA LATINA
2

AULA LATINA 2

Autores:

Equipo Tecnológico de Monterrey (México): María Elena Arévalo, Edith Bautista, Helena Jiménez
Equipo Difusión (España): Jaime Corpas, Agustín Garmendia, Carmen Soriano

Coordinación pedagógica: Neus Sans
Coordinación editorial y redacción: Eduard Sancho
Asesoría y revisión: Pablo Garrido, Manuela Gil-Toresano
Documentación: Olga Mias

Diseño: Cifra

Ilustraciones: Roger Zanni *excepto:* Unidad 2 pág. 24 Alejandra Fuenzalida / Unidad 4 pág. 38 Javier Andrada / Unidad 6 pág. 51 Javier Andrada / Unidad 9 pág. 79 Aleix Pons (mercado), pág. 80 Aleix Pons / MÁS EJERCICIOS pág. 148 Piet Luthi

Imágenes: Frank Kalero *excepto:* Portada, Israel Aranda / Unidad 1 pág. 9 Michael Prince/Corbis, pág. 11 Programas Internacionales del TEC de Monterrey (Campus Monterrey) (profesora), pág. 12 Israel Aranda (David, Helena, Patrick), pág. 14 Israel Aranda, pág. 16 Arkos Arkoukis (casa), Miguel Ugalde (chica), Rogelio Cortez (chica de espaldas), Programas Internacionales del TEC de Monterrey (Campus Monterrey) (mariachi, profesor), Jorge del Toro (tela), © David Alfaro Siqueiros, VEGAP, Barcelona 2005 (cuadro) / Unidad 2 pág. 17 Photonica, pág. 18 Tim Wood, Enrique Menossi, pág. 22 Marko Matovic (lámpara de mesa) / Unidad 3 pág. 25 Israel Aranda, pág. 30 Teresa Estrada, pág. 32 Israel Aranda / Unidad 4 pág. 40 Israel Aranda / Unidad 5 pág. 41 Israel Aranda, pág. 43 Victoria Aragonés (Ruth y Anabel), Jaime Corpas (Jaime, Lola y Vincent), Thomas Chun (Pedro), Programas Internacionales del TEC de Monterrey (Mila), pág. 47 Israel Aranda / Unidad 6 pág. 49 COVER Agencia de fotografía, pág. 52 Foodpix/COVER (arroz a la criolla), pág. 56 Margus Kyttä (botella), Israel Aranda (agave, fermentación) / Unidad 7 pág. 57 Jose Fuste Raga/CORBIS, pág. 58 Secretaría de Turismo de la nación de la República de Argentina (Patagonia), Balbisu (La Habana), Miguel Ugalde (Tikal), pág. 58 © Ediciones Cátedra (Grupo Anaya, S.A.) (*Cien años de soledad* de Gabriel García Márquez), © Elektra/Asylum (*Buena Vista Social Club*), © LIONS GATE FILMS/Album (*Amores perros*), pág. 63 Richard Moisan (grutas de García), pág. 64 Roberto Burgos (Arenal), Carl Evans (rana) / Unidad 8 pág. 65 Rick Doyle/CORBIS, pág. 66 El Deseo Producciones Cinematográficas (G. G. Bernal) / Unidad 9 pág. 73 Archivo histórico provincial de Lugo, pág. 74 Bettmann/CORBIS, pág. 76 Agustín Garmendia / Unidad 10 pág. 82 Horacio Villalobos/CORBIS (Argentina), Europa Press (Golpe de estado), Agence L.A.P.I. 28304 droits reservés (Liberación de París), pág. 83 Jorge Camacho (Arenas), pág. 87 Jeff Osborn (niña emocionada), Bob Smith (miedo), Rick Hawkins (chica riendo), T. Rolf (sin palabras), pág. 88 Bettmann/CORBIS (Kahlo), Quim Llenas/COVER (Poniatowska), Reuters/CORBIS (Novaro) / Unidad 11 pág. 89 Robert van der Hilst/CORBIS / Unidad 12 pág. 104 Programas Internacionales del TEC de Monterrey (Campus Monterrey) (pareja), Filmoteca Española (Pedro Infante) / MÁS EJERCICIOS pág. 106 Fleur Suijten, pág. 107 Israel Aranda, pág. 108 Programas Internacionales del TEC de Monterrey (Campus Monterrey), pág. 109 Israel Aranda, pág. 112 Teresa Estrada (1), Helmut Gever (2), pág. 113 Programas Internacionales del TEC de Monterrey (Campus Monterrey) (Monterrey), Secretaría de Turismo de Querétaro (Querétaro), pág. 115 Loretta Humble (Federica), Israel Aranda (Irma, Salvador, Francisco, Oswaldo, María Luisa), pág. 116 Israel Aranda, pág. 117 José Bernardo Crespo (1), Vedrana Bosnjak (2), pág. 124 QUEEN International Press Agency, pág. 128 Laura Díaz, pág. 129 Israel Aranda, pág. 132 Olivier Borgognon (Playa del Carmen), José Luis Tamez (Puebla), Jordi Sangenís (San Juan de Chamula), pág. 137 Sol Neelman/ZUMA/Corbis, pág. 145 Manuel Zambrana/CORBIS, pág. 146 Volvo, pág. 150 Israel Aranda (moda), Programas Internacionales del TEC de Monterrey (Campus Monterrey) (educación)

"No volveré", Manuel Esperón/Ernesto Cortázar © Promotora Hispano Americana de Música. Autorizado por PEERMUSIC ESPAÑOLA, S.A.

Contenido del CD audio: "No volveré", Manuel Esperón/Ernesto Cortázar © Orfeon Videovox. *Locutores:* Arturo Garza, Alejandra Garza, María Mendiola *Editor:* José Zavaleta Morales *Editor y coordinador:* Luis Gerardo Ramos Rodríguez

Agradecimientos: Ana Gulías, Ignacio Alonso Pérez, Natalia Elies (*Habitania*), Siria Gómez, Josean Cantalapiedra, Eva Velasco, Alicia Gómez, Estudios CYO

© Los autores y Difusión, S.L. Barcelona 2005
ISBN 10: 84-8443-263-7 ISBN 13: 978-8443-263-0
Depósito legal: To-674-2005
Impreso en España por NG Nivell Gràfic

difusión
Centro de
Investigación y
Publicaciones
de Idiomas, S.L.

c/ Trafalgar, 10, entlo. 1ª
08010 Barcelona
tel. 93 268 03 00
fax 93 310 33 40
editorial@difusion.com

www.difusion.com

ÍNDICE

CÓMO ES AULA LATINA

Cada volumen consta de 10 unidades didácticas que presentan la siguiente estructura:

1. COMPRENDER

Se presentan textos y documentos muy variados (anuncios, entrevistas, fragmentos literarios, etc.), que contextualizan los contenidos lingüísticos y comunicativos básicos de la unidad, frente a los que los alumnos desarrollan fundamentalmente actividades de comprensión.

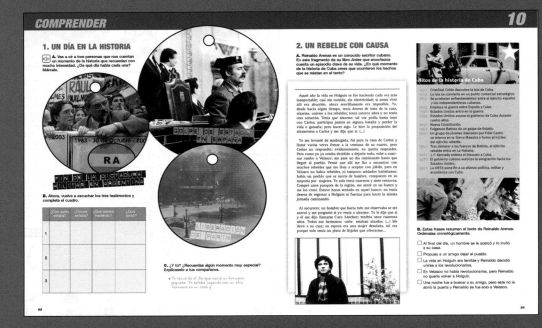

2. EXPLORAR Y REFLEXIONAR

En el segundo bloque, los alumnos realizan un trabajo de observación de la lengua a partir de nuevas muestras o de pequeños corpus. Se trata de ofrecer un nuevo soporte para la tradicional clase de gramática con el que los alumnos, dirigidos por el material y por el profesor, descubren el funcionamiento de la lengua en sus diversos niveles (morfológico, léxico, sintáctico, funcional, discursivo…). Se trata, por tanto, de ofrecer herramientas alternativas para potenciar y para activar el conocimiento explícito de reglas, sin tener que caer en una clase magistral de gramática.

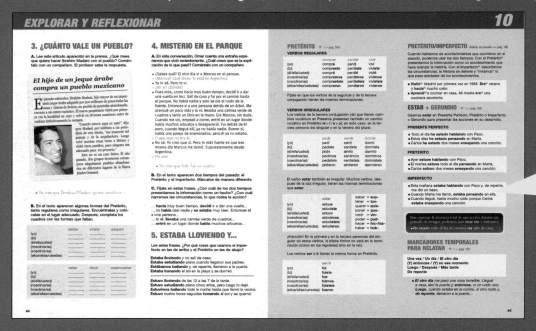

En el mismo apartado se presentan esquemas gramaticales y funcionales a modo de cuadros de consulta. Con ellos, se ha perseguido, ante todo, la claridad, sin renunciar a una aproximación comunicativa y de uso a la gramática.

3. PRACTICAR Y COMUNICAR

El tercer bloque está dedicado a la práctica lingüística y comunicativa. Incluye propuestas de trabajo muy variadas, pero que siempre consideran la significatividad y la implicación del alumno en el uso de la lengua. En una primera parte, el objetivo es experimentar el funcionamiento de reglas en actividades en las que se focaliza una u otra forma lingüística y que podríamos llamar "microtareas comunicativas". Muchas de las actividades que encontramos en esta sección están basadas en la experiencia del alumno en un contexto hispanohablante: sus observaciones y su percepción del entorno se convierten en material de reflexión intercultural y en un potente estímulo para la interacción comunicativa dentro del grupo-clase.

En la segunda parte de esta sección, se proponen una o varias tareas cuyo objetivo es ejercitar verdaderos procesos de comunicación en el seno del grupo, que implican diversas destrezas y que se concretan en un producto final escrito u oral (una escenificación, un póster, la resolución negociada a un problema, etc.).

4. VIAJAR

El último bloque de cada unidad incluye materiales con contenido cultural (textos informativos, canciones, poesía, juegos...) que ayudan al alumno a comprender mejor la realidad cotidiana y cultural de los países de habla hispana.

Además, el libro se completa con las siguientes secciones:

MÁS EJERCICIOS

En este apartado se proponen nuevas actividades de práctica formal que estimulan la reflexión y la fijación de los aspectos lingüísticos presentados en las diferentes unidades. Los ejercicios están diseñados de modo que los alumnos los puedan realizar de forma autónoma, aunque también pueden ser utilizados en la clase a modo de recapitulación de aspectos gramaticales y léxicos de la unidad.

MÁS GRAMÁTICA

Además del apartado de gramática de cada unidad, el libro cuenta con una sección que aborda de forma más extensa y detallada todos los puntos gramaticales de las unidades.

MÁS INFORMACIÓN

Al final del libro se incluye un anexo con información útil sobre los países de habla hispana: medios de comunicación, medios de transporte, sugerencias culturales, etc.

EL ESPAÑOL Y TÚ

En esta unidad vamos a
hacer recomendaciones a nuestros compañeros
para aprender mejor el español

Para ello vamos a aprender:

> a hablar de hábitos > a expresar duración
> a preguntar y a responder sobre motivaciones
> a hablar de dificultades > a hacer recomendaciones
> a hablar de intenciones > los presentes regulares e irregulares
> verbos reflexivos > **porque/para**

1. TEST ORAL

🔊 **A.** Barbara está en México para hacer un curso de español. En su escuela le hicieron una entrevista para determinar su nivel. Escucha y completa la ficha.

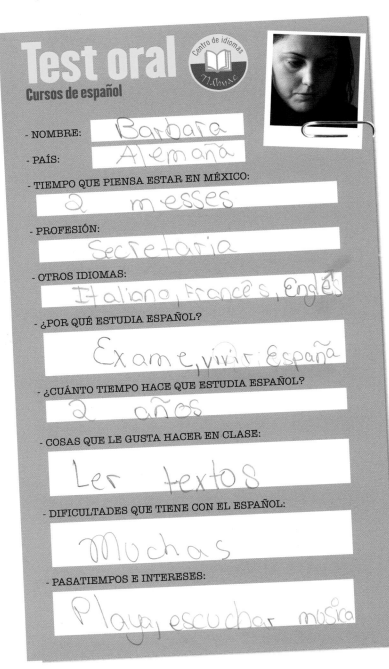

Test oral
Cursos de español

Centro de idiomas Tláhuac

- NOMBRE: Barbara
- PAÍS: Alemaña
- TIEMPO QUE PIENSA ESTAR EN MÉXICO: 2 messes
- PROFESIÓN: Secretaria
- OTROS IDIOMAS: Italiano, Francés, Englés
- ¿POR QUÉ ESTUDIA ESPAÑOL? Exame, vivir España
- ¿CUÁNTO TIEMPO HACE QUE ESTUDIA ESPAÑOL? 2 años
- COSAS QUE LE GUSTA HACER EN CLASE: Ler textos
- DIFICULTADES QUE TIENE CON EL ESPAÑOL: Muchas
- PASATIEMPOS E INTERESES: Playa, escuchar música

🔊 **B.** Compara tu ficha con la de un compañero. ¿Tienen toda la información? Pueden volver a escuchar la entrevista para completar la información que les falta.

C. Formula las siguientes preguntas a tu compañero y anota sus respuestas.

1. ¿Cómo te llamas?
2. ¿De dónde eres?
3. ¿Cuánto tiempo piensas estar en México?
4. ¿A qué te dedicas en tu país?

5. ¿Cuántos idiomas hablas?

6. ¿Por qué estudias español?
   - [ ] Porque ahora vivo en México.
   - [ ] Para conseguir un trabajo mejor.
   - [ ] Porque tengo que hacer un examen.
   - [ ] Porque tengo amigos mexicanos.
   - [ ] Para conocer otra cultura, otra forma de ser.
   - [ ] Porque quiero pasar un tiempo en un país de habla hispana.
   - [ ] Porque necesito el español para mi trabajo.
   - ....

7. ¿Cuánto tiempo hace que estudias español?

8. ¿Qué cosas te gusta hacer en clase?
   - [ ] Ejercicios de gramática.
   - [ ] Actividades orales.
   - [ ] Leer textos.
   - [ ] Juegos.
   - [ ] Trabajar en grupo.
   - [ ] Traducir.
   - [ ] Actividades con Internet.
   - ....

9. ¿Qué dificultades crees que tienes con el español?
   - [ ] La gramática.
   - [ ] La pronunciación.
   - [ ] El vocabulario.
   - [ ] Hablar con fluidez.
   - [ ] Entender a la gente.
   - ....

10. ¿Qué te gusta hacer en tu tiempo libre?

- ¿De dónde eres, Peer?
- Noruego, ¿y tú?
- Yo soy alemán. ¿Cuánto tiempo piensas estar aquí, en México?

D. Ahora, presenta a tu compañero al resto de la clase.

- Este es Peer, es noruego. Piensa estar aquí dos semanas. En Noruega trabaja en un hotel y...

2. TERROR EN LAS AULAS

A. Aquí tienes un fragmento de un artículo sobre el aprendizaje de lenguas. Léelo y subraya las cosas que también te pasan a ti o con las que estás de acuerdo.

¿Qué siente un alumno en una clase de idiomas? ¿Cómo vive la experiencia de aprender una nueva lengua?

En la clase de lenguas pueden aparecer muchas emociones negativas, como la ansiedad, el miedo o la frustración, que pueden afectar al proceso de aprendizaje. Pero también hay ilusiones, objetivos, actitudes positivas. Hemos entrado en las aulas para recoger las opiniones de los alumnos. He aquí una muestra de los comentarios más repetidos.

"CREO QUE EL PROFESOR TIENE QUE MOTIVAR A LOS ESTUDIANTES"

74%

32%

"EL ESPAÑOL ES UNA LENGUA DIFÍCIL DE APRENDER"

"ME SIENTO RIDÍCULA CUANDO HABLO ESPAÑOL; TENGO MUCHO ACENTO"

38%

- "Creo que aprender idiomas ayuda a ser más tolerante con gente de otras culturas."

- "Me siento inseguro cuando tengo que responder a las preguntas del profesor."

- "Creo que hay idiomas más fáciles que otros."

- "Me siento mal cuando el profesor me corrige delante de mis compañeros."

- "La corrección gramatical no es lo más importante. Lo realmente importante es poder comunicarse."

- "No me gusta pasar al pizarrón."

- "Me siento bien cuando el profesor y mis compañeros escuchan lo que digo y no solo cómo lo digo."

- "Me siento inseguro cuando hablo con un compañero que sabe más español que yo."

- "Me siento muy bien cuando trabajo en pequeños grupos."

- "Me gusta leer en voz alta mis redacciones."

- "Para un italiano o para un brasileño el español es bastante fácil."

- "Me siento un poco frustrado si no entiendo todas las palabras en una conversación."

- "Me pongo muy nerviosa cuando todos me escuchan."

B. ¿Y tú? ¿Qué opinas? ¿Cómo te sientes en clase? Coméntalo con tus compañeros.

- Yo creo que el profesor tiene que motivar a los estudiantes.
- Sí, es verdad, pero también...

3. LOS NUEVOS MEXICANOS

A. Estas personas viven en México por distintos motivos. Lee los textos y decide cuál crees que tiene una vida más interesante y por qué.

1. DAVID MATHIESON (inglés). Hace tres meses que **vive** en Monterrey. Está casado con una mexicana, **es** diseñador gráfico y **trabaja** muchas horas al día. Normalmente se levanta temprano y desayuna en casa. "Estudio español por las mañanas y en las tardes enseño inglés a niños." **Toma** fotografías de la naturaleza y le encanta cocinar. Por las noches **habla** con su esposa, **ve** la televisión y **lee**. Todavía no entiende perfectamente el español, pero este es su nuevo hogar. De momento, no **quiere** volver a Inglaterra.

2. HELENA JIMÉNEZ (española). Hace tres años que vive en Guadalajara. **Está** en México para hacer una especialidad en literatura mexicana. Tiene clases por la mañana, así que **se levanta** temprano. En las tardes **estudia** en la biblioteca. Los fines de semana **pasea** por la ciudad. "Cada día **descubro** un rincón nuevo."

3. PATRICK TAILHAN (francés). Tiene 44 años y hace quince que vive en el D.F. Es cocinero de comida internacional y **enseña** en una escuela de Hostelería y Turismo. Tiene las mañanas libres; normalmente se levanta temprano y **desayuna** en su casa. "Me gusta la vida aquí; no solo el clima, también la comida, la gente…" No **piensa** volver a su país.

B. ¿Tienes cosas en común con David, con Helena o con Patrick? Coméntalo con tus compañeros.

● Yo también paseo por la ciudad los fines de semana.

C. En el texto hay algunos verbos destacados en negrita. Todos están en Presente. ¿Sabes cuál es su Infinitivo? Escríbelo en tu cuaderno.

D. Aquí tienes un modelo de verbo regular de cada conjugación. De los verbos anteriores, ¿cuáles funcionan como los del cuadro y cuáles no?

	hablar	comer	vivir
(yo)	hablo	como	vivo
(tú)	hablas	comes	vives
(él/ella/usted)	habla	come	vive
(nosotros/as)	hablamos	comemos	vivimos
(vosotros/as)	habláis	coméis	vivís
(ellos/ellas/ustedes)	hablan	comen	viven

4. ME CUESTA…

A. Lee los problemas de estos estudiantes. ¿Con cuáles de ellos te identificas más?

Mary (inglesa) "No me acuerdo de las palabras cuando las necesito."

Pedro (brasileño) "Para mí, es muy difícil pronunciar la erre."

Gudrun (sueca) "Me cuesta entender a la gente; hablan muy rápido."

Paul (alemán) "Tengo poco vocabulario."

Akira (japonés) "La gente no me entiende cuando hablo."

Lucy (canadiense) "Me siento insegura cuando hablo."

Hans (holandés) "Para mí, lo más difícil son los verbos."

Igor (ruso) "Me cuesta entender los periódicos y las revistas."

● A mí también me cuesta pronunciar la erre.

B. ¿Qué problemas tienes tú? Completa las frases según tu experiencia.

1. A mí me cuesta/n ...ver TV....
2. A mí no me cuesta/n ...el vocabulario....
3. Para mí lo más fácil es/son ...el erre....
4. Para mí lo más difícil es/son casi nada....

C. Estos son algunos consejos para los estudiantes del apartado A. ¿Para quién crees que son? ¿Puedes darles otros?

1. Para eso, **lo mejor es** ver películas en español, escuchar canciones…
2. Para eso, **ayuda** repetir muchas veces una frase y grabarla.
3. Creo que **tienes que** leer más revistas, libros…
4. Yo creo que **ayuda** hablar mucho, perder el miedo…
5. **Lo mejor es** no preocuparse por entenderlo todo.
6. Yo creo que **ayuda** intentar utilizar las palabras nuevas en las conversaciones.
7. **Tienes que** mirar la cara y las manos de la gente porque eso ayuda a entender lo que dicen.
8. Creo que **ayuda** escribir las cosas que quieres recordar.

● El primer consejo puede ser para Gudrun y para Paul.

PRESENTE DE INDICATIVO

VERBOS REFLEXIVOS + >> pág. 162

	levantarse	sentirse
(yo)	**me** levant**o**	**me** s**ie**nt**o**
(tú)	**te** levant**as**	**te** s**ie**nt**es**
(él/ella/usted)	**se** levant**a**	**se** s**ie**nt**e**
(nosotros/as)	**nos** levant**amos**	**nos** sent**imos**
(vosotros/as)	**os** levant**áis**	**os** sent**ís**
(ellos/ellas/ustedes)	**se** levant**an**	**se** s**ie**nt**en**

● ***Me levanto*** *muy pronto todos los días.*

VERBOS IRREGULARES MÁS FRECUENTES

Irregularidades en Presente >> pág. 163

ser	estar	ir	tener
soy	**estoy**	**voy**	**tengo**
eres	**estás**	**vas**	**tienes**
es	**está**	**va**	**tiene**
somos	**estamos**	**vamos**	**tenemos**
sois	**estáis**	**vais**	**tenéis**
son	**están**	**van**	**tienen**

O - UE	E - IE	E - I	C - ZC
poder	querer	pedir	cono**c**er
p**ue**do	qu**ie**ro	p**i**do	cono**zc**o
p**ue**des	qu**ie**res	p**i**des	conoces
p**ue**de	qu**ie**re	p**i**de	conoce
podemos	queremos	pedimos	conocemos
podéis	queréis	pedís	conocéis
p**ue**den	qu**ie**ren	p**i**den	conocen
volver	**entender**	**vestirse**	**traducir**
acordarse	**pensar**	**servir**	**conducir**

Hay algunos verbos que tienen la primera persona irregular:
hacer (ha**go**), **poner** (pon**go**), **salir** (sal**go**)...

HABLAR DE LA DURACIÓN + >> pág. 160

● **¿Cuánto** (tiempo) **hace que** estudias español?
○ Dos años.

● **¿Hace mucho que** viven en México?
○ Yo no, no mucho. Solo **hace** seis meses.
■ Yo sí, mucho tiempo; diez años ya.

● **¿Desde cuándo** conoces a Pedro?
○ **Desde** el año pasado.

● Vivo en México **desde hace** diez años.

HABLAR DE MOTIVACIONES

● **¿Por qué*** estudian español?
○ Yo, **porque** quiero trabajar en México.
■ Pues yo, **para** conseguir un trabajo mejor.

* En las preguntas, **por qué** se escribe separado y con acento.

HABLAR DE INTENCIONES

● ¿Cuánto tiempo **piensas** estudiar aquí?
○ Unos tres meses, ¿y tú?
● Yo, en principio, **pienso** quedarme un año.

HABLAR DE PROBLEMAS Y DIFICULTADES EN EL APRENDIZAJE

Me		
Te		
Le	**cuesta** (mucho/un poco)	hablar (INFINITIVO)
		la gramática (NOMBRES EN SINGULAR)
Nos		
Os	**cuestan** (mucho/un poco) los verbos (NOMBRES EN PLURAL)	
Les		

● *A mí* ***me cuesta*** *mucho pronunciar la erre, ¿y a ti?*
○ *A mí* ***me cuesta*** *más la jota.*

● *¿Qué es lo que más* ***te cuesta****?*
○ ***Me cuestan*** *mucho trabajo los verbos, por ejemplo.*

SENTIRSE + ADJETIVO + CUANDO + PRESENTE

● **Me siento** ridículo **cuando** hablo español.
○ Yo **me siento** insegura **cuando** hablo con nativos.

OTROS RECURSOS

● Para mí, **lo más difícil es** entender a la gente.
○ Pues para mí, (**lo más difícil**) **son** los verbos.

● Para mí, **es muy difícil** entender películas en español.
○ Para mí, **son muy difíciles** las palabras largas.

HACER RECOMENDACIONES

Tienes/Tiene que	
Lo mejor es	+ Infinitivo

● *Me cuesta entender a la gente.*
○ *Pues* ***tienes que*** *escuchar la radio o ver más la tele.*

● *Necesito más vocabulario.*
○ *Pues,* ***para eso, lo mejor es*** *leer mucho.*

Ayuda	+ Infinitivo
	+ nombres en singular
Ayudan	+ nombres en plural

● *Para perder el miedo a hablar,* ***ayuda*** *mucho salir con nativos.*
○ *Y también* ***ayudan*** *los intercambios.*

5. DOS TRABAJOS

A. Lee el siguiente artículo sobre un día normal en la vida de Blanca. Luego, relaciona las imágenes con las actividades que realiza.

[A]

Unos 13 millones de mexicanas trabajan dentro y fuera de casa. Algunas de ellas tienen a sus hijos en guarderías y otras los dejan con algún familiar: su madre, su suegra o con alguien que va a casa para limpiar o para cuidar a los niños. Pocas prefieren esta última opción porque no pueden o no quieren pagar este servicio. Blanca Gómez, secretaria de 37 años y con una hija, es una de ellas. Este es su horario.

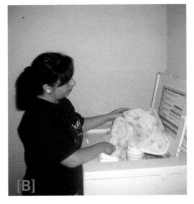
[B]

[C]

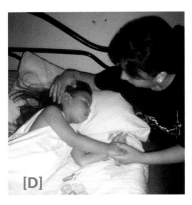
[D]

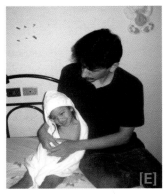
[E]

[F]

[G]

[De lunes a viernes] [01] **6:00** Se levanta, se baña, limpia un poco y pone la lavadora. [02] **6:45** Despierta a su esposo, Juan, y a Sandra, su hija. Viste a la niña, la peina, le da de desayunar y la lleva a la escuela. [03] **8:00** Empieza su jornada de trabajo en una maquiladora. Es secretaria. [04] **17:30** Sale de trabajar. Recoge a la niña en la guardería, pasa a la tienda y, después, vuelve a casa. [05] **20:00** Blanca prepara la cena. Juan baña a Sandra. [06] **21:30** Después de cenar, Blanca acuesta a la niña. [07] **22:00** Después de acostar a la niña, Blanca y su esposo platican un rato o ven la tele. Es el momento de mayor intimidad antes de irse a dormir.

B. ¿Hay algo que te sorprende del horario de Blanca? Coméntalo con un compañero.

C. ¿Puedes imaginar cómo es un día normal en la vida de Juan, el esposo de Blanca? Escríbelo y, luego, compara tu versión con la de tu compañero.

6. DIME CÓMO APRENDES Y...

A. En parejas, decidan cuáles de estas cosas son más útiles para aprender bien un idioma. ¿Pueden añadir alguna otra idea?

1. Es muy útil **2. Ayuda**
3. No es muy útil

· Memorizar muchas palabras `2`
· Escribir pequeños mensajes (de celular...)
· Leer periódicos
· Hablar con gente en los viajes
· Hacer muchos ejercicios de gramática
· Repetir frases y palabras muchas veces
· Hacer un intercambio con un nativo
· Ver la tele

· Hacer listas de palabras
· Tener un novio o una novia nativos
· Traducir todas las palabras de los textos
· Leer textos en voz alta
· Chatear
· Buscar muchas palabras en el diccionario
· Vivir en el país
· Escribir un diario
· Intentar comprender las palabras por el contexto
· Escribir frases y palabras, y pegarlas en las paredes de casa
....

B. Ahora, expliquen a sus compañeros cuáles son, para ustedes, las tres cosas más importantes.

• Para nosotros, las tres cosas más importantes son...

7. UN CUESTIONARIO DE ESPAÑOL

A. En parejas, van a preparar un cuestionario para estudiantes de español. ¿Cuáles de las siguientes preguntas les parecen más adecuadas? Coméntenlo y, entre los dos, elijan las seis mejores.

¿Te gusta estudiar español?
¿Estudias muchas horas al día?
¿Ves la televisión o películas en español?
Cuando estás en tu país, ¿navegas por páginas web en español?
¿Escribes correos electrónicos en español normalmente?
En el metro y en el camión, ¿escuchas a la gente?
¿Lees periódicos en español todos los días?
¿Hablas español fuera de clase? ¿Con quién?
¿Qué es lo más difícil del español para ti?
¿Te sientes cómodo cuando hablas español?
¿Cuándo te sientes más seguro en clase? ¿Y más inseguro?
Para ti, ¿es fácil o difícil aprender un idioma?
¿Qué haces para recordar lo que aprendes?
¿Qué es lo que más te gusta hacer en clase?

B. Ahora, háganse las preguntas el uno al otro. Anoten las respuestas.

C. Cambien de pareja. Entre los dos, piensen qué consejos les pueden dar a los compañeros con los que trabajaron en los apartados A y B. Elaboren una ficha con las recomendaciones para cada uno.

• Susan casi nunca habla español fuera de clase.
○ Pues yo creo que tiene que salir con más mexicanos.
• Sí y también ayuda vivir con una familia mexicana, ¿no?

Nuestras recomendaciones para _____

—
—
—
—
—
...

8. ¿QUÉ SABES DE MÉXICO?

A. Lee estas cápsulas informativas sobre México y coméntalas con un compañero.

Ubicación geográfica. México es uno de los tres países que forman América del Norte. Limita al norte con Estados Unidos; al sur y al oeste con el océano Pacífico; y al este con Guatemala, Belice y el océano Atlántico.

Superficie. La superficie total del país es de casi 2,000,000 km² y sus costas se extienden a lo largo de casi 12,000 km.

Número de habitantes. México es uno de los países más poblados del mundo; actualmente tiene una población de más de 100 millones de habitantes.

Tasa global de fecundidad. El índice de natalidad durante las primeras décadas del siglo XX era de siete hijos por mujer; en la década de los sesenta empezó a disminuir; en la actualidad, es de 2.3 hijos por mujer en edad fértil.

Índice de alfabetismo. En México, el 89.6% de la población está alfabetizada. En el Distrito Federal, en Baja California y en Nuevo León, esta cifra sube hasta el 95%. En cambio, en otras entidades, como Chiapas u Oaxaca, el número de personas que no saben leer ni escribir es mayor.

Lenguas indígenas. En México existen más de 80 lenguas indígenas y el 7% de la población mexicana habla alguna de ellas. En el centro y en el sur del país es donde viven más personas cuya lengua materna no es el español. En Yucatán, por ejemplo, el 40% habla una lengua indígena y en Oaxaca, el 37%. Las lenguas que cuentan con un mayor número de hablantes son el náhuatl, hablado por más de un millón de personas, el maya por casi 777,000, el zapoteco por más de 415,000, y el mixteco, por casi 390,000.

Fuente INEGI

B. Ahora es tu turno. ¿Qué sabes tú de México? En grupos, investiguen e intenten dar información sobre lo siguiente.

Un/a pintor/a: ....
Un/a actor/actriz: _Dulce María_
Una película: _Érase una vez en México_
Una ciudad colonial: _Chiapas_
Una zona arqueológica: _Tulum_
Una fiesta religiosa: _Fiesta de los Mayas_
Una artesanía típica: _cerámica_
Una canción popular: _Gasolina_
Una marca de cerveza: _Sol_
Un platillo típico: _Guacamole_

C. Ahora, pregunta a tus compañeros qué saben sobre tu país. Puedes referirte a los temas del apartado anterior o a otros.

● ¿Saben cuál es la capital de Australia?
○ Sydney.
● No, es Canberra. ¿Y el nombre de un actor o de una actriz australianos?

2

HOGAR, DULCE HOGAR

En esta unidad vamos a
**buscar un compañero para compartir
departamento y a diseñar una vivienda**

Para ello vamos a aprender:
> *a expresar gustos y preferencias* > *a describir una casa*
> *a comparar* > *a expresar coincidencia*
> *a ubicar objetos en el espacio*
> *a describir objetos: formas, estilos, materiales...*
> *los muebles y las partes de la casa*

1. DOS DEPARTAMENTOS

A. Aquí tienes las salas de dos departamentos bastante distintos. Imagina que puedes elegir uno de los dos para vivir durante tu estancia en México. ¿Cuál te gusta más? ¿Por qué? Completa el cuadro y, luego, coméntalo con un compañero.

Departamento en el centro
1. Tapete de fibra vegetal 2. Mesa rectangular de madera
3. Sillón rojo de Natalia Gómez-Angelats 4. Lámpara blanca
5. Librero bajo de madera 6. Cuadros de Javi Navarro
7. Mesa pequeña de madera 8. Jarrón de cristal

Departamento en zona residencial
1. Tapete persa 2. Silla negra de piel 3. Sofá clásico de tres lugares 4. Cojines de varios colores 5. Lámpara estilo imperio 6. Silla modelo Arpa 7. Librero de madera 8. Espejo con marco dorado

¿CUÁL ES MÁS...?	Departamento en el centro	Departamento en zona residencial
acogedor		✓
frío	✓	
luminoso		✓
oscuro	✓	
moderno	✓	
clásico		✓

● A mí me gusta más el departamento en el centro. Es muy moderno y parece muy acogedor.
○ Pues a mí me gusta más el departamento en la zona residencial. Es muy luminoso y parece muy grande. El otro es demasiado...

B. Ahora, fíjate en los muebles. ¿Cuáles te gustan? ¿Cuáles no? Coméntalo con tu compañero.

● A mí me gustan sobre todo el tapete y la silla del departamento en la zona residencial.
○ Pues a mí...

C. ¿Les gustan los mismos muebles? Explíquenselo a los demás compañeros.

Tenemos	los mismos gustos
	gustos (muy) parecidos
	gustos (muy) diferentes

● Marianne y yo tenemos los mismos gustos. A las dos nos gusta...

2. PROMOCIONES INMOBILIARIAS

A. Una agencia inmobiliaria publicó estas ofertas de departamentos y de casas de renta. Observa las dos de la izquierda y sus planos. ¿Identificas algunas partes de la casa? Luego, decide a qué vivienda corresponde el plano de la derecha.

OFERTAS INMOBILIARIAS

• **Casa** de 80 m² en bonito fraccionamiento a solo 20 minutos del centro de la ciudad. 4 habitaciones, amplia sala, cocina-comedor, baño. Áreas verdes comunitarias. $14,000 pesos/mes.

• **Quinta** de 367 m². 2 plantas, doble cochera. Recibidor, estudio, lavandería, 5 habitaciones, 3 baños, cocina, sala-comedor de 60 m², terraza, jardín de 60 m², sala de juegos. Fantásticas vistas. $50,000 pesos/ mes.

• **Estudio** de 40 m². Sin amueblar. Elevador. Bien ubicado y luminoso. 1 habitación. Edificio antiguo con encanto. Terraza. $5,000 pesos/mes.

• **Casa** de 80 m² frente al mar. Sala, 2 habitaciones, cocina americana, balcón con vista panorámica. $10,000 pesos/mes.

• **Departamento** de 60 m², a 5 minutos de la playa, 2 habitaciones, 1 baño, sala de 16 m². $6,000 pesos/mes.

• **Departamento** de 110 m². Muy bien comunicado. Muy tranquilo. Buena distribución: tres habitaciones, dos baños, amplia sala y balcón. Mucho sol. Listo para habitarse. Solo $20,000 pesos/mes.

• **Penthouse** de 85 m² en perfecto estado. Duela, 2 terrazas (una de 20 m²), tres habitaciones, cocina totalmente equipada, un baño y medio. $15,000 pesos/mes.

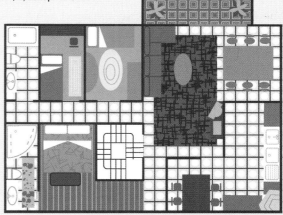

B. Estas son las fichas de algunos clientes de la agencia inmobiliaria. ¿Cuál de las viviendas anteriores puede ser más adecuada para cada uno de ellos? Coméntalo con un compañero.

NOMBRE: *Pedro Ruiz (32) y Ana Pérez (30)*
PROFESIÓN: *músico y profesora de español para extranjeros*
NIVEL ADQUISITIVO: *medio*
HIJOS: *dos niños (de 7 y 14 años)*
ANIMALES: *un perro*
AFICIONES: *ir al cine, ir a museos, nadar*

NOMBRE: *Carlos de Andrés (23)*
PROFESIÓN: *repartidor de pizzas a domicilio*
NIVEL ADQUISITIVO: *medio-bajo*
HIJOS: –
ANIMALES: *dos perros y un gato*
AFICIONES: *windsurf, jugar futbol, pescar*

NOMBRE: *Camilo Morelos (42) y Lola Sanz (36)*
PROFESIÓN: *director de una empresa multinacional y dentista (consulta en domicilio)*
NIVEL ADQUISITIVO: *alto*
HIJOS: *dos niños (de 7 y 4 años)*
ANIMALES: –
AFICIONES: *ir en bici, jugar tenis, pasear*

● Yo creo que Camilo y Lola pueden rentar el penthouse.
○ No sé, tienen dos hijos y el penthouse no es muy grande. Quizá la quinta, ¿no? Es más grande y...

C. ¿Y tú? ¿En qué tipo de casa vives en tu país? ¿Cómo es? ¿Dónde está? Explícaselo a tus compañeros.

● Yo vivo en un estudio, en el norte de Londres, bastante lejos del centro. Es un poco pequeño, pero es muy acogedor. Tiene...

3. UNA CASA DE LOCOS

En esta casa, los muebles están en lugares muy extraños. Mira el dibujo y completa las frases.

1. Hay una ....silla........ **encima de** la mesa.
2. Hay una ....silla........ **detrás del** sofá.
3. **Debajo de** la ......mesa...... hay un jarrón con flores.
4. Hay una ....lampada.... **delante del** refrigerador.
5. Hay un ....pintura.... **entre** el refrigerador y la estufa.
6. El ....refri..... está **a la derecha del** cuadro.
7. La ....estufa.... está **a la izquierda del** cuadro.
8. El ....microndas.... está **al lado del** sofá.
9. **En el centro de** la habitación hay una ....TV.......

4. LA CASA DE JULIÁN

A. Vas a escuchar a Julián describiendo su casa. Escucha y completa las frases.

La casa de Julián...

es ......un painthouse......
está ......en el centro hostorico......
tiene ......una sala de 20m²......
da ......una caja pierto y on mercado......

B. ¿Cómo es tu casa aquí en México? Completa las frases y, luego, cuéntaselo a un compañero.

Vivo
- ☐ en una casa
- ☐ en un departamento
- ☐ en un estudio

Es ....
Está ....
Tiene ....
Da ....

mi casa ➡ **la mía**	mi departamento ➡ **el mío**
tu casa ➡ **la tuya**	tu departamento ➡ **el tuyo**
su casa ➡ **la suya**	su departamento ➡ **el suyo**

- Yo vivo en una casa. Es bastante grande, luminosa y tranquila. Está en las afueras. Tiene...
- Pues la mía...

5. ES MÁS O MENOS IGUAL

A. Lee estas frases que escribieron unos extranjeros que viven en México. ¿También son verdad en tu caso? Coméntalo con tus compañeros.

1. En mi país hay **más** rascacielos **que** aquí.
2. En mi país hay **menos** balcones **que** aquí.
3. En mi país **no** hay **tanto** ruido en las calles **como** aquí.
4. En mi país **no** hay **tanta** vida nocturna **como** aquí.
5. En mi país **no** hay **tantos** edificios antiguos **como** aquí.
6. En mi país **no** hay **tantas** casas antiguas **como** aquí.
7. En mi país **no** hay ninguna ciudad **tan** grande **como** el D.F.
8. En mi país las calles están **más** limpias **que** aquí.
9. El invierno en mi país es **menos** frío **que** aquí.
10. En mi país hay playas **tan** bonitas **como** las de aquí.
11. En mi país hay **tantos** museos **como** aquí.

B. Ahora, observa las estructuras que están marcadas en negrita en las frases anteriores. Todas sirven para comparar. Clasifícalas en este cuadro.

con nombres	con adjetivos
tanto ... como	

C. Piensa en dos ciudades que conoces y escribe frases comparándolas. Usa las estructuras que acabas de clasificar en el apartado anterior.

- En Nueva York hay más parques que aquí.

EXPRESAR GUSTOS

GUSTAR/ENCANTAR + >> pág. 162

(A mí)	**me**		esta casa
(A ti)	**te**	**gusta/**	*(NOMBRES EN SINGULAR)*
(A él/ella/usted)	**le**	**encanta**	comer
(A nosotros/as)	**nos**		*(VERBOS EN INFINITIVO)*
(A vosotros/as)	**os**	**gustan/**	estos muebles
(A ellos/ellas/ustedes)	**les**	**encantan**	*(NOMBRES EN PLURAL)*

PREFERIR Irregularidades en Presente >> pág. 163

(yo)	**prefiero**	
(tú)	**prefieres**	este sofá/estas sillas
(él/ella/usted)	**prefiere**	*(NOMBRES)*
(nosotros/as)	**preferimos**	tener jardín
(vosotros/as)	**preferís**	*(VERBOS EN INFINITIVO)*
(ellos/ellas/ustedes)	**prefieren**	

EXPRESAR COINCIDENCIAS

- Me encantan las casas con mucha luz. **¿Y a ti?**
  ○ **A mí también**.

- A mí no me gusta mucho cocinar. **¿Y a ti?**
  ○ **A mí tampoco**.

- No me gustan los tacos. **¿Y a usted?**
  ○ ¿A mí? **A mí sí**.

- Me encanta vivir en el centro. **¿Y a usted?**
  ○ **A mí no**.

- Yo vivo en una casa antigua. **¿Y tú?**
  ○ **Yo también**.

- Yo no como nunca en casa. **¿Y tú?**
  ○ **Yo tampoco**.

- Yo no tengo mucho espacio en casa. **¿Y usted?**
  ○ Pues **yo sí**. Vivo solo.

- Yo busco una casa con jardín. **¿Y usted?**
  ○ **Yo no**. Yo busco un departamento.

MATERIAL

una mesa **de** madera/metal/cristal/mármol/plástico...
un closet metáli**co**
una mesa metáli**ca**

- *¿**De qué es** esta silla?*
  ○ ***De** aluminio.*

SIN/CON/DE/PARA

Preposiciones y locuciones preposicionales >> pág. 158

	pequeña/grande/luminosa/céntrica... *(ADJETIVO)*
	con/sin vista/jardín/alberca... *(NOMBRE)*
una casa	**de** madera/piedra/ladrillo... *(NOMBRE)*
	para vivir/ir de vacaciones... *(INFINITIVO)*
	para los fines de semana... *(NOMBRE)*

UBICAR Preposiciones y locuciones preposicionales >> pág. 158

debajo de　encima de　detrás de　delante de　entre

a la derecha de　a la izquierda de　al lado de　en el centro de

- *No es bueno poner la cama **debajo de** una ventana.*
- *¿Te gusta el sofá aquí, **entre*** los dos sillones?*

*El sofá está **entre de** los dos sillones.
Recuerda: **de** + **el** = **del** / **a** + **el** = **al**

COMPARAR + >> pág. 161

SUPERIORIDAD

Con nombres
- Guadalajara tiene **más** parques **que** Querétaro.

Con adjetivos
- La Ciudad de México es **más** grande **que** Guadalajara.

Formas especiales: **más bueno/a** ➞ **mejor**
　　　　　　　　　más malo/a ➞ **peor**

IGUALDAD

Con nombres

- Esta casa tiene | **tanto** espacio / **tanta** luz / **tantos** balcones / **tantas** habitaciones | **como** la otra.

Con adjetivos
- Aquí las casas son **tan** caras **como** en mi país.

Con verbos
- En mi país la gente sale **tanto como** en México.
- Los franceses viajan **tanto como** los alemanes.

INFERIORIDAD

Con nombres
- En mi país hay **menos** montañas **que** aquí.

- Esta casa **no** tiene | **tanto** espacio / **tanta** luz / **tantos** balcones / **tantas** habitaciones | **como** la otra.

Con adjetivos
- Esta casa es **menos** luminosa **que** la otra.
- Aquí las casas **no** son **tan** caras **como** en mi país.

Con verbos
- En mi país la gente **no** sale **tanto como** en México.

6. MI LUGAR FAVORITO

A. Cuatro personas nos hablan de sus lugares favoritos en casa. Escucha y completa los datos que faltan en el cuadro.

NOMBRE	LUGAR FAVORITO	ACTIVIDADES	MUEBLE FAVORITO
1. Carolina			
2. Fiona			
3. Pedro			
4. Encarna			

B. ¿Cuál es tu lugar favorito de tu casa? ¿Por qué? Coméntalo con un compañero.

● Mi lugar favorito es la cocina porque me encanta cocinar.
○ Pues el mío es el balcón porque me gusta mirar a la gente.

C. ¿En qué lugar de la casa haces cada una de estas actividades? Escríbelo y, luego, coméntalo con tu compañero.

- estudiar ....
- escuchar música ....
- vestirte ....
- estar con los amigos ....
- leer ....
- usar la computadora ....
- hacer las tareas ....
- ver la televisión ....
- maquillarte/afeitarte ....
- reunirte con la familia ....
- dormir siesta ....
- desayunar ....

● Yo, normalmente, estudio en mi habitación. ¿Y tú?
○ Depende. A veces en mi habitación, a veces en la sala...

7. COSAS IMPRESCINDIBLES

A. En parejas, imaginen que se van a instalar juntos en una casa nueva. ¿Qué cosas consideran indispensables para vivir? Elijan cinco entre las cosas que tienen aquí y, luego, piensen otras tres que consideren imprescindibles.

ropero
espejo
lámpara de pie
refrigerador
televisión
mesa de centro
lavavajillas
sillón
sofá
silla
cama
lavadora
librero
mesa
lámpara de mesa
tapete

● Lo más importante es la cama, ¿no?
○ Sí claro. Y... una mesa para comer, trabajar y...

B. Ahora, expliquen al resto de la clase los muebles y los electrodomésticos que escogieron.

● Para nosotros, las cinco cosas imprescindibles son...

2

8. EL BAÑO, AL FONDO A LA DERECHA

A. Dibuja en una hoja el contorno y la puerta de entrada de tu casa. A continuación, intercambia tu hoja con la de un compañero. Cada uno describe cómo es su casa y el otro dibuja un plano a partir de la descripción.

• Entras y, a la derecha, está la cocina...

B. Miren juntos los planos. Cada uno tiene que dar nuevas explicaciones para corregirlos o mejorarlos, pero sin tocar el dibujo del otro.

• La cocina no es tan grande.
○ ¿Así?

9. COMPAÑEROS DE DEPA

A. Imagina que tienes que compartir departamento y que estás buscando un compañero. ¿Qué preguntas puedes hacerle para saber si son compatibles? Te proponemos algunas, pero puedes añadir otras.

¿Eres ordenado/a?

¿Tienes novio/a?

¿Lavas los platos después de comer?

¿Te gustan los animales? ¿Tienes alguno?

¿Estudias o trabajas?

¿Te gusta hacer fiestas en casa?

¿Te gusta escuchar la música a todo volumen?

¿Sabes cocinar?

¿Fumas?

¿Hablas mucho por teléfono?

¿Tu familia te visita a menudo?

¿Te gusta ver la tele? ¿Qué tipo de programas?

....

B. Ahora, en grupos de tres, haz las preguntas a tus compañeros y decide con quién puedes compartir departamento. Luego, explícaselo a los demás compañeros.

• Yo puedo vivir con Peter porque los dos somos bastante ordenados...

10. LA CASA IDEAL

A. Imagina que eres promotor inmobiliario y que quieres construir viviendas en la zona donde estás. Piensa, primero, en el tipo de público al que vas a dirigirte (jóvenes profesionales, jubilados extranjeros, familias con hijos...) y en su nivel adquisitivo. Luego, busca a otro compañero que haya escogido el mismo tipo de público.

B. Ahora, en parejas, van a decidir las características de la vivienda ideal para ese tipo de público.

La vivienda para .... sobre todo tiene que...

⟩Ser

céntrica
luminosa
(toda) exterior
tranquila
muy grande
no muy cara
acogedora
espaciosa
cómoda
....
....
....
....
....

una quinta
un departamento
un estudio
una casa
un ático
....
....
....
....

⟩Estar

en el centro de la ciudad
en el centro histórico
un poco lejos del centro
en las afueras
en un fraccionamiento
en el campo
en la costa
en la sierra
....
....

⟩Tener

mucho espacio
dos/tres... habitaciones
cochera
terraza
jardín
una sala grande
chimenea
dos/tres... baños
una cocina grande
alberca
....

• Yo creo que, para jóvenes profesionales, una casa tiene que ser céntrica y tiene que estar bien comunicada.
○ Sí, y tener restaurantes y tiendas cerca.

C. Van a elegir un nombre para su proyecto y a preparar la presentación por escrito. Tienen que dar información sobre el tipo de público al que va dirigido, cómo son las viviendas, dónde están situadas, etc. ¿Por qué no preparan también un pequeño anuncio publicitario?

D. Ahora, presenten el proyecto a sus compañeros.

• Nuestro proyecto se llama Fraccionamiento JASP. Son departamentos en la playa para jóvenes profesionales. Tienen dos habitaciones, jardín con alberca...

VIAJAR

11. EL CALLEJÓN DEL BESO

A. Guanajuato es uno de los lugares más románticos de México. ¿Conoces la ciudad? ¿Cuáles de las siguientes palabras asocias con esta ciudad?

playa modernidad tradición

colonial callejones avenidas

típico antiguo industrial

● Yo asocio Guanajuato con...

B. Ahora, busca el significado de estas palabras en el diccionario y complementa tu información con la de tus compañeros.

→ balcón → leyenda → enamorados

→ fortuna → parejas → escalón

→ daga → idilio → desobediencia

(rompito) (relacion amorosa)

C. Un aspecto muy característico de la cultura mexicana son sus leyendas. Las leyendas son historias que suelen estar basadas en hechos reales a las que, con el paso del tiempo, se les ha ido agregando un poco de fantasía. Una de las más famosas en México es la del Callejón del Beso. Lee el texto.

Se cuenta que Doña Carmen era una rica española, hija única de un padre intransigente y violento a quien solo le interesaba incrementar su fortuna. Don Luis, un joven minero, cortejaba a Doña Carmen en una iglesia cercana al hogar de la chica. Cuando su padre lo descubrió, encerró a su hija en su habitación y le prohibió volver a verlo. También la amenazó con enviarla a un convento o con casarla en España con un viejo y rico noble.

La bella y sumisa criatura y su dama de compañía, Doña Brígida, lloraron e imploraron juntas. Así, antes de someterse al sacrificio, resolvieron que Doña Brígida llevaría una carta a Don Luis con las malas noticias. Al enterarse de la noticia, Don Luis decidió irse a vivir a la casa frontera de la de su amada, que adquirió a precio de oro. Esta casa tenía un balcón que daba a un callejón tan angosto que se podía tocar con la mano la pared de enfrente.

Un día, se encontraban los enamorados platicando de balcón a balcón y, cuando más abstraídos estaban, del fondo de la pieza de Doña Carmen se escucharon frases violentas. Era su padre increpando a Doña Brígida, quien se jugaba la misma vida por impedir que el amo entrara a la alcoba de su señora. Por fin, el padre pudo introducirse y clavó una daga que llevaba en la mano en el pecho de su hija. Don Luis enmudeció de espanto al verla morir y le dio el último beso en la mano, poniendo fin así a su infortunado idilio. Don Luis no pudo vivir sin el amor de Doña Carmen y, desesperado, se suicidó.

Cuenta la leyenda que las parejas que pasen por el Callejón y no se den un beso en el tercer escalón, tendrán siete años de mala suerte. Por el contrario, si se besan con amor, tendrán quince años de buena fortuna.

D. ¿Existen leyendas en tu cultura? ¿Existe alguna leyenda similar a la del Callejón del Beso? Cuéntasela a tus compañeros.

3
YO SOY ASÍ

En esta unidad vamos a
describir a nuestros compañeros de clase

Para ello vamos a aprender:

> a identificar y a describir físicamente a las personas
> a hablar de las relaciones y de los parecidos entre personas
> Presentes irregulares: **c-zc** > **llevarse bien/mal**
> **este/esta/estos/estas, ese/esa/esos/esas**
> **el/la/los/las** + adjetivo, **el/la/los/las** + **de** + sustantivo,
el/la/los/las + **que** + verbo > las prendas de vestir

1. HERMANOS

A. Estos son los hermanos Contreras. Elige a uno de ellos. Un compañero te va a hacer preguntas para averiguar cuál es.

- ¿Es rubio?
- No.
- ¿Es calvo?
- Sí.
- ¿Usa lentes?
- Sí.

1. Julián Contreras
Es rubio.
Tiene los ojos azules.
Tiene barba.
Tiene el pelo corto.

2. Marcos Contreras
Tiene el pelo negro.
Tiene el pelo rizado.
Tiene los ojos verdes.
Tiene bigote.
Usa lentes.

3. Alfredo Contreras
Tiene el pelo castaño.
Tiene el pelo largo.
Tiene el pelo ondulado.
Tiene los ojos verdes.
Tiene barba.
Usa lentes.

4. Ramón Contreras
Es calvo.
Tiene los ojos cafés.
Tiene barba de candado.
Usa lentes.

5. Juan Contreras
Es pelirrojo.
Tiene el pelo largo.
Tiene el pelo liso.
Tiene los ojos azules.
Tiene bigote.

6. Rafa Contreras
Es rubio.
Tiene el pelo corto.
Tiene los ojos negros.
Tiene barba de candado.
Usa lentes.

7. Esteban Contreras
Tiene el pelo negro.
Tiene el pelo corto.
Tiene el pelo rizado.
Tiene los ojos verdes.

8. Pedro Contreras
Tiene el pelo castaño.
Tiene el pelo largo.
Tiene el pelo ondulado.
Tiene los ojos cafés.
Tiene bigote.
Usa lentes.

9. Manuel Contreras
Es pelirrojo.
Tiene el pelo largo.
Tiene el pelo ondulado.
Tiene los ojos azules.
Usa lentes.

B. Para ti, ¿cuál es el más guapo? ¿Y el más feo? ¿Cuál crees que es el más simpático?

- Para mí, el más guapo es Esteban. Y el que parece más simpático...

10. Miguel Contreras
Es calvo.
Tiene los ojos cafés.
Tiene barba de candado.

2. LA BODA DEL HERMANO DE MARÍA DEL MAR

A. En la boda de su hermano, María del Mar está hablando con una amiga sobre algunos de los invitados. Escucha la conversación e intenta identificar en la ilustración a cada una de las personas de las que hablan.

B. Vuelve a escuchar la conversación y escribe qué relación tiene María del Mar con cada una de estas personas.

1. Juan José ....
2. Isabel ....
3. Ricardo ....
4. Aurora ....
5. Felipe ....
6. Leonor ....

C. Ahora, intenta describir a alguien de la ilustración. Tu compañero tiene que descubrir de quién se trata.

- Es rubia, es muy guapa y trae un vestido rojo.
○ ¿Esta?
- Sí.

3. ¿A QUIÉN SE PARECE?

A. Observa estas fotografías. Cada una de estas personas es pariente de otra. Decide quién se parece a quién. Luego, coméntalo con un compañero.

● Yo creo que Federica se parece a...

B. En parejas, comenten qué relación creen que tienen.

● Federica y Regina son hermanas, ¿no?

C. Y tú, ¿a quién te pareces? Explícaselo a tu compañero.

Yo, físicamente/en el carácter, me parezco a...

● Yo, físicamente, me parezco a mi madre. Soy alto, como ella, y... En el carácter, me parezco más a...

4. MIS AMIGOS

A. Mar está pasando una temporada en Argentina. Hoy escribió a su hermana y le envió una fotografía de sus amigos. ¿Puedes identificarlos?

¡Hola Pili!

¿Cómo va todo? ¡Yo de maravilla! Estoy muy contenta de estar aquí ("acá", como se dice en Argentina). Aparte de estudiar, también he tenido tiempo para ver muchas cosas y para conocer gente. Te envío una foto con mis amigos de aquí: las dos chicas de la izquierda son hermanas. Leila es la de pelo negro y Sandra es la pelirroja. Son muy buena onda. El que está entre Sandra y yo es Diego, el novio de Sandra. La chica de la derecha, la de las coletas, se llama Abigail y es la primera persona que conocí al llegar. A ver si vienes a visitarme pronto y los conoces a todos en persona. Muchos besos, hermanita.

Mar

B. Para identificar algo o a alguien dentro de un grupo, podemos utilizar las siguientes estructuras. Marca todas las que encuentres en el correo electrónico de Mar.

el/la/los/las + adjetivo
el/la/los/las + **de** + sustantivo
el/la/los/las + **que** + verbo

5. ME LLEVO MUY BIEN CON...

A. Lee las opiniones de Luisa sobre cuatro personas. ¿Cómo crees que es su relación con ellas? Márcalo.

1. Luisa **se lleva** ☐ bien / ☐ mal **con** Luis.
2. Luisa **se lleva** ☐ bien / ☐ mal **con** Carla.
3. Luisa **se lleva** ☐ bien / ☐ mal **con** Susi.
4. Luisa **se lleva** ☐ bien / ☐ mal **con** Fernando.

B. Ahora, piensa en las personas que conoces. ¿Con quién te llevas bien? ¿Con quién regular? ¿Con quién te llevas mal? Cuéntaselo a tus compañeros.

Yo me llevo (muy) bien/regular/mal/fatal con...

● Yo me llevo muy bien con mi padre, pero...

Luis es muy lindo. Es la persona más generosa que conozco.

Carla es una persona muy divertida. Siempre está de buen humor. Me encanta salir con ella.

Susi tiene algo que no sé... Es una persona muy negativa. Siempre está enojada. Es muy rara.

A Fernando no lo soporto. Es la típica persona que nunca te dice las cosas a la cara, se pasa el día criticando a la gente...

ASPECTO FÍSICO

Es	guapo/a, feo/a...
	blanco/a, moreno/a... *(COLOR DE PIEL)*
	rubio/a, pelirrojo/a, calvo/a...
	alto/a, bajo/a*
	gordo/a*, delgado/a
Tiene	el pelo largo/corto/rubio/negro/rizado/ondulado/lacio...
	los ojos negros/azules/verdes/cafés...
	barba, bigote, piocha...
Usa/ Trae	lentes, gorra, sombrero, camisa, traje...

* Los adjetivos **bajo/a** y **gordo/a** pueden resultar ofensivos. En su lugar, se suelen usar los diminutivos **bajito/a** y **gordito/a**. En México es muy común usar **chaparro/a** y **chaparrito/a** en vez de **bajo/a** y **bajito/a**.

IDENTIFICAR

PRONOMBRES DEMOSTRATIVOS + >> pág. 155

	Masculino singular	Femenino singular	Masculino plural	Femenino plural
aquí	**este**	**esta**	**estos**	**estas**
ahí	**ese**	**esa**	**esos**	**esas**

● ¿Quién es **ese/esa**?   ● ¿Quiénes son **esos/esas**?
○ *Mi hermano/hermana.*   ○ *Mis hermanos/hermanas.*

El/la/los/las Pronombre demostrativo	+ adjetivo

● *El rubio es mi hermano.*   ● *Ese rubio es mi hermano.*

El/la/los/las Pronombre demostrativo	+ **de** + sustantivo

● *Los del* coche azul son mis vecinos.*
● *Esos del* coche azul son mis vecinos.*

* de + el = del

El/la/los/las Pronombre demostrativo	+ **que** + verbo

● *La que está en la puerta es mi jefa.*
● *Esa que está en la puerta es mi jefa.*

HABLAR DE PARECIDOS

PARECERSE (C > ZC)
ZC en la primera persona del singular >> pág. 163

(yo)	**me parezco**
(tú)	**te pareces**
(él/ella/usted)	**se parece**
(nosotros/as)	**nos parecemos**
(vosotros/as)	**os parecéis**
(ellos/ellas/ustedes)	**se parecen**

Otros verbos con esta irregularidad (**c-zc**): **nacer**, **conocer**, **merecer**...

Yo **me parezco a** mi padre. = Mi padre y yo **nos parecemos**.

Parecerse sirve para hablar de parecidos y se conjuga como un verbo reflexivo. **Parecer** sirve para expresar la impresión que nos provoca algo o alguien y funciona como el verbo **gustar**.

● *El novio de Ana no me gusta nada.*
○ *Pues a todo el mundo le parece muy simpático.*

COMO

● Soy bastante alto, **como** mi padre.
● En el carácter soy **como** mi madre.

HABLAR DE RELACIONES

IDENTIFICAR

● **Es un** compañero de trabajo.
● **Son unos** compañeros de departamento.

● **Es mi** esposo.
● **Son mis** hermanos.

● **Es un/a** primo/a **mío/a, tuyo/a, suyo/a, nuestro/a, vuestro/a, suyo/a**.
● **Son unos/as** amigos/as **míos/as, tuyos/as, suyos/as, nuestros/as, vuestros/as, suyos/as**.

VALORAR UNA RELACIÓN

	llevarse	
(yo)	**me llevo**	
(tú)	**te llevas**	
(él/ella/usted)	**se lleva**	**bien/mal (con)**...
(nosotros/as)	**nos llevamos**	
(vosotros/as)	**os lleváis**	
(ellos/ellas/ustedes)	**se llevan**	

● *Merche se lleva bien con Luis, ¿no?*
○ *No, se lleva muy mal.*

RELACIONES DE PAREJA

estar	casado/a soltero/a divorciado/a separado/a viudo/a	**tener**	pareja novio/a	**salir con** un chavo una chava alguien

6. BUSCAR PAREJA

A. Lee estos anuncios de la sección de contactos de una página web. Luego, en parejas, elijan uno de ellos y escriban el anuncio de alguien ideal para esa persona.

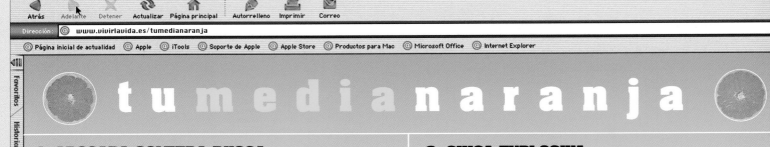

Atrás Adelante Detener Actualizar Página principal Autorrelleno Imprimir Correo

Dirección: www.vivirlavida.es/tumedianaranja

Página inicial de actualidad Apple iTools Soporte de Apple Apple Store Productos para Mac Microsoft Office Internet Explorer

Favoritos Historial Buscar Álbum Marcador de página

t u m e d i a n a r a n j a

1. ABOGADA SOLTERA BUSCA

Me llamo Daniela y estoy soltera. Tengo 45 años, mido 1,65 y peso 67 kilos. Soy morena y tengo los ojos azules. Soy abogada. Me gusta la jardinería, pasar los fines de semana en el campo y montar a caballo. Soy una persona optimista, alegre y, en general, me llevo bien con todo el mundo. Quiero conocer a un hombre cariñoso, preferentemente moreno y maduro, de entre 40 y 45 años, para matrimonio. No importa su situación económica.

2. CHICA EXPLOSIVA

¡Hola! ¿Quieres conocer a una chava explosiva? Me llamo Sonia y tengo 22 años. Mido 1,72 y peso 66 kilos. Soy rubia y tengo los ojos verdes. Mis amigos dicen que me parezco a Pamela Anderson. Actualmente trabajo en una agencia inmobiliaria. Me encanta viajar, bailar y divertirme. Quiero conocer a un chavo alegre, de ser posible alto y guapo, para ser amigos y, poco a poco, descubrir si podemos ser algo más. ¡Escríbeme!

B. Ahora, van a leer su anuncio en voz alta. Sus compañeros tienen que decidir si la persona encaja con Daniela o con Sonia.

7. ¿A QUIÉN SE PARECE TU COMPAÑERO?

A. En parejas, elijan a alguien de la clase y piensen a quién se parece. Luego, coméntenselo a los demás, que van a intentar descubrir quién es.

- Se parece un poco a Madonna.
- ¿Amanda?
- No.
- ¿Jacqueline?
...

B. Ahora, justifiquen el parecido ante sus compañeros.

- Jacqueline tiene el pelo como Madonna y tiene los mismos ojos. Las dos son muy modernas...

8. UNA CITA A CIEGAS

A. Imagina que vas a encontrarte con alguien que nunca te ha visto. Escríbele un correo electrónico para explicarle cómo eres y entrégaselo a tu profesor.

B. Tu profesor va a repartir las descripciones. ¿Quién es el más rápido en saber de quién se trata?

9. ¿CÓMO ES THOMAS?

A. Observa bien durante un minuto a todas las personas de la clase e intenta memorizar todos los rasgos de su aspecto que puedas. Luego, tu profesor va a dividir la clase en dos grupos. Cada grupo tiene que colocarse de espaldas al otro.

B. Tu profesor va a decir el nombre de una persona del grupo contrario. Entre los miembros del grupo tienen que escribir todo lo que recuerden (de su físico y de la ropa que trae).

C. Ahora, cada grupo lee en voz alta la información que recopiló. ¿Qué grupo recuerda más cosas?

- Thomas es muy guapo y tiene los ojos azules.
- Sí.
- Trae una camisa negra.
- Sí.

10. LA FAMILIA MEXICANA

A. ¿Sabes qué significan estas palabras? Si no lo sabes, busca su significado en el diccionario y, luego, coméntalo con tus compañeros.

pariente   compadre   ahijado/a   parentela   comadre   padrino   parentesco   compadrazgo   madrina

B. Ahora, lee este artículo que recoge la opinión de un sociólogo francés sobre la familia mexicana. ¿Cuál de los cuatro tipos de familia que aparecen en el artículo crees que es el más habitual en México? ¿Existen modelos de familia similares en tu país? ¿Cómo vive la gente que conoces en México? Coméntalo con tus compañeros.

SOCIEDAD

LA FAMILIA MEXICANA

Entrevista al sociólogo francés Jean-Paul Vigny

"La parentela es el grupo de referencia de los mexicanos para toda la vida"

JEAN-PAUL VIGNY tiene 38 años y hace siete que vive en México. Para Vigny, "a diferencia de lo que sucede en Francia, donde el concepto de familia lo representa una pareja con uno o dos hijos, en México, el concepto de familia es muy amplio porque incluye, además de la pareja, a los sobrinos, a los tíos y demás". Para el sociólogo francés, "la parentela es el grupo de referencia de los mexicanos para toda la vida, ya que determina su estatus social y les proporciona las redes sociales básicas y apoyo económico y emocional". Otro aspecto que destaca Vigny es que "aquí todavía es muy normal que la gente se case antes de los 25 años; en Francia, en cambio, los hijos se casan generalmente después de los 26 ó 27 años". Asimismo, Vigny afirma que en su país hay una tendencia al divorcio, cosa que todavía no sucede en México. Sin embargo, añade que "el índice de divorcios en México ha aumentado considerablemente en los últimos años".

Jean-Paul es consciente de que la desigualdad económica en México no permite establecer un prototipo de familia mexicana. "Hay diferentes tipos de familias y de comportamientos familiares según la extracción sociocultural. Por ejemplo, en las familias con un nivel socioeconómico alto, las funciones dentro del hogar están bien definidas: mientras el hombre dedica el 80% de su tiempo a los negocios, la mujer se hace responsable de la casa y de la educación de los hijos. Por otro lado, en muchas de las familias de las clases populares, la madre desempeña ambas funciones." Sin embargo, según Vigny, "actualmente, en muchas familias mexicanas trabajan el padre y la madre, lo que ha cambiado la figura del padre como único proveedor. Ahora se pacta la educación de los hijos, el presupuesto familiar, etc.".

MODELOS DE FAMILIA

Familia nuclear. Consta de un padre, una madre e hijos viviendo en una casa. En este modelo, generalmente, el padre trabaja, es el proveedor, y la madre lleva el peso del trabajo en el hogar y la responsabilidad de educar a los hijos.

Familia extendida. Este tipo lo integran tres generaciones de la misma familia viviendo en la misma casa. Es común entre las clases de escasos recursos.

Familia semi-nuclear. Familia monoparental, generalmente dirigida por una mujer. Algo así como 4 de cada 10 familias actualmente en México.

Familia semi-extendida. Una familia nuclear con la estancia temporal de otra familia más bajo un mismo techo. Ejemplo, los hijos que se casan y que viven con los padres.

¿PUEDO TOMARTE UNA FOTO?

4

En esta unidad vamos a

simular situaciones de contacto social utilizando diferentes niveles de formalidad

Para ello vamos a aprender:

> a desenvolvernos en situaciones muy codificadas: invitaciones, presentaciones, saludos y despedidas
> a pedir cosas, acciones y favores
> a pedir y a conceder permiso
> a dar excusas > **estar** + Gerundio

1. SALUDOS Y DESPEDIDAS

A. Lee estas cuatro conversaciones. ¿A qué fotografías corresponde cada una? Márcalo. ¿En cuáles se saludan? ¿En cuáles se despiden?

- Hombre, Manuel, ¡cuánto tiempo sin verlo! ¿Cómo va todo?
- Bien, bien, no me puedo quejar. ¿Y usted cómo está?
- Pues hombre, pasándola…
- ¿Y la familia?
- Bien, gracias.

- ¡Hola Susana! ¿Qué tal?
- Bien, muy bien. ¿Y tú? ¿Cómo estás?
- Muy bien también. ¡Cuánto tiempo!
- Pues, por lo menos un año… ¿no?
- Más, creo.

- Bueno, pues, me despido, tengo un montón de cosas que hacer…
- Sí, yo también. Bueno, pues adiós. ¡Y saludos a su familia!
- Igualmente. ¡Y un abrazo muy fuerte para su mamá!
- Gracias. ¡Adiós!
- Adiós.

- Bueno, me voy…
- Sale, pues nos llamamos, ¿no?
- Sí, órale, te llamo.
- ¡Hasta luego!
- ¡Nos vemos!

B. ¿Conoces otras formas de saludarse o de despedirse? ¿La gente se saluda de la misma manera en tu país? ¿Qué gestos acompañan a los saludos?

2. ¿ME PRESTAS 50 PESOS?

A. Observa estas ilustraciones. ¿Qué relación crees que tienen estas personas entre ellas? ¿Qué crees que pasa en cada situación? Coméntalo con un compañero.

B. Ahora, escucha las conversaciones y comprueba tus hipótesis. ¿Qué hacen los protagonistas en cada una de las situaciones? Márcalo.

■■■	1	2	3	4	5	6
pedir un favor						
pedir permiso						
justificarse						
agradecer						
presentar a alguien						
interesarse por la vida de alguien						
pedir algo a un camarero						

3. ¿QUÉ ESTÁN HACIENDO?

A. Todas estas frases hacen referencia a acciones relacionadas con el presente, pero con matices diferentes. Marca en el cuadro si las acciones resaltadas se presentan como algo que ocurre en el momento exacto en el que hablamos (A), como algo habitual (B) o como algo temporal o no definitivo (C).

1. • ¿Bueno? Sí. Estoy saliendo de casa. En cinco minutos estoy allí.
2. • Estás trabajando demasiado. Necesitas unas vacaciones.
3. • Normalmente voy al trabajo en moto.
4. • Pues ahora estoy saliendo con Jorge. Es un compañero de la facultad.
5. • Estoy esperando a Luis. Tiene que llegar en este tren.
6. • Estamos bebiendo un vino buenísimo. ¿Quieres una copa?
7. • Mi madre cocina muy bien.
8. • Señores pasajeros, estamos volando a 9,000 metros de altitud.
9. • ¿En Puerto Vallarta? Muy bien, es una ciudad maravillosa. Estamos viviendo en un apartamento fantástico al lado de la playa.
10. • Creo que voy a tener que hacer una dieta para adelgazar. Es que como demasiados dulces.

	Acciones...		
	A ... que suceden en el momento en que hablamos AHORA	**B** ... que presentamos como habituales AHORA	**C** ... que presentamos como temporales o no definitivas AHORA
1			
2			
3			
4			
5			
6			
7			
8			
9			
10			

B. En las acciones como las de A y C encontramos una nueva estructura: **estar** + Gerundio. Escribe en tu cuaderno todos los gerundios y, al lado, sus infinitivos correspondientes. ¿Puedes deducir cómo se forma el Gerundio?

4. PETICIONES

A. Observa las expresiones marcadas en negrita. ¿Para qué crees que sirven: para pedir permiso o para pedir un favor?

• Disculpe, ¿**podría abrirme** la puerta?

• ¿**Me puede abrir** la puerta?

• ¿**Le importa abrirme** la puerta?

• ¿**Le importa si abro** la puerta?

• ¿**Le importaría abrirme** la puerta, por favor?

• ¿**Puedo abrir** la puerta?

• ¿**(Me) abre** la puerta, por favor?

B. De las formas anteriores, ¿cuáles crees que son más directas? ¿De qué factores depende que escojamos una u otra? Coméntalo con tus compañeros.

5. ES QUE...

A. Observa estas viñetas. ¿Qué crees que significa **es que**? ¿Para qué crees que sirve?

• Oye, si sales, ¿me puedes traer el periódico?
○ Bueno, **es que** quizá regreso tarde.

• ¿Problemas con el autobús?
○ No... Mmm... **Es que** me quedé dormido. Lo siento.

B. Ahora, responde a estas preguntas con la excusa más original, divertida o surrealista que se te ocurra.

1. **Tu profesor:** ¿Así que no hiciste la tarea?
   Tú: ....
2. **Un amigo íntimo:** ¿Me puedes prestar tu coche?
   Tú: ....

ESTAR + GERUNDIO + >> pág. 168

Cuando presentamos una acción o una situación presente como algo temporal o no definitivo, usamos **estar** + Gerundio.

(yo)	**estoy**	
(tú)	**estás**	
(él/ella/usted)	**está**	+ Gerundio
(nosotros/as)	**estamos**	
(vosotros/as)	**estáis**	
(ellos/ellas/ustedes)	**están**	

● *Estoy dando* clase en varias escuelas.

A veces, podemos expresar lo mismo en Presente con marcadores temporales como **últimamente, estos últimos meses, desde hace algún tiempo**…

● *Últimamente doy* clase en varias escuelas.

Cuando queremos especificar que la acción se está desarrollando en el momento preciso en el que estamos hablando, solo podemos usar **estar** + Gerundio.

● *No puede contestar el teléfono, se está bañando.*
● *No puede contestar el teléfono, ~~se baña.~~*

GERUNDIOS REGULARES		GERUNDIOS IRREGULARES		
hablar	➡ hablando	leer	➡	leyendo*
beber	➡ bebiendo	oír	➡	oyendo*
escribir	➡ escribiendo	decir	➡	diciendo
		dormir	➡	durmiendo

*Cuando delante de la terminación -er/-ir hay una vocal, la terminación del Gerundio es -**yendo**.

PEDIR COSAS, ACCIONES Y FAVORES

PEDIR UN OBJETO

Dependiendo de la situación, del interlocutor y de la dificultad que implica la petición, usamos una u otra estructura.

	tú	usted
+ FORMAL / + DIFICULTAD	¿Me podrías prestar/dar…?	¿Me podría prestar/dar…?
	¿Me puedes prestar/dar…?	¿Me puede prestar/dar…?
- FORMAL / - DIFICULTAD	¿Me prestas/das…?	¿Me presta/da…?

Para pedir un objeto que no pensamos devolver: **dar**.

● ¿**Me das** un vaso de agua, por favor?

Para pedir que nos acerquen un objeto: **pasar**.

● ¿**Me podrías pasar** la chaqueta, por favor?

Para pedir un objeto ajeno: **prestar**.

● ¿**Me prestas** tu coche este fin de semana?

Para pedir algo que no sabemos si la persona tiene: **tener**.

● ¿**Tienes** un bolígrafo?

Para pedir algo en un bar o en una tienda de alimentación: **dar**.

● ¿**Me da** un café con leche, por favor?

> Para entregar un objeto: **tomar** o **tener** en Imperativo.
> ● **Toma/e.** ● **Ten/Tenga.**

PEDIR UN FAVOR

Para pedir una acción usamos las mismas estructuras que para pedir un objeto.

● ¿**Podría decirme** la hora si es tan amable?
● ¿**Puede ayudarme** con el carro, por favor?
● ¿**Me ayudas** un momento con esta traducción, por favor?

También podemos utilizar el verbo **importar** (en Presente o en Condicional) + Infinitivo.

● ¿**Te importa/importaría pasar** por casa esta tarde?

PEDIR Y CONCEDER PERMISO

Para pedir permiso, usamos el verbo **poder** (en Presente o en Condicional) + Infinitivo.

● ¿**Puedo/Podría dejar** la bolsa aquí un momento?
○ **Sí, sí, claro.**

También podemos usar: **importar** (en Presente) + **si** + Presente de Indicativo.

● ¿**Te importa si hago** una llamada?
○ **No, no. En absoluto.**

DAR EXCUSAS (JUSTIFICARSE)

Es una norma de cortesía casi obligada explicar o justificar por qué rechazamos una invitación o por qué nos negamos a hacer algo. Esa justificación se suele introducir con **es que**.

● ¿Vienes a cenar el sábado?
○ No creo. **Es que** tengo que estudiar.

Es que también sirve para justificar una petición.

● ¿Puedo cerrar la ventana? **Es que** entra mucho ruido.

SALUDOS Y DESPEDIDAS

● **Y** la familia, ¿**qué tal?**
● **Y** tu/su esposa, ¿**cómo está?**
● **¡Saludos a** tu/su familia!
● **¡Un abrazo a** tu/su mamá!

6. EN UN VAGÓN DE TREN

Imagina que eres el personaje blanco que aparece en este vagón de tren. ¿Qué cosas pides a los demás pasajeros? ¿Cómo? Escríbelo. Luego, compáralo con un compañero. ¿Quién hizo más frases?

7. ¡CÁLLESE, SEÑORA!

A. Fíjate en cómo Jacinto "el educado" y Pancho "el maleducado" piden algunas cosas o responden a una serie de peticiones. ¿Quién crees que dice cada cosa?

1. Si vas al súper, ¿me traes un jugo de naranja, por favor?
a) ¿Por qué no vas tú?
b) Es que no pensaba volver a casa. Lo siento.

2. Oiga, disculpe, ¿le importaría dejarme pasar? Es que tengo prisa...
a) Lo siento mucho, pero es que yo también tengo prisa.
b) Todos tenemos prisa.

3. Oye, disculpa, ¿tienes una pluma?
a) En la esquina hay una papelería.
b) Es que solo tengo esta. Lo siento.

4. Están en el cine y la mujer de al lado no deja de hablar.
a) Disculpe, ¿podría hablar más bajito, por favor? Es que no se oye nada.
b) Señora, ¿sería tan amable de callarse? Muchísimas gracias.

5. ¿Se te antoja una taza de chocolate?
a) No.
b) No, gracias. Es que estoy a dieta.

6. Oiga, disculpe, ¿se pueden sacar fotos en el museo?
a) Lo lamento, está prohibido. Pero si quiere, en la tienda venden postales de los cuadros.
b) Está prohibido.

PANCHO

JACINTO

B. Ahora, en parejas, decidan qué personaje de los anteriores quieren ser y preparen sus respuestas a las siguientes peticiones. Sus compañeros tendrán que adivinar quiénes son.

- ¿Puedo ir un momento al baño?
- ¿Me prestas tu libro un momento, por favor?
- ¿Me pasas la sal?
- ¿Me puedo quedar a dormir en tu casa esta noche? Es que perdí el autobús.
- ¿Tienes hora?
- Disculpe, ¿me deja pasar? Es que bajo en la próxima.

8. ESTOY BUSCANDO TRABAJO

A. ¿Estás haciendo estas cosas actualmente? Márcalo.

1. ☐ Estoy haciendo dieta.
2. ☐ Estoy buscando trabajo.
3. ☐ Estoy leyendo un libro en español.
4. ☐ Estoy escribiendo un diario.
5. ☐ Estoy ahorrando para comprar algo.
6. ☐ Estoy trabajando los fines de semana.
7. ☐ Estoy estudiando otro idioma.
8. ☐ Estoy haciendo bastante ejercicio.
...

B. Ahora, compara tus respuestas con las de un compañero. ¿Tienen muchas cosas en común?

> • Jasmina y yo tenemos bastantes cosas en común. Las dos estamos estamos leyendo un libro en español...

9. UN TEXTO INADECUADO

A. Lee este texto y, luego, completa la ficha.

Sr. Profesor:

Soy Karen, una alumna de su clase de español. ¿Se acuerda de mí? Normalmente me siento en la primera fila, en las sillas de la derecha. Quiero hablar con usted el próximo jueves a las 15.00h. Quiero un consejo para el trabajo de final de curso. Ya sé que su día de asesoría es el miércoles pero yo no puedo ese día. Resulta que, como desde hace un tiempo estoy un poco nerviosa, me apunté a unas clases de yoga y voy dos días a la semana: los miércoles y los viernes. Estoy segura de que a usted no le va a importar, pero si hay algún problema, llámeme al 8112306022.

Gracias.

¿Tipo de texto? ....
¿Quién lo escribe? ....
¿A quién? ....
¿Para qué? ....
¿Es adecuado? ....

B. Ahora, compara tu ficha con la de un compañero. Luego, entre los dos tienen que mejorar el texto anterior para hacerlo más adecuado.

10. ¿CÓMO LO DICES?

A. En parejas, van a tener que representar una de estas seis situaciones. Elijan una y piensen cómo van a decir las cosas para conseguir sus objetivos.

1 **A:** Te encuentras a un vecino en el supermercado. Vas muy cargado porque compraste muchas cosas. No lo conoces mucho pero se saludan todos los días. Quieres pedirle que te lleve a casa.
B: Estás en el supermercado y te encuentras a un vecino que no te cae muy bien. Tienes algo de prisa porque tienes una cita.

2 **A:** Estás en una florería en la que has comprado bastantes veces. Tienes que comprar urgentemente un ramo de flores para hacer un regalo. Te das cuenta de que no llevas dinero en efectivo ni tampoco la tarjeta de crédito. Quieres decirle al dependiente que se lo pagarás otro día.
B: Trabajas en una florería. En la tienda hay un cliente que no conoces y en el que no confías.

3 **A:** Estás tomando algo con un amigo. Quieres pedirle su coche porque tienes que ir a un centro comercial a comprar unos muebles.
B: Estás tomando algo con un amigo. Tú te compraste un coche nuevo y no quieres prestárselo a nadie. Tu amigo conduce muy mal.

4 **A:** Compartes casa con un amigo. La casa está desordenada y sucia. Tú siempre haces un esfuerzo por limpiarla aunque no sea tu turno. Tus padres van a venir a visitarte dentro de un par de días. ¿Cómo le dices a tu compañero de casa que tiene que limpiar?
B: Estás algo molesto con tu compañero de casa porque siempre está dando órdenes. Además, hace poco tú le pediste un favor y él no lo hizo.

5 **A:** Hace dos meses prestaste $2,000 pesos a un amigo. Te dijo que te los iba a devolver en una semana o dos, pero todavía no lo ha hecho. Crees que no se acuerda, pero necesitas el dinero. Hoy están los dos tomando una cerveza en un bar. ¿Cómo se lo pides?
B: Estás tomando una cerveza con un amigo. Hace tiempo le pediste dinero pero todavía no se lo has devuelto. Ahora mismo no tienes mucho dinero y quieres pedirle otros $2,000 pesos.

6 **A:** Te encuentras con un viejo amigo, que te cae muy bien, por la calle. Quieres invitarlo a tomar algo.
B: Te encuentras con un conocido, que no te cae muy bien, por la calle. Te quiere invitar a tomar algo, pero tú no tienes ganas. Además, tienes prisa.

B. Ahora, van a representar la situación. Piensen cómo van a reaccionar y qué entonación van a adoptar. Si lo prefieren, pueden grabarlo para evaluar su producción oral. Sus compañeros decidirán si fueron...

amables	directos
educados	bruscos	claros
simpáticos	maleducados

11. ASÍ SOMOS LOS MEXICANOS

A. ¿Crees que existen características típicas que distinguen a los habitantes de un país? Coméntalo con tus compañeros. Luego, lee las opiniones que tienen sobre los mexicanos varios extranjeros que han vivido en México por algún tiempo. ¿Con quién estás más de acuerdo? ¿Cuál es tu opinión al respecto?

····> **Jeff Taylor, estadounidense**

"El pueblo mexicano es una mezcla de razas, las razas indígenas y la española, lo que hace que los mexicanos sean un impresionante cuadro de contrastes. En realidad, el país en sí es un ejemplo de contrastes, ya que en él conviven tradiciones y costumbres ancestrales con las expresiones más genuinas de la modernidad y del progreso."

····> **Laurissa Utz, alemana**

"Los mexicanos son, en general, amables aunque a veces también son impulsivos y violentos. Son abiertos pero reservados, generosos pero desconfiados, y poseen una visión de la vida pesimista y seria, pero a la vez son gente que afirma que 'la vida no vale nada'."

····> **Margo Detten, austriaca**

"Lo que más destacaría de los mexicanos es que son extremadamente hospitalarios. También son muy afectuosos, sobre todo con amigos o con conocidos. Por ejemplo, cuando dos amigos se saludan, se besan en la mejilla y, durante la conversación, se rozan, se aproximan y se tocan como muestra de amistad. Sin embargo, en ocasiones formales, de negocios, oficiales o con personas mayores, solamente se dan la mano al encontrarse y al despedirse."

····> **Moo Choi, chino**

"Para los mexicanos, la cortesía es sinónimo de educación. Hay que pedir las cosas seguidas siempre de un 'por favor' y hay que dar en todo momento las gracias. Es preferible aceptar una invitación aunque no le apetezca y no presentarse, antes que rechazarla. Y si queda citado con alguien, espere buen tiempo, ya que el reloj de los mexicanos funciona más lentamente que el del resto del mundo."

B. Enumera cuáles son las características generales del mexicano de acuerdo a las opiniones de estos extranjeros. ¿Cuáles son las características de la gente en tu país? Cuéntaselo a tus compañeros.

C. No en todos los países nos saludamos de igual manera. De acuerdo al texto, ¿cómo se saludan los mexicanos en una situación informal? ¿Y en una situación formal? ¿Es igual en tu país? Coméntalo con tus compañeros.

5

TIEMPO LIBRE

En esta unidad vamos a
planear un día en una ciudad mexicana

Para ello vamos a aprender:
> a hablar de actividades recreativas
> a hablar de horarios > a relatar experiencias pasadas
> a hablar de intenciones y de proyectos
> a describir lugares > el Presente Perfecto
> ir a + Infinitivo > ya/todavía no

1. ¿ADÓNDE VAMOS?

A. Fíjate en el texto de la derecha y contesta a las siguientes preguntas. Luego, comenta tus respuestas con el resto de tus compañeros.

- ¿Qué tipo de texto es?
- ¿Qué tipo de información vas a encontrar en él?
- ¿Lees este tipo de textos a menudo?
- ¿Lees toda la información cuando lees un texto como este?
- ¿Lo lees igual que un artículo de prensa o que un poema?
- ¿Crees que será imprescindible entender todas las palabras que aparecen en el texto?

B. Esta es una página de la *Guía del entretenimiento* de una ciudad mexicana. ¿Sabes de cuál? Lee la información que contiene y, luego, en parejas, decidan cuál es el mejor lugar para cada una de las siguientes situaciones.

1. Quieren bailar hasta las 6 de la mañana.
2. Quieren ver una exposición de algún pintor moderno, pero solo tienen 40 pesos cada uno.
3. Quieren ir al cine a ver una película doblada al español.
4. Quieren ir a un karaoke.
5. Es la 1 de la madrugada de un sábado y tienen ganas de comer antojitos.
6. Quieren aprender algo de la historia de México.
7. Quieren ir a ver un documental en tres dimensiones.
8. Tienen ganas de cenar fuera, pero no quieren gastar más de 200 pesos.
9. Quieren tomar un coctel en un lugar con historia.
10. Es domingo por la mañana y tienen ganas de ir al cine a ver una película antigua.
11. Quieren escuchar música en vivo.

- *Para bailar toda la noche, podemos ir a "Alebrije". Está abierto hasta las 6 de la mañana.*
- *O también podemos ir a...*

C. Fíjate en los horarios (días y horas) de la *Guía del entretenimiento*. ¿Hay algo que te sorprende? ¿Es igual en tu país? Coméntalo con tu compañero.

- *Aquí las discotecas cierran muy tarde.*
- *Sí... Y en mi país los museos son gratuitos.*

D. ¿Sabes qué horario tienen los establecimientos en el lugar donde estás estudiando español? Piensa en diferentes tipos: discotecas, supermercados, bancos, teatros, restaurantes, farmacias, etc.? Coméntalo con tu compañero y pregunten al profesor lo que no sepan.

- *¿A qué hora abren las discotecas?*
- *Normalmente a partir de las 9 de la noche.*

---

guía del entretenimiento

Bares y discotecas

Copacabana. Revolución, 115. ☎ 8345 6020. Bar musical y karaoke. Cover general: $40 con derecho a una cerveza. De jueves a domingo. A partir de las 21:00.

Alebrije. Vasconcelos, 35. ☎ 83403443. Discoteca (música pop, disco y tecno). Promoción: jueves ladys night, MUJERES NO COVER toda la noche y barra libre para ellas de 20:00 a 24:00. Cover general: $120. Abierto de jueves a sábado, de 20:00 a 6:00.

El breve espacio. Juárez, 326. Cocina internacional. Música en vivo. Abierto de jueves a domingo. A partir de las 8:00.

Café Iguana. Diego de Montemayor, 927 Sur. Barrio Antiguo. Alternative Music. ☎ 8343-0822. NO COVER. Abierto de jueves a sábado.

El Botanero. Padre Mier, 1094. ☎ 8343-0070. Bar musical y restaurante $ 80-200 pesos. Abierto de jueves a sábado. De 18:00 a 24:00.

Café Iguanas Ranas. Diego de Montemayor, 927. ☎ 8343-0822. Especialista en antojitos mexicanos. Abierto todos los días de 18:00 a 1:30.

María Bonita. Río Orinoco, 183. ☎ 8356-1787. Bar (las mejores margaritas de la ciudad). Lugar con historia. De 20:00 a 03:30. Abierto viernes y sábado.

Museos

Centro Cultural Alfa. Roberto Garza Sada, 1000. Centro de ciencia y tecnología, que cuenta con un observatorio astronómico, museo, sala de proyección de películas utilizando el sistema IMAX. ☎ 83030001. Horario: martes a viernes de 15:00 a 19:00. Lunes: cerrado. Costo: Mayores de 3 años: $70, INSEN: $55. Miércoles 2x1. Martes a viernes: "OSOS" 16:00 y 19:00. "AVENTURAS EXTREMAS" 17:30. Sábado y domingo: "OSOS" 12:00, 14:00, 16:00, 18:00 y 20:00. "AVENTURAS EXTREMAS" 13:00, 15:00, 17:00 y 19:00.

MARCO, Museo de Arte Contemporáneo de Monterrey. Zuazua y Jardón, 25. ☎ 834248 20. Costo general: $35. Estudiante con credencial: $20. Miércoles: GRATIS. Horario: martes a jueves de 10:00 a 18:00. Miércoles de 10:00 a 20:00. Exposiciones: *Miguel Barceló* (uno de los artistas españoles más destacados), *Ana Mercedes Hoyos: retrospectiva* (la muestra comprende alrededor de 45 obras de la artista colombiana).

Museo de Historia Mexicana. Dr. Coss, 445. ☎ 8349898. TARIFAS: miércoles a sábado $12. Maestros y estudiantes con credencial $6. Domingos $6 general. Entrada gratuita a niños menores de 12 años acompañados de un adulto y a miembros INAPLEN. HORARIO: de martes a viernes de 10:00 a 19:00. Sábado y domingo de 10:00 a 20:00. Lunes cerrado. Exposición permanente: *"La evolución histórica de México desde la época prehispánica hasta el México moderno"*. Exposición temporal: *"En busca de Teotihuacán: la arqueología en la ciencia"*.

Museo del Vidrio. Magallanes, 517. Este museo rescata, preserva y difunde la historia del vidrio en México. ☎ +52 (81) 8863 1000 +52 (81) 8863 1070. Costo general: $15. Estudiantes con credencial o personas mayores de edad: $10. De martes a domingo 9:00 a 18:00. Lunes: cerrado.

Cines

Cinemark (2 salas). Gonzalitos, 513. Tus películas favoritas dobladas al español. $47.
Madagascar. Funciones: 16:30, 19:10 y 21:40
Niño tiburón y la niña de lava. Funciones: 12:50, 15:10 y 19:40
Cinepolis (2 salas). Garza Sada, 3367. Costo: $47. Miércoles: $26. Matinée sábados y domingos: $26.
Los 4 fantásticos. Funciones: 12:50, 15:10, 19:40
Batman inicia. Funciones: 13:50, 19:10, 22:10
Regio (2 salas). Revolución, 345. $47, excepto los miércoles: $23. Sábados y domingos, sesiones matinales en todas las salas a las 11:15.
Casablanca. Funciones: 16:30, 19:15, 22:15
Los miserables. Funciones: 16:30, 19:15, 22:15

2. DE VUELTA A CASA

A. A la vuelta de Semana Santa, unas personas nos contaron cómo pasaron esos días. Relaciona las conversaciones con las fotos.

Pedro

Ruth y Anabel

Mila

Jaime, Lola y Vincent

B. Ahora, vuelve a escuchar y completa el cuadro. Puede haber más de una opción.

■■■	1	2	3	4
1. Fueron en barco.	1			4
2. Comieron muy bien.	1	2		
3. Visitaron el centro histórico de la ciudad.		2	3	
4. Rentaron un carro.				4
5. Salieron por la noche.		2	3	
6. Fueron de compras.	1	2		
7. Fueron al teatro.		2		
8. Visitaron parques ecológicos.	1			4
9. Estuvieron en playas.			3	4

C. Y ustedes, ¿qué cosas hicieron en sus últimas vacaciones?

● Pues yo compré muchas cosas y viajé por todo México.

D. Ahora, haz una lista de los países, de las ciudades y de los monumentos que más te han gustado en tu vida. Luego, pregunta a tu compañero para ver si tienen experiencias comunes.

● ¿Has estado en España?
○ Sí, una vez.
● ¿Y qué es lo que más te gustó?
○ Granada.

E. Y ustedes, ¿qué cosas han hecho en este país hasta ahora?

● Yo he comprado muchas artesanías y he viajado por todo el país..

3. TIPOS DE VIAJEROS

A. Contesta a las preguntas de este test y descubre qué tipo de viajero eres.

	sí	no
1. ¿Has viajado alguna vez sin equipaje?		✓
2. ¿Alguna vez has pedido "aventón" para llegar a tu destino?		✓
3. ¿Has dormido alguna vez a la intemperie?		✓
4. ¿Alguna vez has hecho un viaje sin reservar hotel con anticipación?		✓
5. ¿Has viajado alguna vez con muy poco dinero?		✓
6. ¿Alguna vez te has atrevido a viajar sin tener un itinerario establecido?		✓
7. ¿Has ido de vacaciones solo alguna vez?		✓
8. ¿Alguna vez has acampado en las montañas?	✓	

B. Cuenta tus respuestas afirmativas. ¿Qué tipo de viajero eres?

6 o más respuestas afirmativas → Eres un trotamundos. Todo lo conviertes en una aventura. Sabes sacarle mucho provecho a tus viajes.

Entre 3 y 5 respuestas afirmativas → Te gusta viajar pero, en general, no te gusta mucho improvisar.

Entre 0 y 2 respuestas afirmativas → Eres un flojo. Debes quitarle las telarañas al sofá y salir a dar una vuelta. Existe todo un mundo ahí fuera y merece la pena descubrirlo.

C. En el test hay un nuevo tiempo verbal: el Presente Perfecto. Sirve para hablar de experiencias pasadas. Se forma con el verbo **haber** y el Participio. Subraya todos los verbos en este tiempo que encuentres en el test.

D. Ahora, completa el cuadro con los infinitivos y los participios de los verbos que encontraste.

Participio: **-ado**		Participio: **-ido**		otros	
Infinitivo	Participio	Infinitivo	Participio	Infinitivo	Participio
viajar	viajado				

E. Hazle las preguntas del test a tu compañero. ¿Quién es el más aventurero de los dos?

4. RECUERDOS DESDE CUBA

A. Bibi es una chica mexicana que está de vacaciones en Cuba. Lee la postal que envió a sus padres y decide si está teniendo unas vacaciones aburridas o divertidas.

Hola familia:

Después de unos días en Varadero ya llegamos a La Habana. Estamos bronceadísimas. Tomamos mucho el sol y buceamos... ¡con tiburones! Al final vamos a quedarnos aquí hasta el día 10. Conocimos a unos chavos que nos están enseñando la ciudad. Mañana nos van a enseñar la Habana Vieja y este fin de semana vamos a ir a la Isla de la Juventud. Suena bien, ¿no? Mami, finalmente decidí que el año que viene voy a seguir en la Universidad. ¿Estás contenta?

Un besote a papá.

Bibi

B. Vuelve a leer la postal y completa el cuadro.

Planes	¿Cuándo?/¿Hasta cuándo?
Vamos a quedarnos aquí	hasta el día 10
Nos vamos a enseñar la Habana Vieja	Mañana
Nos vamos a ir a la Isla de la Juventud	este fin de semana
Universidad	el año que viene

C. En la columna de planes hay una estructura nueva. ¿Con qué verbo se construye? Completa el cuadro.

(yo)	voy	**a** + Infinitivo	
(tú)	vas		
(él/ella/usted)	va		viajar
(nosotros/as)	vamos	**a** +	correr
(vosotros/as)	vais		salir
(ellos/ellas/ustedes)	van		

D. Todos estos marcadores temporales pueden referirse al futuro. ¿Puedes ordenarlos cronológicamente?

4 pasado mañana 8 el año que viene 5 el 31 de diciembre 1 esta tarde 3 mañana 6 el mes que viene el lunes que viene dentro de dos años esta noche en Semana Santa

E. Y tú, ¿tienes algún plan para el futuro? Escríbelo y, luego, explícaselo a un compañero.

• El año que viene voy a ir a trabajar a Chile.

HABLAR DE HORARIOS

- ● ¿**A qué hora abre/cierra** el banco?
  ¿**A qué hora abren/cierran** las tiendas?
  ¿**A qué hora empieza/acaba** la película?
  ¿**A qué hora empiezan/acaban** las clases?
  ¿**A qué hora llega/sale** el tren de Cd. Juárez?
- ○ **A las** nueve/diez/once y media...

- ● **Está abierto de** diez **a** una.
- ● **Está cerrado de** una **a** cinco.

HABLAR DE EXPERIENCIAS EN EL PASADO: PRESENTE PERFECTO

Presente Perfecto >> pág. 163

Usamos el Presente Perfecto para hablar de experiencias pasadas sin referirnos a cuándo ocurrieron o de acciones que todavía pueden realizarse. En este segundo caso, solemos utilizar marcadores temporales relacionados con el presente: **hoy**, **esta mañana**, **esta semana**, **este mes**...

	Presente de **haber**	+	Participio
(yo)	**he**		
(tú)	**has**		visit**ado**
(él/ella/usted)	**ha**	+	com**ido**
(nosotros/as)	**hemos**		viv**ido**
(vosotros/as)	**habéis**		
(ellos/ellas/ustedes)	**han**		

- ● *He viajado por todo el mundo.*
- ● *Esta semana he ido dos veces al cine.*
  (= todavía no se ha acabado la semana, así que puedo ir otra vez.)

Los participios irregulares más frecuentes son:

ver	➡ **visto**	poner	➡ **puesto**	escribir	➡ **escrito**
hacer	➡ **hecho**	romper	➡ **roto**	abrir	➡ **abierto**
volver	➡ **vuelto**	decir	➡ **dicho**	descubrir	➡ **descubierto**

Muchas veces usamos expresiones de frecuencia para informar del número de veces que hemos realizado una acción: **muchas veces**, **varias veces**, **tres veces**, **un par de veces** (= dos veces), **alguna vez**, **una vez**, **nunca**.

- ● *¿Has estado alguna vez en Latinoamérica?*
- ○ *Sí, he estado muchas veces en Argentina y dos veces en Costa Rica.*

¡Atención!
Nunca he estado en China. = **No** he estado **nunca** en China.
Pero: ~~He estado **nunca** en China.~~

YA + PRETÉRITO / TODAVÍA NO + PRESENTE PERFECTO

Usamos **ya** cuando nos referimos a una acción realizada. Con **todavía no** expresamos una acción que no se ha producido en el pasado, pero que pensamos que puede ocurrir en el futuro.

- ● ¿**Ya** fueron al mercado de artesanías?
- ○ Sí, **ya** fuimos.
  No, **todavía no** hemos ido.

HABLAR DE INTENCIONES Y PROYECTOS

	ir	**a** +	Infinitivo
(yo)	**voy**		
(tú)	**vas**		**cenar**
(él/ella/usted)	**va**	**a** +	**ir** a Acapulco
(nosotros/nosotras)	**vamos**		**tomar** una copa
(vosotros/vosotras)	**vais**		
(ellos/ellas/ustedes)	**van**		

- ● *¿Qué van a hacer el sábado en la noche?*
- ○ *Seguramente vamos a ir a la casa de Pedro.*

Para referirnos al futuro, podemos usar los siguientes marcadores temporales.

esta tarde/noche...
este jueves/viernes/sábado/fin de semana...
mañana
pasado mañana
dentro de un año/dos meses/tres semanas...
el lunes/mes/año... que viene

También podemos usar el Presente de Indicativo para hablar de intenciones y de proyectos.

- ● *Mañana cenamos en casa de Alicia.*

5. TODA UNA VIDA

A. Aquí tienes una lista de hechos que pueden darse en la vida de una persona. ¿Entiendes todas las palabras? Pregúntale a un compañero las que no entiendas.

- jubilarse
- estudiar en un país extranjero
- enamorarse
- divorciarse
- poner un negocio
- tener hijos
- casarse
- aprender a ir en bicicleta
- acabar los estudios
- ser famoso/a
- comprar una casa
- dar la vuelta al mundo
- aprender a tocar un instrumento
- ir a la Universidad
- escribir un libro
- plantar un árbol
- vivir solo/a

B. De la lista anterior, anota en tu cuaderno cosas que ya hiciste, cosas que estás haciendo en la actualidad, cosas que vas a hacer muy pronto y cosas que crees que no vas a hacer nunca.

C. Ahora, coméntalo con tu compañero. Luego, cuenta a la clase lo que más te ha sorprendido.

- Rubí se ha casado tres veces.

6. MI LOCAL FAVORITO

A. ¿Cómo es tu local favorito en tu país? ¿Y aquí en México? Completa la ficha.

	EN TU PAÍS	EN MÉXICO
1. ¿Dónde está?		
2. ¿A qué hora abre?		
3. ¿A qué hora cierra?		
4. ¿Qué se puede hacer?		
5. ¿Va mucha gente?		
6. ¿Cuándo vas?		
7. ¿Por qué te gusta?		

B. Ahora, cuéntaselo a tus compañeros.

- Mi local favorito en Suecia es una discoteca que se llama "Ebba". Está en Estocolmo y...

7. EN LA CIUDAD

A. ¿Quién de ustedes conoce mejor la ciudad en la que están? Piensa en los lugares que conoces e intenta completar el cuadro de la derecha.

B. Ahora, coméntalo con tus compañeros.

- Yo conozco una discoteca con buena música.
- ¿Y dónde está?
- Cerca del centro.

C. ¿Descubriste algo nuevo? De los lugares que conocen tus compañeros, decide a cuál quieres ir y cuándo. Cuéntaselo a la clase.

- Creo que voy a ir a Pachá este fin de semana. Susan ya fue y dice que la música es muy buena.

	Nombre	¿Dónde está?
1. Una discoteca con buena música.	Pachá	Cerca del centro
2. Un bar donde puedes conectarte a Internet.		
3. El antro donde se liga más.		
4. El parque más tranquilo.		
5. Un lugar donde se puede hacer ejercicio.		
6. Una tienda con ropa muy barata.		
7. Un café donde puedes hacer la tarea.		
8. Una biblioteca agradable.		
9. Un lugar para practicar deportes extremos.		
10. Una buena tienda de discos.		
11. Un pueblo con encanto.		
12. Un gimnasio con una buena alberca.		
13. Un bar con buena botana.		
14. Una excursión que vale la pena.		

8. GUÍAS TURÍSTICOS

A. Aquí tienes un artículo sobre Zacatecas. En grupos de tres, imaginen que son guías turísticos y que tienen que preparar actividades para un día en Zacatecas para uno de los siguientes grupos de turistas.

Un grupo de jubilados.
Un grupo de 35 estudiantes de 18 años.

Una familia con chofer.
Una pareja que está de luna de miel.

Zacatecas

La ciudad con rostro de cantera y corazón de plata

Ubicada entre espectaculares cerros, a una altitud de 2500 metros, se encuentra la ciudad de Zacatecas. Con un pasado minero importante, esta hermosa ciudad es un claro ejemplo de la arquitectura colonial mexicana.

Museos

Zacatecas es, después del D.F., la ciudad que más museos tiene en la República Mexicana. Destacan el **Museo Pedro Coronel** (10:00-16:30, $20) con obras provenientes de todo el mundo entre las que se encuentran pinturas de Picasso, Miró, Chagal o Dalí, y el **Museo Rafael Coronel** (10:00-16:30, $20), ubicado en el antiguo Convento de San Francisco, que alberga una impresionante colección de máscaras mexicanas.

Monumentos históricos

En 1993, el centro histórico de Zacatecas fue declarado por la UNESCO Patrimonio Cultural de la Humanidad en reconocimiento al valor y a la belleza arquitectónica de sus majestuosos edificios coloniales. Como ejemplos, tenemos, entre otros, la **Catedral**, la **Plaza de Armas**, el **Palacio de Gobierno**, el **Palacio de la Mala Noche** y el **Templo de Santo Domingo**, situados todos a escasos metros de distancia.

Paseos románticos

Zacatecas es una ciudad llena de rincones románticos que evocan un pasado cada vez más lejano. Ejemplo de ello son los callejones de la Mantequilla, de los Gallos, de las Merceditas, etc.

Bellezas naturales

Mina El Edén. Esta antigua mina es actualmente un original centro turístico, ideal para los más atrevidos: tiene puentes colgantes, un tren de acceso y una discoteca, El Malacate, situada a más de 350 metros bajo tierra.
Cerro de la Bufa. Aunado al atractivo propio de la montaña, el visitante puede recorrer una serie de lugares de interés que se localizan en la explanada: la Plaza de la Revolución, la capilla del Patrocinio, el Museo de la Toma de Zacatecas (10:00-16:30, $12), el observatorio meteorológico y el Mausoleo de los Hombres Ilustres.
Parque La Encantada. Un lugar recreativo que cuenta con una superficie de 10 hectáreas de bosque. En él se halla un lago, un zoológico, pistas de atletismo, etc.

Teleférico

El espectacular recorrido que realiza este singular atractivo turístico inicia en el cerro de Grillo, cruza una parte de la ciudad (por encima de casas y edificios) y termina en el cerro de la Bufa.

Compras

No se puede dejar de visitar el **Mercado González Ortega**. Actualmente funciona como un moderno centro comercial en el que se pueden encontrar productos hechos en el estado como platería, dulces típicos, recuerdos, etc. También hay restaurantes, cafeterías y exposiciones de artistas zacatecanos. Es el lugar ideal para visitar en compañía de toda la familia.

Dónde comer

Cafetería Acrópolis. Frente a la Catedral. Ideal para desayunar.
El Recoveco. La más exquisita variedad de platillos mexicanos y zacatecanos para el paladar más exigente. Desayuno y comida. Av. Torreón, 513.
El Tragadero. Comida típica a precios módicos.
La Leyenda. Restaurante de comida mexicana. Famoso por su ambiente familiar. Calle Matamoros, 216.
Los Adobes. Centro botanero y bar. Calle Alameda.

Bares y discotecas

En Zacatecas hay infinitas posibilidades para pasarla de lo mejor. Destacamos:
El Malacate. Discoteca. Interior Mina El Edén. Punto de encuentro para universitarios y treintañeros. Horario: 23:00 a 3:00.
Albatros. El lugar ideal para disfrutar de una velada romántica. Espectáculo, cena y música. Av. González Ortega.
Cactus. Bailables mexicanos a partir de las 20:00. Ambiente familiar. Av. Hidalgo, 111.

Balnearios

Hotel Balneario Paraíso Caxcán. Albercas de aguas termales, alberca de olas y muchas atracciones para pasar unos días inolvidables con toda su familia.
Balneario El Lago. Albercas, áreas verdes, regaderas, juegos infantiles, pista de patinaje, canchas de futbol son algunas de las atracciones que le ofrecemos para que usted y su familia disfruten de sus vacaciones.

B. Ahora, van a presentar su propuesta al resto de la clase. Tienen que justificarla teniendo en cuenta los posibles gustos de su grupo de turistas, los precios, los horarios, etc.

• Nosotros preparamos un día para una pareja que está de luna de miel. En la mañana vamos a ir a...

C. En pequeños grupos, pueden buscar información y elaborar una pequeña guía de otra ciudad del mundo hispano. Luego, pueden presentarla al resto de la clase o montar una exposición. Finalmente, pueden decidir cuál es el lugar más sugerente.

9. LOTERÍA

A. ¿A qué juegos jugabas de niño? ¿Qué tipo de pasatiempos son populares en tu país? ¿Existe algún juego de mesa en el que participe gente de todas las edades? Coméntalo con tus compañeros.

B. Ahora, lee el siguiente texto. Habla sobre la lotería, uno de los pasatiempos más populares en México.

El juego de lotería se originó en Italia, pasó después a España y, finalmente, llegó a México en 1769. Durante la época colonial, solo jugaba a la lotería la clase aristócrata mexicana, pero las ferias ambulantes ayudaron a que, poco a poco, se hiciera popular en el resto de las clases sociales. Hoy en día, a pesar del auge de los juegos electrónicos, la lotería sigue siendo uno de los juegos más populares en México y se sigue jugando en las ferias, en los festivales y en los carnavales.

La lotería es parecida al bingo, pero utiliza imágenes en vez de números. Consta de un paquete de 54 cartas, cada una con una figura dibujada (el sol, el diablo, la dama, el catrín, etc.). Puede jugarse a partir de tres personas: una "canta" la lotería, es decir, menciona las imágenes al azar, y el resto va colocando una ficha, un frijol o una moneda sobre su "tabla" cada vez que se menciona una de las figuras que tiene. Los jugadores pueden tener una o varias tablas y el que llene la "tabla" o línea convenida gana. El ganador tiene que hacerlo saber al resto de jugadores gritando ¡LOTERÍA!

Las cartas muestran imágenes representativas de diferentes aspectos de la cultura mexicana: costumbres y valores, cuestiones psicológicas, aspectos religiosos, posturas ante la vida, etc.

C. Como ya sabes, las cartas de la lotería representan diferentes aspectos de la cultura mexicana. ¿Qué aspectos representan las cartas de la derecha? Escribe los números y, luego, compara tus respuestas. Puede haber varias opciones.

Machismo	El valiente
Símbolos patrios	La bandera / el soldado
Aspectos religiosos	La campana
Música	El arpa
Aspectos sociales de la época colonial	La corona

D. ¿Existe algún juego similar en tu cultura? Coméntalo con el grupo.

NO

EL VALIENTE

EL BORRACHO

LA BANDERA

EL SOLDADO

EL ARPA

EL BANDOLON

EL MUSICO

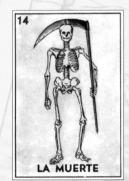

LA MUERTE

EL DIABLITO

LA CALAVERA

LA DAMA

EL CATRIN

EL GORRITO

LA CAMPANA

LA CORONA

6

COCINO MUY BIEN

En esta unidad vamos a
**preparar el bufet para una fiesta
con toda la clase**

Para ello vamos a aprender:

> *a hablar de gustos y de hábitos alimentarios*
> *los pronombres personales de Objeto Directo*
> *las formas impersonales con* **se**
> *algunos usos de* **ser** *y* **estar**
> **y/pero/además** > *pesos y medidas*

1. COMO DE TODO

A. Aquí tienes las ofertas de la semana de un supermercado. ¿Conoces todos los productos? ¿Existen en tu país?

huevos y carne

Huevos
1 docena
$15.00

Carne
1/2 kg
$40.00

pan de dulce, galletas y pasta

Pan
$0.85
la pieza

Galletas
$17.50

Mantecados
paquete
$8.50

Fideos
$8.20

lácteos

Leche
medio galón
$14.00

Yogur
para beber
$6.60

Queso
200 g
$20.00

Mantequilla
$15.00

fruta y verdura

Papas
1 kg
$9.00

Manzanas
1 kg
$19.00

Lechuga
$7.00
la pieza

Tomates
1 kg
$26.00

Duraznos
1 kg
$22.50

limpieza

Jabón líquido
para ropa
1l
$19.50

Blanqueador
1l
$6.50

otros

Lentejas
1/2 kg
$12.50

Arroz
1 kg
$6.50

Café
paquete de 1/4 kg
$33.50

Cerveza
lata
$8.00

B. ¿Consumes normalmente estos productos? ¿Con qué frecuencia: (muy) a menudo, de vez en cuando o (casi) nunca? Escríbelo en tu cuaderno.

C. Ahora, coméntalo con un compañero.

- Yo como de todo, pero la fruta no me gusta mucho.
○ Pues yo nunca uso blanqueador.

D. ¿Hay otras cosas que no comes o que no bebes nunca? Coméntalo con tu compañero.

- Yo no como pescado, soy alérgico.

2. CUIDADO

A. Lee este artículo y conoce sobre la "venganza de Moctezuma".

LA VENGANZA DE MOCTEZUMA

Muchos de los extranjeros que pasan por México caen abatidos por una intensa diarrea. La tendencia ha sido bautizada informalmente como "la venganza de Moctezuma", en referencia al emperador azteca, que debió doblegarse frente al conquistador Hernán Cortés. Aposentados ya en Tenochtitlán, Cortés y sus hombres decidieron celebrar su triunfo con una comilona en Coyoacán. Cuentan que, después de comer, sufrieron una fuerte diarrea.

Este tipo de reacción orgánica es muy habitual y tiene una sencilla explicación. Y es que, aunque la historia suene curiosa y pintoresca, la realidad es que el agua y los alimentos mexicanos contienen bacterias que resultan nocivas para quienes no cuentan con una resistencia natural contra ellas. Si una persona vive donde la incidencia de una bacteria es poca y se traslada a un lugar en el que la presencia del mismo agente es muy alta, puede presentar un cuadro diarreico. En su entorno, cada quien tolera mejor las bacterias que le rodean.

B. ¿Qué precauciones debe tomar un turista para evitar la "venganza de Moctezuma"? Lee estas frases y, en parejas, marquen si les parecen buenos consejos o no.

	Sí	No
1. Tomar agua de la llave o grifo		✓
2. Comer ensaladas con lechuga desinfectada y bien lavada	✓	
3. Comer alimentos en la calle		✓
4. Comer carne cruda o a medio cocimiento		✓
5. Comer huevos o aves de corral mal conservados o a media cocción		✓
6. Tener cuidado con los lácteos	✓	
7. Comer alimentos muy condimentados		✓
8. Comer chile con moderación	✓	

C. ¿Has padecido la "venganza de Moctezuma"? ¿Conoces a alguien que la haya tenido? ¿Qué comiste? ¿Qué comieron? Cuéntaselo a tus compañeros.

- Yo tengo un amigo, Christian, que tuvo este síntoma porque...

3. COCINA FÁCIL

A. Imagina que unos amigos te invitan esta noche a cenar a su casa y que quieres llevar algo de comer. Aquí tienes tres platillos. ¿Cuál te parece el más fácil de preparar? ¿Cuál vas a llevar?

ARROZ A LA CRIOLLA

Ingredientes para 4 personas:
tres tazas de arroz, 1/4 kg de camarones grandes, 200 g de almejas, 1 kg de tomates grandes y bien maduros, una cebolla grande picada, dos dientes de ajo, una copita de vino blanco seco, una cucharadita de azúcar, perejil, sal, pimienta y aceite.

Preparación: se cuece en cacerola aparte el arroz blanco al estilo cubano, echándole doble cantidad de agua, y se pone, una vez hecho, en un molde de corona. Se sofríen la cebolla, los ajos, las almejas y los camarones y se echa un vasito de vino y el perejil. Se salpimenta y se da unas vueltas. Luego, se echa el tomate pelado y picado y el azúcar, dejando que tome consistencia la salsa. Se sirve abajo el arroz y se colocan por encima el picadillo y el resto de la salsa.

TABLA DE QUESOS Y EMBUTIDOS

Ingredientes para 8 personas:
250 g de queso manchego, 200 g de queso de cabra, 200 g de panela, 200 g de jamón serrano, 200 g de chorizo español y 200 g de salchichón.

Preparación: se corta el queso en dados no muy grandes y se coloca en un plato (también se puede usar una tabla de madera). Junto al queso se colocan el jamón, el chorizo y el salchichón.

GUACAMOLE CON NACHOS

Ingredientes para 6 personas:
dos aguacates, un tomate, dos cucharadas de cebolla picada, una cucharadita de ajo picado, uno o dos chiles picados, un poco de jugo de limón, sal y una bolsa de nachos.

Preparación: se pelan los aguacates, se colocan en un recipiente y, con un tenedor, se aplastan hasta obtener un puré. Se pela el tomate, se quitan las semillas, se corta en trocitos pequeños y se añade al puré. Finalmente, se añaden la cebolla picada, el ajo, los chiles, el jugo de limón y la sal. Se acompaña con nachos.

B. Marca en las recetas la palabra **se** y fíjate en qué forma verbal va después. A veces es la tercera persona del singular y a veces la tercera del plural. ¿Cuándo crees que se usa una y cuándo la otra?

4. ¡MAMÁ!

A. Flora es una gran cocinera y sus hijos siempre le piden consejos. En estas conversaciones hay una serie de palabras en negrita: los pronombres de Objeto Directo (OD) **lo, la, los** y **las.** Los usamos para no repetir un sustantivo. Marca a qué sustantivo se refieren en cada caso.

1. ● Mamá, ¿tú cómo haces los huevos estrellados?
   ○ Pues mira, **los** frío con bastante aceite, pero tengo un truco: siempre echo un diente de ajo. Cuando el ajo está dorado, **lo** saco y...

2. ● Estas lentejas están buenísimas. ¿Cómo **las** hiciste?
   ○ **Las** puse toda la noche en remojo y...

3. ● Mamá, ¿cómo puedo hacer la pasta?
   ○ Bueno, yo siempre **la** hiervo con una hoja de laurel y...

B. Completa estas frases con un pronombre de OD.

1. ● ¿Cómo hiciste estas verduras? Están muy buenas.
   ○ ....Las.... hice al vapor.

2. ● ¡Qué pan tan rico! ¿De dónde es?
   ○ ......lo...... compré en la panadería de la esquina.

3. ● ¿Dónde están los plátanos?
   ○ .....Los......... guardé en el refrigerador.

4. ● ¿Preparaste la ensalada?
   ○ Sí, ...La.... dejé allí encima.

5. ADEMÁS...

A. Lee estas dos frases. Las palabras destacadas son conectores. ¿Entiendes qué significan?

Este restaurante es muy bueno y, **además**, no es muy caro.
Este restaurante es muy bueno, **pero** es muy caro.

B. Ahora, escribe la opción más lógica en cada una de estas frases: **además** o **pero**.

1. La sopa está muy buena	pero	le falta un poco de sal, ¿no crees?
2. Al lado de mi casa han abierto un supermercado muy barato	además	está abierto hasta las doce de la noche.
3. Me encanta el café	pero	no tomo por la noche.
4. Prueba estas galletas, son muy ligeras	además	tienen mucha fibra.
5. Normalmente como postre	pero	hoy no se me antoja.

FORMAS IMPERSONALES

Impersonalidad >> pág. 168

Cuando no podemos o no nos interesa especificar quién realiza una acción, utilizamos formas impersonales. Usamos estas formas para dar instrucciones o para hacer generalizaciones.

SE + 3ª PERSONA

- En este restaurante **se** com**e** muy bien.
- Primero, **se** lav**an** y **se** pel**an** las frutas, y luego...

lavar	➡ **se lava/n**	calentar	➡ **se calienta/n**
congelar	➡ **se congela/n**	asar	➡ **se asa/n**
pelar	➡ **se pela/n**	cocer	➡ **se cuece/n**
echar	➡ **se echa/n**	hacer	➡ **se hace/n**
sacar	➡ **se saca/n**	freír	➡ **se fríe/n**
cortar	➡ **se corta/n**		

2ª PERSONA DEL SINGULAR

- Mira, pon**es** aceite en un sartén, luego ech**as** un diente de ajo...

CONECTORES: Y/PERO/ADEMÁS

Los conectores sirven para enlazar frases, o partes de una frase, y para expresar las relaciones lógicas entre ellas.

Y añade un segundo elemento sin dar ningún matiz.

- Es una ciudad muy bonita **y** muy moderna.

Pero añade un segundo elemento que presentamos como contrapuesto al primero.

- Es una ciudad muy bonita, **pero** el clima es horrible.

Además añade un segundo elemento que refuerza la primera información.

- Es una ciudad muy bonita y, **además**, la gente es muy simpática.

PRONOMBRES PERSONALES DE OBJETO DIRECTO (OD)

En función de Complemento de Objeto Directo (COD) >> pág. 157

Los pronombres personales de Objeto Directo (**lo**, **la**, **los**, **las**) aparecen cuando, por el contexto, ya está claro cuál es el OD de un verbo y no lo queremos repetir.

	singular	plural
masculino	**lo**	**los**
femenino	**la**	**las**

- ¿Dónde está la miel?
- **La** guardé en la alacena.

- ¿Dónde está el queso?
- **Lo** puse en el refrigerador.

- ¿Están buenas las manzanas?
- No sé, todavía no **las** he probado.

- ¿Tienes aquí tus libros de cocina?
- No, **los** dejé en casa de mi madre.

Lo es también un pronombre de OD neutro y puede sustituir a una parte del texto.

- ¿Qué es esto?
- **Lo** trajo Luis. Creo que es un regalo para ti.

- ¿Sabes que van a abrir un centro comercial nuevo?
- Sí, **lo** leí en el periódico.

También usamos los pronombres cuando el OD está delante del verbo, para contrastarlo con otros objetos.

- La pasta siempre **la** hago con un poco de mantequilla; en cambio, el arroz **lo** hago con aceite.

No usamos los pronombres cuando el OD no lleva determinantes (artículos, posesivos y demostrativos).

- ¿Este omelet lleva **Ø** cebolla?
- No, no **Ø** lleva.

SER/ESTAR Ser/Estar/Haber >> pág. 168

Para hacer una descripción o una valoración de algo usamos el verbo **ser**.

- El queso oaxaqueño **es** excelente.

Pero para comentar una experiencia directa, usamos **estar**.

- ¡Qué bueno **está** este queso! (= lo estoy probando)

PESOS Y MEDIDAS

1 kg (**un kilo**) **de** arroz
1/2 kg (**medio kilo**) **de** azúcar
1/4 kg (**un cuarto de kilo**) **de** café
200 g (**gramos**) de harina
1 l (**un litro**) **de** aceite
1/2 l (**medio litro**) **de** agua

6. LAS PAPAS SE LAVAN...

A. Relaciona los verbos con las ilustraciones.

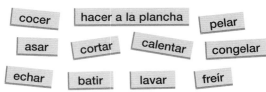

cocer · hacer a la plancha · pelar · asar · cortar · calentar · congelar · echar · batir · lavar · freír

1. ....
2. ....
3. ....
4. ....
5. ....
6. ....
7. ....
8. ....
9. ....
10. ....
11. ....

B. ¿Qué se hace normalmente con estos productos? Escríbelo y, después, coméntalo con un compañero.

las papas	el pescado	el melón
las naranjas	la carne	la leche
el arroz	los huevos	la pasta

• Las papas se lavan y se pelan. Se pueden freír, se pueden asar, pero nunca se hacen a la plancha, ¿verdad?
○ No, creo que no.

7. LA COMPRA DE REBECA

A. Rebeca acaba de llegar del supermercado. ¿Puedes identificar los productos que compró? En parejas, escriban frases diciendo dónde puso las cosas: en el refrigerador o en la alacena.

lo		
la	guardó/metió en	el refrigerador
los		la alacena
las		

La leche la guardó en el refrigerador.

B. Ahora, van a agruparse con otra pareja. Cada pareja dice una frase y la otra tiene que adivinar de qué se trata. Pero cuidado: no pueden decir el nombre de la cosa sino que tienen que usar los pronombres de OD.

• Las guardó en el refrigerador.
○ ¿Las peras?
• No.
○ ¿Las manzanas?

8. LA DIETA DE SILVIA

A. Esta es Silvia Sastre, una modelo mexicana de 24 años. ¿Qué crees que hace para mantenerse en forma? ¿Cuáles de las cosas de la lista crees que come? ¿Cuáles no? Escríbelo en el cuadro.

verdura	sushi	carne a la plancha
marisco	piña	pescado a la plancha
pastel	chocolate	hamburguesas
lasaña	pan integral	pan blanco

Come	No come

B. Ahora, vas a escuchar una entrevista en la que Silvia cuenta cómo se mantiene en forma. Escucha y comprueba tus hipótesis.

C. ¿Y tú? Cuando quieres cuidarte, ¿qué haces? ¿Qué cosas no comes?

- Yo, cuando quiero cuidarme, no como chocolate.

9. UNA COMIDA FAMILIAR

A. ¿Cómo es una comida familiar en tu casa en un día festivo? Cuéntaselo a tus compañeros. Aquí tienes algunas ideas.

- (No) se toma un aperitivo.
- Se come mucho/bastante/poco.
- (No) se puede fumar durante la comida.
- Se bebe cerveza/agua/champaña/vino/refresco...
- (No) se toma café después de la comida.
- Antes de los dulces, se come queso.
- (Nunca) se pone la tele/música...
- Después de la comida, nos quedamos sentados mucho tiempo/damos un paseo...
- Se canta/baila.

- En mi casa, en las comidas familiares normalmente se come mucho, se toma un buen vino...

B. ¿Cómo crees que son las comidas familiares en México? Coméntalo con tus compañeros.

- En México, el queso normalmente se come con la comida, ¿no? En Francia siempre lo comemos al final.
○ Sí, es verdad y...

10. LA CENA DE LA CLASE

A. Hoy van a preparar un bufet para la clase. Van a organizarse en parejas. Cada pareja tiene que preparar tres platillos. Decidan, primero, qué platillos y, luego, qué ingredientes llevan y cómo se preparan. Escríbanlo.

B. Presenten los tres platillos a sus compañeros. Ellos les van a hacer preguntas. Al final, entre todos van a elegir los mejores platillos, aquellos que gustan más a la mayoría.

- Nosotros vamos a preparar "gravad lax". Es un platillo típico sueco. Se hace con salmón crudo: se deja unos días con sal, azúcar y una hierba que no sé cómo se llama en español...
○ ¿Lleva vinagre?
- No.
■ Mmm... A mí no me gusta mucho el salmón...

C. Ahora, tienen que hacer la lista de la compra. Tengan en cuenta cuántos son.

- Tenemos que comprar salmón para el "gravad lax". 500 gramos es suficiente, ¿no?
○ No sé, somos siete...

11. EL TEQUILA

A. El tequila es la bebida mexicana más conocida en el mundo. ¿Lo has probado alguna vez? ¿Qué tanto sabes de esta típica bebida mexicana? Coméntalo con tus compañeros.

B. Ahora, lee el texto y, luego, intenta responder a estas preguntas.

1. **¿Qué diferencias hay entre el mezcal y el tequila?**
2. **¿Qué es el agave azul?**
3. **¿Las botellas de tequila llevan un gusano dentro?**
4. **¿Qué significa que un tequila lleve la etiqueta 100% de agave?**
5. **¿Cómo se fabrica el tequila?**
6. **¿Qué es un caballito?**
7. **¿Qué es una Margarita?**

El tequila debe su nombre a la región de Tequila, localizada a unas 15 leguas al noroeste de Guadalajara, en el estado de Jalisco, y es, sin duda, la bebida mexicana más internacional. Sin embargo, cuando alguien visita nuestro país, puede encontrarse con que existen otros aguardientes parecidos y tener dudas sobre qué está bebiendo realmente, o simplemente desconocer que no está tomando auténtico tequila.

En México se pueden encontrar diferentes aguardientes (mezcales) elaborados a partir del agave. Sin embargo, solo podemos denominar tequila al aguardiente elaborado a partir del agave azul, una de las 136 especies de plantas llamadas agave que crecen en el país. Además, a diferencia del mezcal, el tequila se fabrica industrialmente, con normas de calidad, y tiene una denominación de origen. El mezcal requiere una única destilación, en cambio el tequila necesita por lo menos dos y debe ser filtrado meticulosamente para eliminar impurezas y suavizar su sabor. A diferencia del tequila, algunas marcas de mezcal llevan un gusano dentro de la botella, al cual, desde épocas prehispánicas, se le han atribuido propiedades afrodisíacas. Este gusano vive dentro de la planta de agave y puede ser blanco o rojo.

Cuando un tequila está hecho completamente a partir del agave, se dice que es 100% de agave. En cambio, cuando una proporción del azúcar obtenido del agave se mezcla con otros azúcares durante su elaboración, el resultado es un tequila mixto. En estos casos, en la botella no aparece la etiqueta 100% de agave. La norma exige que para ser llamado tequila debe ser al menos 60% de agave.

El tequila, tal como lo conocemos hoy, se debe al proceso de destilación que introdujeron los españoles. Una vez que se han cortado las piñas del agave, se meten a un molino que las tritura. El mosto o las mieles extraídas se dejan fermentar en tinas especiales. Cuando el tequila no es 100% de agave, estas mieles se mezclan con otras para que fermenten juntas. En la fermentación, los azúcares se transforman en alcohol etílico. Estos fermentos pasan luego a los alambiques, donde se calientan a altas temperaturas, se evaporan y luego se condensan volviéndose nuevamente un líquido que ya es tequila. Sin embargo, en este punto todavía tiene impurezas, por lo que se requiere una segunda destilación.

El tequila normalmente se toma solo en una copa o pequeño vaso que se llama caballito. El caballito tiene la base más estrecha que la boca. También puede tomarse con jugo de limón y hielo picado. Es lo que se llama Margarita. La Margarita se sirve en una copa con el borde cubierto de limón y sal.

C. ¿Sabes qué beben los mexicanos en épocas especiales como la Navidad, las fiestas familiares y las patrias? Comparte tu información con el grupo.

D. ¿Cuál es la bebida más popular en tu país? Coméntalo con tus compañeros.

7

NOS GUSTÓ MUCHO

En esta unidad vamos a
**hacer una lista de las cosas más interesantes
del lugar en el que estamos**

Para ello vamos a aprender:
> *a hablar de experiencias y a valorarlas*
> *a expresar el deseo de hacer algo*
> *usos del Presente Perfecto y del Pretérito*
> *parecer > caer bien/mal*
> me/te/le/nos/os/les gustaría + Infinitivo

1. LATINOAMÉRICA

A. Lee este artículo sobre algunos lugares especiales de Latinoamérica. ¿A cuál te gustaría ir? Coméntalo con un compañero.

LA PATAGONIA (ARGENTINA Y CHILE)

La Patagonia es una extensa zona que se extiende desde el río Colorado hacia el sur, hasta Tierra del Fuego. En la Patagonia encontramos algunos de los más espectaculares paisajes de toda Latinoamérica. Destacan los lagos, los glaciares y los bosques milenarios de la parte andina, los valles, los cañadones y las sierras de la meseta patagónica, y la impresionante fauna marina.

LA HABANA (CUBA)

Con sus antiguos automóviles americanos, sus edificios desconchados, sus gentes y sus ritmos, la capital de Cuba no deja indiferente a nadie. La Habana es una ciudad abierta y alegre, con hermosas playas y numerosos lugares de recreo. El escritor Ernest Hemingway decía que, en belleza, solo la superan Venecia y París.

MUSEO FRIDA KAHLO (MÉXICO)

Situado en el barrio de Coyoacán de la Ciudad de México, el Museo Frida Kahlo es una típica casa mexicana que refleja el estilo popular de principios del siglo XX. Aquí nació, vivió y murió la pintora y luchadora social Frida Kahlo. En este espacio se muestran objetos de uso personal, retablos, arte popular y piezas prehispánicas, además de obra plástica de la propia Frida y de José Clemente Orozco, José María Velasco y Paul Klee, entre otros.

TIKAL (GUATEMALA)

Guatemala, la cuna del quetzal y de la mítica Serpiente Emplumada (Quetzalcóatl), es una tierra de extrañas dimensiones temporales y espaciales que esconde importantes tesoros. Tikal es el más grande de los centros ceremoniales mayas y uno de los principales atractivos turísticos de Guatemala. Sus orígenes se remontan al año 700 a. C., cuando los mayas decidieron levantar las primeras construcciones.

- A mí me gustaría ir a la Patagonia para hacer turismo de aventura y pasear por los bosques.
- Pues a mí me gustaría ir al Museo Frida Kahlo porque me gusta mucho la pintura.

B. Cuenta a tus compañeros cuáles son los tres lugares imprescindibles de tu ciudad o de tu región: un museo, un edificio, un establecimiento (un bar, un restaurante, etc.).

- Si van a Colonia, tienen que ver el Domm, que es la catedral, un museo de arte moderno que se llama…

2. UN POCO DE CULTURA

 A. Una revista recomienda algunas obras para conocer mejor la cultura del mundo hispano. Vas a oír tres conversaciones. En ellas, unas personas hablan de estas obras. Trata de entender, en primer lugar, qué obra están comentando y escribe el título en el cuadro.

1	
2	
3	

DISCOS

Buena Vista Social Club, VV.AA. (1999)

En 1996, el famoso guitarrista norteamericano Ry Cooder reclutó a un grupo de leyendas vivas de la música cubana para grabar este disco. Los cantantes Ibrahim Ferrer, Compay Segundo y Omara Portuondo, y el pianista Rubén González, entre otros, colaboran en esta obra, que obtuvo un inesperado éxito.

LIBROS

Cien años de soledad, de Gabriel García Márquez (1967)

Cien años de soledad es la obra que consagró a García Márquez como uno de los mejores escritores del siglo. Mezcla de realismo, leyenda y sueño, con ella culminó la historia de la aldea de Macondo y de sus fundadores, la familia Buendía. Ha sido traducida a más de 35 idiomas.

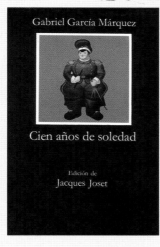

Gabriel García Márquez

Cien años de soledad

Edición de
Jacques Joset

PELÍCULAS

Amores perros, de Alejandro González Iñárritu (2000)

Amores perros es una excelente película que refleja con realismo y crudeza el caos de la ciudad más grande y poblada del mundo: la Ciudad de México. Nominada a los Oscar de Hollywood como mejor película extranjera, las historias de Octavio, Valeria y el Chivo han interesado por igual a críticos y a espectadores.

B. Vuelve a escuchar las conversaciones y completa el cuadro.

	¿Le gustó?	¿Qué cosas dicen de la obra?
1		
2		
3		

C. ¿Conoces la agenda cultural de la ciudad en la que estás? ¿Qué te gustaría hacer? Coméntalo con tus compañeros.

una fiesta
una conferencia
una obra de teatro
una exposición
un concierto
una película

• El jueves hay una obra de teatro en...

3. ¿HAS ESTADO ALGUNA VEZ EN CUERNAVACA?

A. En estos diálogos aparecen dos tiempos del pasado. ¿Cuáles?

- ● ¿**Has estado** alguna vez en Cuernavaca?
- ○ No, nunca. **He estado** en Cancún varias veces pero nunca en Cuernavaca.

- ● ¿Cuánto tiempo **has vivido** en Chiapas?
- ○ Llegué hace diez años y ya ves... sigo aquí.

- ● El mes pasado mi esposo y yo **estuvimos** en la Riviera Maya.
- ○ ¿Y cómo les **fue**?
- ● ¡De maravilla! Nos la **pasamos** muy bien.

- ● Este mes no **he ido** al cine.
- ○ Pues yo **he ido** varias veces.

B. Mira el cuadro y decide qué tiempo verbal se usa en cada caso: el Presente Perfecto o el Pretérito.

1. Cuando situamos hechos pasados sin hacer referencia a cuándo empezaron. En estos casos, solemos usar expresiones como **siempre**, **nunca**, **alguna vez**, **varias veces**, **últimamente**, **en los últimos días**, **todavía no**, **hasta ahora**...

- ☐ Pretérito
- ☐ Presente Perfecto

2. Cuando indicamos la duración de un estado o de una situación que sigue vigente en la actualidad.

- ☐ Pretérito
- ☐ Presente Perfecto

3. Cuando hablamos de experiencias que se produjeron, desarrollaron y terminaron en el pasado. En estos casos, solemos usar expresiones como **el año pasado**, **ayer**, **el otro día**, **la semana pasada**...

- ☐ Pretérito
- ☐ Presente Perfecto

4. Cuando situamos hechos pasados señalando que todavía hay posibilidad de realizar una acción o de volver a realizarla en el espacio de tiempo indicado. En estos casos, solemos utilizar marcadores temporales relacionados con el presente: **hoy**, **esta mañana**, **esta semana**, **este mes**...

- ☐ Pretérito
- ☐ Presente Perfecto

4. ME CAYÓ MUY BIEN

A. Aquí tienes tres correos que Claudia escribió a amigos suyos. Marca todas las frases en las que hace alguna valoración (de experiencias, de lugares, de personas, etc.).

Asunto: ¿Qué tal?

¡Hola Edith!
¿Qué tal Londres? Yo, por aquí, feliz. ¿A que no sabes qué hice el viernes pasado? Tomé un autobús y me fui a Puebla a pasar el fin de semana con Carlos. ¡Estuvo muy padre! Salimos a cenar, paseamos mucho y estuvimos con sus amigos. Me la pasé padrísimo. ¡Ah! También conocí a sus padres: me cayeron muy bien, son muy simpáticos. ¡Un fin de semana perfecto! ¿Y tú? ¿Qué me cuentas? ¿Cómo te va todo? Escríbeme.
Besos desde Querétaro.
Claudia

Asunto: holaaaaaaa

¡Hola Paco!
¿Qué tal la vida en París? Por Querétaro, todo bien. Últimamente salgo bastante con Víctor y con Susi. El lunes me llevaron al restaurante de su hermano. La verdad, no me gustó mucho, y me pareció un poco caro. Ayer fui con ellos al cine, a ver la última película de Luis Mandoki. Me encantó. Me pareció muy original. ¿Ya la viste?
Ya ves, por aquí todo está como siempre. ¿Cuándo vienes?
Claudia

Asunto: (exposición)

¡¡¡Hola Félix!!!
¿Qué tal? Ayer fui a la inauguración de la exposición de cerámica de tu amiga Sandra. Tengo que decir la verdad: ¡no me gustó nada! ¡Qué horror! Pero no todo fue negativo, conocí a su hermano Pablo, me cayó muy bien y... hoy vamos a ir a cenar... ¿Qué me dices?
Besos.
Claudia

B. ¿Entiendes por qué dice **sus padres me cayeron muy bien** pero **Pablo me cayó muy bien**?

C. Ya viste cómo funciona la expresión **caer bien/mal**. Ahora, relaciona estas frases.

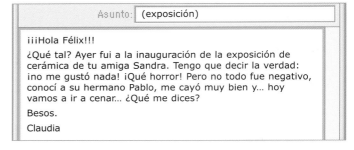

1. Ayer conocí a Luis y a Mar. Son muy simpáticos.
2. Ayer conocí a Alfonso. Es muy simpático.
3. Ayer conocí a los padres de Pau. No son muy simpáticos.
4. Ayer conocí a Fede. No es muy simpático.

A. No me cayó muy bien.
B. Me cayeron muy bien.
C. Me cayó muy bien.
D. No me cayeron muy bien.

HABLAR DE EXPERIENCIAS EN EL PASADO

Usamos el Presente Perfecto cuando preguntamos si se ha realizado algo alguna vez o últimamente.

- ¿**Has estado** en la catedral?
- ¿**Has ido** a Tegucigalpa?
- ¿**Has visto** la última película de Luis Mandoki?

Cuando informamos de un hecho pasado usando un marcador temporal referido al presente, podemos utilizar tanto el Pretérito como el Presente Perfecto. Si queremos indicar que todavía hay posibilidad de realizar la acción o de volver a realizarla en el espacio de tiempo indicado, usamos el Presente Perfecto. Si ya no hay posibilidad de volver a realizar la acción, usamos el Pretérito.

- Esta semana **he visto** dos películas. (= todavía no se ha acabado la semana y puedo repetir la acción)

- Esta semana **vi** dos películas. (= ya se acabó la semana, ya no puedo repetir la acción)

También usamos el Presente Perfecto para indicar la duración de un estado o de una situación que sigue vigente en la actualidad.

- **He trabajado** en esta empresa 20 años.
- **He vivido** en esta casa desde que nací.

Usamos el Pretérito cuando informamos de una acción pasada sin relacionarla con el presente.

- Ayer **estuve** en casa de Carlos.
- El otro día **fui** a la catedral.
- El martes pasado no **hice** la tarea.

¿Ya vieron "Matrix 5"?

Sí, yo la vi ayer. Es muy buena

No, yo todavía no la he visto

EXPRESAR EL DESEO DE HACER ALGO

(A mí)	me	
(A ti)	te	
(A él/ella/usted)	le	
(A nosotros/as)	nos	**gustaría** + Infinitivo
(A vosotros/as)	os	
(A ellos/ellas/ustedes)	les	

- *Este fin de semana* **me gustaría** *ir al campo.*

VALORAR

PARECER

(A mí)	me		excelente
(A ti)	te		muy bueno/a
(A él/ella/usted)	le	**pareció**	una maravilla
(A nosotros/as)	nos	**parecieron**	muy malo/a
(A vosotros/as)	os		un horror
(A ellos/ellas/ustedes)	les		

COSAS

- ¿**Qué tal** la obra de teatro?
- ○ **Me encantó**.

- ¿**Qué te/le pareció** la exposición?
- ○ **Me gustó mucho/bastante**.

- ¿**Qué tal** los libros?
- ○ **No me gustaron mucho/nada**.

- ¿**Qué te/le parecieron** los libros?
- ○ (**Me parecieron**) increíbles/un poco aburridos...

PERSONAS

- ¿**Qué te/le pareció** Luis?
  ¿**Qué te/le parecieron** los padres de Luis?

- ○ **Me cayó/cayeron bien/muy bien**.
  No me cayó/cayeron muy bien.
  Me cayó/cayeron muy mal.

ACTIVIDADES LÚDICAS

	pasársela		+	**bien/mal**
(yo)	me	la	pasé	
(tú)	te	la	pasaste	
(él/ella/usted)	se	la	pasó	**bien/mal**
(nosotros/as)	nos	la	pasamos	
(vosotros/as)	os	la	pasasteis	
(ellos/ellas/ustedes)	se	la	pasaron	

- *¿Qué tal el concierto?*
- ○ *Yo* **me la pasé muy bien**, *pero Ana se aburrió un poco.*

FRASES EXCLAMATIVAS

qué + adjetivo
¡**Qué** guapo/horrible/bonito...!

qué + sustantivo
¡**Qué** desastre/vergüenza/horror/maravilla...!

qué + sustantivo + **tan/más** + adjetivo
¡**Qué** día **tan/más** estupendo!

5. EL REY DEL CABRITO, ROSARIO Y VERACRUZ

A. Vas a escuchar tres conversaciones. ¿De qué hablan en cada una de ellas? Escríbelo en el cuadro.

1. El Rey del Cabrito	
2. Rosario	
3. Veracruz	

B. Escucha de nuevo las conversaciones y escribe una frase que resuma la opinión que se formula en cada una.

1. El Rey del Cabrito	
2. Rosario	
3. Veracruz	

C. Piensa en un lugar (una ciudad, un país, una región) que te impresionó cuando estuviste por primera vez. Luego, pregunta a tus compañeros si han estado en ese lugar y si les causó la misma impresión.

- • Yo estuve hace dos años en Venecia y me encantó. Me pareció la ciudad más bonita del mundo. ¿Alguien ha estado?
- ○ Yo estuve hace 3 años y...

6. COSAS EN COMÚN

A. En parejas, tienen que encontrar un libro y una película que hayan visto los dos y que les haya gustado.

- • ¿Leíste "El señor de los anillos"?
- ○ ¿"El señor de los anillos"?
- • Sí, el libro de Tolkien: "The Lord of the rings".
- ○ Ah, sí, ya lo leí. Me gustó mucho.

B. Ahora, coméntenselo al resto de la clase. ¿Sus compañeros tienen la misma opinión?

- • Los dos ya leímos "El Señor de los anillos" y...

Lo/la/los/las he visto/leído.
Lo/la/los/las vi/leí hace tiempo/el año pasado...
No lo/la/los/las he visto/leído.

7. SOÑAR ES GRATIS

A. En parejas, imaginen que tienen mucho dinero y que pueden crear el negocio de sus sueños: un restaurante, una discoteca, una galería de arte, etc. Decidan qué tipo de negocio es y completen la ficha.

Qué es:
Cómo se llama:
Dónde está:
Qué cosas/actividades hay/se hacen:
Otras características:

B. Ahora, van a explicar a sus compañeros cómo es su negocio. El profesor va a escribir los nombres en la pizarra y, luego, van a comentar a cuáles les gustaría ir.

- • Nuestro negocio es un restaurante vegetariano y se llama "La lechuga feliz". Está en un parque y es muy bonito. Tenemos unas ensaladas muy buenas y cultivamos nuestras propias verduras...

7

8. EL PEOR SÁBADO DE LA VIDA DE TRISTÁN

A. Tristán es una persona muy negativa. El sábado pasado hizo muchas cosas, pero nada le gustó. En parejas, escriban el correo electrónico que Tristán envió a un amigo suyo para explicarle cómo le fue el día. Luego, léanselo a sus compañeros. ¿Qué pareja escribió el mensaje más divertido?

¡Qué churro de película!
¡Qué restaurante tan caro!
¡Qué gente tan antipática!
¡Qué mala suerte!
...

De: tristan@cristi.com

Para: leoncioborrada@cigro.net

CC:

CCO:

Asunto: el peor sábado de mi vida

Archivos adjuntos:

Querido amigo Leoncio:

Qué sábado tan terrible...

B. ¿Has tenido alguna vez un día tan horrible o experiencias como las descritas en los correos electrónicos que se han leído? Coméntalo con tus compañeros.

9. NUESTRAS MEJORES EXPERIENCIAS

A. En grupos de tres, piensen en las cosas más interesantes que han hecho desde que llegaron a la ciudad en la que están. Tienen que escoger las cuatro cosas que nadie se debe perder cuando viaja a esta ciudad. Aquí tienen algunas ideas.

- UN RINCÓN CON ENCANTO
- UN RESTAURANTE
- UN MUSEO
- UN PARQUE
- UN BARRIO
- UNA CALLE
- UNA COMIDA
- UNA EXCURSIÓN
- UNA BEBIDA
- UN EDIFICIO
- UN BAR

(Grutas de García)

- ¿Ya fueron a las Grutas de García? Yo creo que es una de las cosas más interesantes de la ciudad, ¿no?
- Sí, yo estuve el otro día y me encantó.
- Yo no he ido.
- ¡Pues tienes que ir!
- ¿Y ya probaron los dulces de leche?

B. Ahora, tienen que presentar sus propuestas al resto de la clase. Tienen que justificar su elección y dar algunos datos sobre las cosas que recomiendan.

- Aquí hay muchas cosas interesantes, pero las cuatro cosas que más nos han gustado son: el restaurante Cielito Lindo, el Museo de Arte Contemporáneo (...) Cielito Lindo es un restaurante típico mexicano: tienen unos antojitos muy buenos y...

10. COSTA RICA

A. Aquí tienen información sobre tres lugares turísticos de Costa Rica. Lean los textos individualmente y, luego, en grupos, decidan cuál les gustaría visitar y por qué.

Parque Nacional Volcán Arenal

Situado en la región norte del país, en la Sierra de Tilarán, el Parque Nacional Volcán Arenal tiene una extensión de 2,920 hectáreas.
La atracción principal es el majestuoso volcán Arenal, de 1,633 metros de altitud, cuyas erupciones ofrecen uno de los panoramas naturales más extraordinarios e impactantes de Costa Rica. El parque es una importante reserva ecológica, ya que en él vive una gran variedad de especies de flora y fauna.

Reserva biológica Monteverde

La Reserva Biológica Bosque Nuboso Monteverde es uno de los más importantes santuarios de vida silvestre de los trópicos. Se extiende hacia las vertientes del Caribe y del Pacífico costarricense. La combinación de sus condiciones climáticas y geográficas ayuda a formar cambios considerables de temperatura y humedad en distancias relativamente cortas. Seis zonas de vida se presentan en Monteverde y su biodiversidad incluye más de 100 especies de mamíferos, 400 especies de aves, 120 especies de anfibios y reptiles, unas 2,500 especies de plantas (entre las cuales 420 corresponden a diferentes tipos de orquídeas) y varios miles de insectos. Entre su fauna sobresale el jaguar, el ocelote, el tapir, la calandria, el pavoncillo y el quetzal.

Pacífico norte

La región del Pacífico Norte es una zona llena de increíbles playas cuyas variaciones de forma, color, tipo de arena, temperatura del agua y paisaje las convierten en las mejores de Centroamérica. Esta región del Pacífico está principalmente formada por la provincia de Guanacaste y ofrece muchos atractivos turísticos, una gran variedad de sitios de hospedaje y actividades como buceo en aguas profundas, pesca deportiva, surf o golf. Las playas del Pacífico Norte son el hábitat para una gran variedad de especies marinas, por lo que resultan excelentes para la práctica del submarinismo. Entre las más conocidas y hermosas podemos encontrar Tamarindo, Flamingo, Punta Islita, Playa Hermosa, Sámara, Conchal y las que se encuentran en el Golfo de Papagayo.

B. ¿Existen lugares turísticos interesantes en tu país? ¿Cuáles? ¿Cómo son y qué puedes ver o hacer? ¿Cuál es el más famoso? ¿Has ido a alguno?

8
ESTAMOS MUY BIEN

En esta unidad vamos a
**buscar soluciones para algunos
problemas de nuestros compañeros**

Para ello vamos a aprender:

> *a dar consejos*
> *a hablar de estados de ánimo*
> *a describir dolores, molestias y síntomas*
> *usos de los verbos **ser** y **estar***
> *las partes del cuerpo*

1. EL CUERPO PERFECTO

A. Los lectores de una revista eligieron las partes del cuerpo que más les gustan de las estrellas del mundo del cine. ¿Sabes a cuál de los actores y de las actrices pertenecen? Escríbelo.

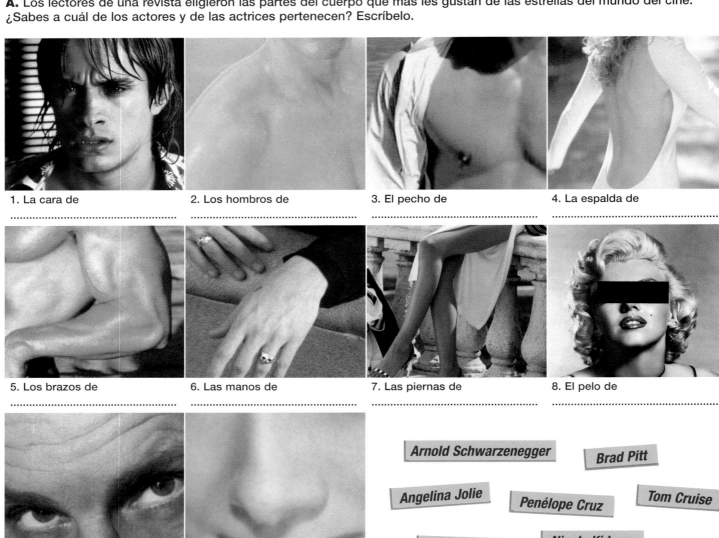

1. La cara de
....

2. Los hombros de
....

3. El pecho de
....

4. La espalda de
....

5. Los brazos de
....

6. Las manos de
....

7. Las piernas de
....

8. El pelo de
....

9. Los ojos de
....

10. La nariz de
....

11. La boca de
....

12. La barbilla de
....

Arnold Schwarzenegger

Brad Pitt

Angelina Jolie

Penélope Cruz

Tom Cruise

Johnny Depp

Nicole Kidman

John Travolta

Marilyn Monroe

Gael García Bernal

John Malkovich

Audrey Hepburn

B. ¿Cuál es la parte del cuerpo en la que te fijas primero en una persona? ¿Cuál es la parte de tu cuerpo que te gusta más?

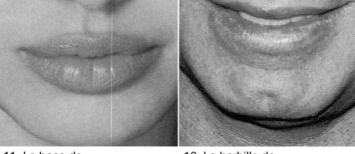

● Yo, cuando conozco a alguien, primero me fijo en los ojos...

2. LENGUAJE CORPORAL

A. Lee este artículo sobre el lenguaje corporal. Seguro que encuentras en él cosas que has observado en México o en otros países. ¿Encuentras consejos interesantes? Coméntalo con tus compañeros.

N PALABRAS • SIN PALABRAS • SIN PALABR

Cuando conversas con alguien, no solo te comunicas con las palabras: tu cuerpo también envía mensajes. Americanos del norte y del sur, mediterráneos y nórdicos, eslavos, africanos, árabes, asiáticos del Extremo Oriente... todos tenemos, además de nuestro idioma, otra lengua. Pero el lenguaje corporal no es igual en todos los lugares. Lee atentamente las siguientes informaciones: te pueden ayudar en tus contactos con personas de otras culturas.

Mira a los ojos
Los ojos expresan todas las emociones: por la mirada podemos saber si una persona está alegre, triste, preocupada, etc. Para los españoles, por ejemplo, alguien

que mira directamente a los ojos de los demás es, generalmente, una persona segura y sincera. En México, en cambio, mirar directamente mucho tiempo a los ojos puede interpretarse como una falta de respeto o como un exceso de confianza.

Manos que hablan
Las personas de culturas latinas y mediterráneas usan más las manos y tocan más a los demás que las personas de culturas anglosajonas o algunos asiáticos (como los japoneses). Para los latinos,

en general, tocar al interlocutor demuestra cariño, pero también es cierto que hay personas que se sienten molestas cuando las tocan. Por otro lado, casi nunca es aconsejable participar en una conversación con las manos dentro de los bolsillos porque eso puede interpretarse como una falta de respeto.

Más cerca
La distancia es algo que también depende de la cultura de cada uno. Los latinoamericanos, por ejemplo, se sienten cómodos hablando con perso-

nas que están a menos de 50 cm, mientras que un estadounidense necesita un metro, aproximadamente, para no sentirse "invadido".

Gestos que muestran impaciencia o aburrimiento
Si una conversación no te interesa, la otra persona puede notarlo fácilmente por tus gestos. En las culturas occidentales, en general, levantarse todo el tiempo, cruzar las piernas varias veces o mirar constantemente el reloj

son signos evidentes de aburrimiento. Por eso, cuando estás sentado, es recomendable situarse en una posición cómoda y descansada para así respirar mejor. Además, si mueves los pies constantemente durante la conversación, el otro puede interpretar que estás nervioso, cansado o impaciente. En México, la amabilidad es la regla número uno, así que la gente no muestra abiertamente que no está interesada en una conversación.

Sonríe por favor
Sonreír en una conversación transmite confianza y alegría. En México, si no sonríes puede parecer que estás enojado o a disgusto. Pero tampoco hay que exagerar. Sonreír demasiado es, en algunas culturas, una señal de falsedad o de poca inteligencia.

B. ¿Existen gestos o movimientos característicos de tu cultura o de tu país? ¿Hay alguna cosa importante que un extranjero que visita tu país tiene que aprender en este sentido?

• Si vas a Italia, no debes...

3. ESTÁ MAREADA

A. Estas cinco personas tienen un problema de salud. Escucha las conversaciones y escribe qué problema tiene cada una.

Le duele ....

Le duelen ....

Tiene ....

Tiene dolor de ....

Está ....

B. Ahora, piensa con qué palabras se pueden usar las estructuras del cuadro para hablar de síntomas o de dolores.

la cabeza	pies	tos	los oídos
cabeza	el estómago	fiebre	náuseas
las muelas	estómago	la espalda	enfermo/a
muelas	mareado/a	espalda	diarrea
los pies	resfriado/a	oídos	pálido/a

le duele	le duelen	tiene dolor de	tiene	está

C. Estos son los consejos que les dan a las personas del apartado A. ¿A cuál crees que corresponde cada uno?

☐ Para eso, lo mejor es ponerlos en agua caliente y sal.

☐ ¿Por qué no te sientas y descansas un rato?

☐ Para eso, la manzanilla es muy buena.

☐ Deberías tomarte una aspirina y descansar un poco.

☐ Tienes que tomar, antes de dormir, un vaso de leche caliente con miel.

D. Escucha y comprueba.

4. ¿ES O ESTÁ?

Estas son Eva y Antonia. Fíjate en que en las dos descripciones aparecen los verbos **ser (es)** y **estar (está)**. ¿En qué tipo de informaciones crees que se usa cada uno? Completa el cuadro.

EVA
Es española.
Es una chica muy responsable.
Es muy guapa.
Está haciendo una maestría.
Está un poco nerviosa porque mañana tiene un examen.
Está bastante cansada porque anoche estudió hasta tarde.
En la foto, es la que **está** a la izquierda.

ANTONIA
Es italiana.
Es arquitecta.
Está trabajando en un despacho de arquitectos.
Es una chica muy simpática y sociable.
Es muy alta.
Está muy contenta porque su trabajo es muy interesante.
Está un poco cansada porque últimamente trabaja mucho.
En la foto, es la que **está** a la derecha.

En la descripción (nacionalidad, origen, aspecto físico, profesión, carácter…) se usa el verbo [____]

Para hablar de características que presentamos como temporales se usa [____]

Para hablar de la ubicación y de la posición se usa [____]

Para hablar de acciones que se desarrollan en el presente se usa [____] + Gerundio.

PARTES DEL CUERPO

En español, en general, para hablar de las partes del cuerpo no se usan posesivos sino artículos.

- Marta se lava mucho **el** pelo / ~~**su** pelo~~.
- El niño abrió **los** ojos / ~~**sus** ojos~~.
- Carlos tiene **unas** manos muy grandes.

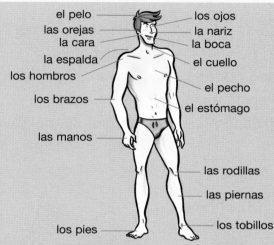

el pelo
las orejas
la cara
la espalda
los hombros
los brazos
las manos
los ojos
la nariz
la boca
el cuello
el pecho
el estómago
las rodillas
las piernas
los pies
los tobillos

HABLAR DE DOLORES, MOLESTIAS Y SÍNTOMAS

DOLER

(a mí)	**me**		
(a ti)	**te**		
(a él/ella/usted)	**le**	**duele**	**la** cabeza *(NOMBRE EN SINGULAR)*
(a nosotros/as)	**nos**	**duelen**	**los** pies *(NOMBRE EN PLURAL)*
(a vosotros/as)	**os**		
(a ellos/as/ustedes)	**les**		

tener + **dolor de** Ø cabeza/espalda/oído…
tener + tos/fiebre/frío/calor/náuseas/mala cara...
estar + mareado/a, resfriado/a, cansado/a, pálido/a…

- ¿Qué le pasa, señora Torres? *Tiene mala cara.*
- *Me duele mucho la cabeza y estoy un poco mareada.*

DAR CONSEJOS

Consejos impersonales
lo mejor es hacer ejercicio.
ayuda (mucho) desayunar fruta.

(**Para** adelgazar)
(**Si** quiere/s adelgazar,)

Consejos personales
tiene/s que comer menos.
debe/s hacer más ejercicio.
debería/s caminar más.
puede/s hacer una dieta.
intente/a comer menos dulces.

SER Y ESTAR   Ser/Estar/Haber >> pág. 168

SER

Identificar, definir y describir, presentando las características como algo permanente y objetivo

- ¿El Señor Gómez?
- **Es** ese de ahí.

- Carlos **es** un amigo mío de la escuela.

- Yuri **es** sueco, pero sus padres **son** rusos.

- Estos tomates **son** de Sinaloa.

- Sandra **es** dentista y Lola, periodista.

- El novio de Tania **es** un chico muy simpático. Además **es** muy guapo.

- ~~**Está** un chico guapo.~~

ESTAR

Presentar las características de algo o de alguien como temporales o subjetivas

- El novio de Tania **está** un poco raro últimamente: **está** triste, de mal humor y, además, **está** muy delgado…

Hablar de la ubicación y de la posición

- ¿Dónde **está** Karl.
- No sé, creo que **está** en su cuarto.

- El Teatro Real **está** cerca de aquí, ¿no?

- **Está** de pie. sentado/a. acostado/a. agachado/a.

Hay adjetivos que pueden combinarse con **ser** y con **estar** y que mantienen el mismo significado.

- **Es** impaciente. (=siempre)
- **Está** impaciente. (=en este momento o últimamente)

- **Es** muy tranquilo. (=siempre)
- **Está** tranquilo. (=en este momento o últimamente)

Algunos adjetivos van únicamente con el verbo **ser**.

- **Es** muy inteligente.
- ~~**Está** muy inteligente.~~

Algunos adjetivos van únicamente con el verbo **estar**.

- **Está** contento.
- ~~**Es** contento.~~

Los participios usados como adjetivos van siempre con **estar**.

- La puerta **está** abierta.
- Las ventanas **están** cerradas.

Los adverbios **bien** y **mal** van siempre con **estar**.

- **Está** muy bien.
- ~~**Es** muy bien.~~
- No **está** nada mal.
- ~~No **es** nada mal.~~

Los sustantivos van con **ser**.

- Antonio **es** un chavo simpático.

5. GESTOS

A. ¿Qué gestos, qué movimientos haces cuando estás enojado, nervioso, contento, impaciente, triste…?

- Cuando estoy enojado, creo que pongo la boca así y cruzo los brazos…

B. Ahora, van a actuar. De uno en uno tienen que mostrar un estado de ánimo o una emoción. Los demás tienen que acertar de qué emoción se trata.

- ¿Estás nervioso?
- No.
- ¿Enojado?

6. HAY MUCHA GENTE

¿Qué gestos haces cuando dices estas frases o cuando alguien no te oye y quieres expresar estas cosas? ¿Tus compañeros lo hacen igual?

Yo.	Me voy.
Ven aquí.	¿Vamos a comer?
¡Vete!	Tengo calor.
Te llamo por teléfono.	Hay mucha gente.
Nos vemos mañana.	Fíjate bien.
Tengo sueño.	La cuenta, por favor.

7. ¿POR QUÉ ESTÁ CONTENTA?

Miren estas imágenes. ¿Cómo les parece que están estas personas? ¿Pueden imaginar las razones? En parejas, intenten escribirlas. ¿Coinciden con las demás parejas?

Sr. Rosado

Ricardo

Guadalupe

Edgar

Estrella

Guadalupe está muy contenta porque…

8. CONSULTORIO

A. Tres personas escribieron al consultorio de una revista para buscar una solución a sus problemas. ¿Crees que las soluciones que les dieron son las más adecuadas? ¿Puedes darles tú otros consejos?

SOLUCIONES A TUS PROBLEMAS

1. *La semana que viene tengo que hablar en público y estoy muerto de miedo.* Marco (Guanajuato)

Lo primero que debes hacer, Marco, es afrontar el problema; si sabes que te da miedo hablar en público y tienes que hacerlo, debes empezar a "entrenarte". Puedes hacer varios ensayos en casa, delante de tus amigos o de tu familia; ellos te pueden ayudar a mejorar tu técnica y, además, van a ser amables contigo. También es muy útil controlar la respiración. La respiración es como el "motor" del cuerpo: si la controlas, puedes dominar tu nerviosismo. Por eso, en los ensayos y el día de la conferencia debes intentar respirar de manera pausada.

2. *Paso 12 horas al día delante de la computadora. ¿Qué puedo hacer para no perder la forma?* Edith (Mérida)

En primer lugar, hay una cuestión que debes controlar especialmente: tu alimentación. Debes tomar alimentos con mucha fibra (verduras, frutas, cereales integrales), evitar las grasas animales (embutidos, carnes grasas, mantequilla) y comer preferentemente pescado. De cualquier modo, trabajas muchas horas, demasiadas, y el problema es que siempre estás sentada. Existe un ejercicio para los músculos abdominales que se puede hacer en estos casos: tienes que contraer el abdomen y mantener la contracción durante diez segundos y, luego, descansar durante diez segundos más. Puedes repetir este ejercicio cinco o seis veces cada dos horas.

3. *Una compañera de trabajo se divorció hace un mes. Me gusta mucho, pero no sé si es un buen momento para proponerle una relación.* Jorge (Monterrey)

Cada persona es diferente pero, en general, podemos decir que se deben esperar unos meses antes de iniciar una nueva relación. Las personas que rompieron con su pareja tienen un sentimiento de pérdida y pasan, casi siempre, por diferentes fases. Al principio no pueden creer que la separación es real, luego vienen la rabia y la tristeza y, finalmente, la aceptación. Tienes que esperar y observarla: ¿crees que lo aceptó? ¿O parece aún triste o enojada? Debes ser paciente, esperar algunos meses y ser muy cuidadoso con sus sentimientos.

B. Ahora, en parejas, ustedes van a ser los consejeros. Escojan un problema de los siguientes y escriban un consejo.

1. Desde mi última novia (hace 8 años) no he salido con ninguna chica y me siento muy solo.

2. No quiero vivir en casa de mis padres, tengo 27 años, pero no tengo trabajo.

3. Tengo 34 años y mis padres no saben que soy gay.

4. Mi hijo de 14 años se quiere hacer un *piercing* en la lengua.

5. Quiero muchísimo a mi novio, pero un compañero de trabajo que hace tiempo que me gusta mucho me ha propuesto salir con él.

9. TENGO UN PROBLEMA

A. En una hoja suelta, escribe un problema o algo que te preocupa. Puede ser un problema real o inventado, y tratar de cuestiones de salud, de trabajo, de relaciones personales, etc. Fírmalo con un pseudónimo.

B. Tu nota va a circular por toda la clase. Cada uno de tus compañeros va a escribir en la misma hoja una solución o un consejo para ayudarte.

C. Ahora, presenta a la clase los consejos que escribieron tus compañeros para tu problema. ¿Cuáles son los mejores?

mi problema:

los consejos de mis compañeros:

10. LA MEDICINA PRECOLOMBINA

A. ¿Conoces los diferentes tipos de medicina que existen? ¿Qué métodos de medicina alternativa conoces? ¿Sabes lo que es la herbolaria? Coméntalo con tus compañeros.

B. Ahora, lee este texto sobre la medicina en la época precolombina.

La medicina en las culturas mesoamericanas se inició hacia el año 1500 a. C. y se acabó con la caída de Tenochtitlán a manos de los conquistadores españoles en el año 1521 d. C. Obviamente, no podemos hablar de una única medicina precolombina, puesto que cada pueblo y cada cultura desarrolló métodos propios, pero sí podemos afirmar que, por lo general, la medicina precolombina no se basó en conceptos médicos ni científicos sino que fue fundamentalmente empírica y se desarrolló en un ambiente mágico, religioso y místico.

La medicina precolombina fue practicada por los curanderos, que desarrollaron un gran conocimiento de la ecología y del clima, así como de su relación con algunas enfermedades. Los curanderos trabajaron estrechamente con los sacerdotes y con los hechiceros. Se sabe que, para las curaciones, se utilizaron drogas alucinógenas y plantas medicinales (herbolaria). Entre las diversas técnicas empleadas destacan el masaje y la succión ("para extraer la enfermedad"), los baños medicinales, los enemas y las sangrías.

La medicina empleada por los aztecas, fruto de más de 3.000 años de experiencia, fue, sin duda, la más avanzada de todas las medicinas mesoamericanas precolombinas, tanto en lo referente al diagnóstico como al tratamiento de las enfermedades. Debido a su gran conocimiento de la naturaleza, los aztecas encontraron propiedades curativas en diversos minerales y plantas. Además, los sacrificios humanos religiosos, habituales en la cultura azteca, favorecieron un buen conocimiento de anatomía.

ALGUNAS CURIOSIDADES

- Hay datos que demuestran que algunos pueblos precolombinos practicaron intervenciones quirúrgicas, especialmente sobre huesos. El punzón de la raya o los huesos tallados fueron utilizados como bisturí.
- La chicha, la coca y el tabaco fueron utilizados como anestésicos.
- Algunas medicinas que todavía se usan hoy provienen de la herbolaria precolombina.
- En Monte Albán, cerca de Oaxaca, se encuentran los restos de lo que se considera la primera Escuela de Medicina de Mesoamérica.

C. ¿Conoces algún remedio en el cual se utilice una planta? Coméntalo con tus compañeros.

9

En esta unidad vamos a
**decidir cuál ha sido la época
de la historia más interesante**

Para ello vamos a aprender:
> a hablar de hábitos, costumbres y circunstancias en el pasado
> a situar acciones en el pasado y en el presente
> a argumentar y a debatir
> algunos usos del Imperfecto
> *ya no/todavía*

ANTES Y AHORA

1. EL MÉXICO DEL PORFIRIATO

A. ¿Sabes algo sobre cómo era México en la época de Porfirio Díaz (1876-1910)? Completa estas frases, que hablan sobre algunos aspectos de esa época, con los elementos de la derecha.

1. Había un régimen dictatorial; no existía *la democracia*.

2. La paz no fue total, pero Díaz consiguió mantener el orden gracias al ....

3. Se perseguía a .... que criticaban al régimen y a cualquiera que manifestara una opinión que no fuera la oficial.

4. El régimen porfirista pretendía lograr .... impulsando el crecimiento material.

5. Las actividades económicas principales eran ....

6. .... eran los productos agrícolas más destacados.

7. .... era evidente ya que el crecimiento económico solo favoreció a unos cuantos mexicanos y a los extranjeros.

8. Los indígenas perdieron muchas tierras y tuvieron que trabajar como peones en los grandes ....

9. Gracias a la paz porfiriana florecieron gran cantidad de academias, teatros, museos, periódicos, revistas, asociaciones artísticas y científicas, que estuvieron fuertemente influenciados por ....

10. Había una marcada estratificación social que impedía ....

uso de la fuerza pública
la cultura francesa
latifundios
la movilidad social
la agricultura, la minería y el petróleo destinados al mercado exterior
los periodistas
la estabilidad política y la paz interna
la desigualdad
el henequén de Yucatán, el café, el cacao, el chicle y el hule
la democracia

B. Ahora, relaciona las siguientes cápsulas informativas sobre el régimen de Porfirio Díaz con algunos de los aspectos del apartado anterior. Luego, comenta con un compañero el significado de las palabras en negrita.

1 Durante el largo periodo en el que gobernó Díaz, se realizaron obras importantes en varios **puertos** y se tendieron 20,000 kilómetros de **vías férreas**. Las líneas de ferrocarril se trazaron hacia los puertos más importantes y hacia la frontera con los Estados Unidos de América para facilitar el intercambio comercial.

2 Con mano dura, Porfirio Díaz trató de eliminar las diferencias de opiniones sobre asuntos de política y gobierno. Como ejemplo, tenemos la dureza con la que se reprimieron las **huelgas** de Cananea (1906), en Sonora, y de Río Blanco (1907), en Veracruz.

3 Se enriqueció notablemente la **vida cultural** con nuevos periódicos, revistas y libros escritos e impresos en México.

4 Los **indígenas** se vieron obligados a trabajar como peones en los **latifundios**. Sus condiciones laborales eran precarias, ya que estaban mal pagados, tenían poca libertad y, además, se veían obligados a comprar sus víveres en las **tiendas de raya**; establecimientos propiedad de sus patrones, donde los productos eran más caros.

2. TURISTAS O VIAJEROS

A. Aquí tienes un fragmento de un artículo sobre viajes. ¿Estás de acuerdo con lo que dice? Coméntalo con un compañero.

Viajar ya no es una aventura

A principios del siglo pasado, los primeros turistas (ingleses, alemanes, franceses...) descubrían el mundo. Todo era exótico y nuevo: la lengua del lugar, la comida, las ciudades, los paisajes. Cada lugar era una sorpresa y una experiencia única. Pero eso ha cambiado radicalmente: hoy en día el turismo mueve a diario a millones de personas en todo el mundo, pero muy pocos lo viven como una auténtica aventura.

- Yo estoy de acuerdo. Para mí viajar ya no es una aventura.
○ Pues yo no estoy de acuerdo. Para mí...

B. Ahora, lee este cuestionario y marca, en cada caso, la respuesta con la que estás más de acuerdo.

1. Viajar es una experiencia única. La gente que viaja es más interesante.

☐ a) Estoy de acuerdo. Las personas que no han viajado son menos interesantes.

☐ b) Bueno, viajar es fantástico, pero hay gente interesantísima que no ha viajado nunca.

☐ c) Pues yo creo que hay gente que viaja mucho, pero que no aprende nada en sus viajes.

2. Hoy en día es muy difícil descubrir lugares nuevos y vivir aventuras.

☐ a) Es cierto, todos los lugares parecen iguales en todo el mundo: los restaurantes, los aeropuertos, los hoteles, ¡incluso la gente!

☐ b) Bueno, eso depende. Si eres aventurero de verdad, puedes encontrar experiencias nuevas en cualquier lugar.

☐ c) No estoy de acuerdo. Para mí, tomar un avión ya es una aventura.

3. Ahora la gente puede viajar mucho más que antes y eso es positivo.

☐ a) Es verdad, hoy en día todo el mundo viaja y eso es muy bueno.

☐ b) No sé, creo que la gente viaja más pero no quiere descubrir cosas nuevas.

☐ c) Sí, todo el mundo viaja, pero eso también tiene efectos negativos; por ejemplo, en el medio ambiente.

4. Antes todo era más romántico. La gente viajaba en barco, en tren… y ese viaje era parte de la aventura. Ahora todo es demasiado rápido.

☐ a) Sí, antes antes los viajes duraban mucho, eso formaba parte del encanto.

☐ b) Eso depende de cómo viajas. Todavía hay maneras románticas de viajar.

☐ c) Pues yo creo que los viajes son todavía muy lentos. Se pierde mucho tiempo.

5. Se pueden vivir aventuras sin ir muy lejos.

☐ a) Sí, claro, la aventura puede estar en tu propia casa.

☐ b) Bueno, creo que eso depende del carácter de cada uno.

☐ c) Para mí no. Yo creo que si realmente quieres vivir una aventura, tienes que romper con la rutina e irte lejos.

C. En un programa de radio, la editora de una revista de viajes da sus opiniones sobre los temas anteriores. Escúchalas. ¿Coincide contigo?

3. HOY EN DÍA

A. ¿Sabes alguna cosa sobre Ibiza? Coméntalo con tus compañeros.

- Ibiza es una isla, ¿no?
- Sí, claro, y está en...

B. Una persona nos contó cosas sobre Ibiza. Lee las frases. ¿Habla de la actualidad o de los años 60/70?

Hoy en día, Ibiza es uno de los centros de la música electrónica de todo el mundo.

Actualmente, muchas estrellas del cine, de la música y de la moda pasan sus vacaciones en Ibiza.

Entonces, era una isla más tranquila y menos turística.

En aquella época, había hippies que vivían en cuevas.

En estos momentos, la población es de unas 90,000 personas, pero en verano hay en la isla cerca de 300,000.

En aquellos tiempos, los hippies de todo el mundo viajaban a la India, a Tailandia o a Ibiza.

Ahora, muchos de los hippies que vivían en Ibiza son altos directivos de empresas.

C. ¿Qué palabras (verbos y expresiones) te ayudaron a saber si se trata del presente o del pasado? Subráyalas.

4. A LOS 18 AÑOS

A. Aquí tienes una serie de informaciones sobre la vida de Ángel, un hombre de 70 años. ¿A qué etapa de su vida crees que pertenece cada una? Márcalo en el cuadro.

1. **A los** 18 **años**, aún no sabía qué quería estudiar.
2. **Cuando** era pequeño, siempre recogía animales de la calle y los llevaba a casa: gatos, perros, pájaros…
3. **Cuando** iba a la Universidad, en Guadalajara, salía mucho de noche e iba muy poco a clase.
4. **Cuando** vivía en Guadalajara con su segunda esposa, tenían una casa en Puerto Vallarta donde pasaban los veranos.
5. **Cuando** tenía 55 años, trabajaba mucho: era el director de una empresa multinacional y viajaba por toda América.
6. **De niño**, era muy tímido y no tenía muchos amigos; le encantaba leer y quedarse en casa con sus hermanos.

infancia	juventud	madurez
…………	…………	…………
…………	…………	…………

B. Fíjate en las estructuras marcadas en negrita y, luego, escribe tres frases sobre tres momentos de tu vida.

5. LAS FOTOS DE LA ABUELA

A. Elsa está mirando unas fotos con su abuela, que tiene 101 años. ¿A qué conversación corresponde cada foto?

Ⓐ
- Mira esta foto en la playa.
- ¿La playa?
- Sí, en mis tiempos la playa era muy diferente. Cuando íbamos, nos cambiábamos de ropa en casetas como esta y luego nos bañábamos. No tomábamos nunca el sol. Estar morena no estaba de moda.
- ¿Y esto son los trajes de baño? Eran enormes, ¿no?
- Sí, y siempre tenían dos piezas: camisa y pantalón.

Ⓑ
- Mira, este es un amigo de tu abuelo.
- ¡Qué gracioso!
- Sí, se llamaba Juan y era el mejor amigo de tu abuelo.
- ¡Qué elegante!, ¿no?
- Es que antes no nos tomábamos tantas fotos como ahora. Y el día que íbamos al fotógrafo nos poníamos la mejor ropa.

Ⓒ
- Y este es tu padre.
- ¡Qué guapo! ¿Cuántos años tenía aquí?
- Dos. Era un niño muy guapo, sí. Y muy bueno.

B. En los diálogos, algunos verbos están en un nuevo tiempo del pasado: el Imperfecto. Subráyalos. ¿Para qué crees que se usa este tiempo? Márcalo.

❏ Para describir circunstancias o cosas habituales en el pasado.

❏ Para hablar de hechos que solo ocurrieron una vez.

6. YA NO FUMO

A. Piensa en cosas que hacías antes y que ya no haces (hábitos o características que han cambiado) y escríbelo.

Antes …………………… Ahora **ya no** ……………………

B. Piensa en cosas que hacías antes y que todavía haces (hábitos o características que no han cambiado) y escríbelo.

Antes ……………………… y **todavía** ……………………

IMPERFECTO

+ >> pág. 164

Entre otros usos, el Imperfecto sirve para describir los hábitos, las costumbres y las circunstancias de un momento pasado. El Imperfecto es el equivalente del Presente (habitual) pero referido al pasado.

VERBOS REGULARES

	-AR	-ER	-IR
	estar	tener	vivir
(yo)	est**aba**	ten**ía**	viv**ía**
(tú)	est**abas**	ten**ías**	viv**ías**
(él/ella/usted)	est**aba**	ten**ía**	viv**ía**
(nosotros/as)	est**ábamos**	ten**íamos**	viv**íamos**
(vosotros/as)	est**abais**	ten**íais**	viv**íais**
(ellos/ellas/ustedes)	est**aban**	ten**ían**	viv**ían**

VERBOS IRREGULARES

	ser	ir	ver
(yo)	**era**	**iba**	**veía**
(tú)	**eras**	**ibas**	**veías**
(él/ella/usted)	**era**	**iba**	**veía**
(nosotros/as)	**éramos**	**íbamos**	**veíamos**
(vosotros/as)	**erais**	**ibais**	**veíais**
(ellos/ellas/ustedes)	**eran**	**iban**	**veían**

● Cuando **éramos** niños, **vivíamos** en un departamento cerca del centro. **Era** un departamento muy grande, cerca de la catedral. **Estudiábamos** en una escuela que **estaba** cerca de casa y...

MARCADORES TEMPORALES PARA EL PASADO **+** >> pág. 159

de niño/a
de joven
a los 15 **años**
cuando tenía 33 años

● ¿Cómo eras **de niño**?
○ Era un niño muy normal, creo.

Para referirnos a una época de la que ya hemos hablado anteriormente, usamos las siguientes expresiones.

en esa/aquella época
en aquellos tiempos
entonces

● Yo, de niño, leía mucho. Como **en aquella época** no teníamos televisión en casa...

MARCADORES TEMPORALES PARA EL PRESENTE **+** >> pág. 159

hoy en día
en estos momentos
actualmente
ahora

● Antes la gente no viajaba mucho porque era caro; **hoy en día** viajar en avión es mucho más barato.

ARGUMENTAR Y DEBATIR

Presentar una opinión

● **Yo creo/pienso que**...

Dar un ejemplo

● **Por ejemplo**, en México...

Dar un elemento nuevo para reforzar una opinión

● **Además**, en aquella época...

Aceptar una opinión

○ **Estoy de acuerdo.**
○ **(Sí)**, **es cierto/verdad.**
○ **(Sí)**, **claro/evidentemente.**

Rechazar una opinión

○ **(Bueno)**, **yo no estoy de acuerdo (con eso).**
○ **Yo creo que no.**

Mostrar acuerdo parcial y matizar

○ **Bueno, sí, pero**...
○ **Eso depende.**
○ **Ya, pero**...

Yo pienso que, en los años 60, la música era mucho mejor que ahora

Bueno, depende porque también había música muy comercial

YA NO/TODAVÍA + PRESENTE

Usamos **ya no** para expresar la interrupción de una acción o de un estado.

● **Ya no** vivo en Monterrey.
(= Antes vivía en Monterrey pero ahora no.)

Usamos **todavía** para expresar la continuidad de una acción o de un estado.

● **Todavía** vivo en Monterrey.
(= Antes vivía en Monterrey y sigo viviendo allí.)

PRACTICAR Y COMUNICAR

7. CUANDO TENÍA 10 AÑOS

A. ¿Cómo eras a los 10 años? Piensa en qué aspectos eras diferente respecto a ahora y escribe un pequeño texto contando las cosas más interesantes.

- Qué cosas te gustaban y cuáles no
- Cómo eras físicamente
- Qué cosas hacías
- Tus amigos
- ...

Cuando tenía 10 años, vivía con mis padres en una pequeña ciudad cerca de Chicago. Usaba lentes y trenzas y tenía el pelo muy rubio. Tenía un gato precioso que se llamaba "Snowball" y me encantaba subirme a los árboles. Mi grupo de música favorito era...

B. El profesor va a recoger los textos y los va a repartir entre todos. ¿Sabes de quién es el papel que te tocó?

8. ¿ESTÁS DE ACUERDO?

A. Van a oír una serie de afirmaciones sobre diferentes temas. Tomen notas.

1	
2	
3	
4	
5	

B. Ahora, van a volver a escucharlas. En parejas, decidan si están de acuerdo o no, o si tienen alguna cosa que decir al respecto. ¿Están los dos de acuerdo en muchas cosas?

9. GRANDES INVENTOS

A. Algunos inventos y descubrimientos han sido muy importantes para la vida y para el bienestar de la gente. En parejas, piensen cuál creen que ha sido el más importante y comenten qué cosas eran imposibles o muy diferentes antes de ese invento.

La invención del **teléfono**

El descubrimiento del **fuego**

La invención de la **máquina** de **vapor**

La aparición de **Internet**

El descubrimiento de la **penicilina**

La invención del **avión**

La invención de la **rueda**

El descubrimiento de la **electricidad**

La invención de la **imprenta**

La invención de la **televisión**

Otros: ....

(No) había...
La gente (no) podía...
La gente (no) tenía que...
(No) se podía...

B. Ahora, explíquenselo a los demás compañeros.

- A nosotros nos parece muy importante la invención del avión. En primer lugar, porque, antes de los aviones, la gente viajaba mucho menos que ahora y los viajes eran mucho más lentos. Por ejemplo, los viajes de Europa a América, en barco, duraban semanas y eran muy pesados. Además...

9

10. LOS 7 ERRORES

En esta imagen de la Gran Tenochtitlán de finales del siglo XIV hay siete elementos que no corresponden a esa época. ¿Cuáles? Coméntalo con tus compañeros.

•En esa época, la gente no llevaba reloj, ¿no?

11. VIAJE AL PASADO

A. En grupos de tres, van a elegir una de estas cuatro épocas de la historia u otra que les parezca interesante. Piensen por qué les gustaría viajar a esa época y preparen sus argumentos. Estos son algunos temas que pueden tener en cuenta.

La salud: las enfermedades, la esperanza de vida…

La ecología: el respeto a la naturaleza, la calidad de los alimentos, las amenazas al medio ambiente…

La convivencia: la vida familiar, el contacto con los amigos, los vecinos…

El entretenimiento y la comunicación: la música, la radio, la televisión, los libros…

La tecnología: los medios de transporte, los electrodomésticos…

La política: la democracia, la justicia, la igualdad de oportunidades…

B. Ahora, cada grupo presenta sus conclusiones. Pueden grabarlo para evaluar su producción oral. Los demás toman notas para debatir después. Al final, entre todos deben decidir qué época es la más interesante.

•A nosotros nos gustaría viajar a los años 20 en París. En aquellos años, París era una ciudad muy interesante.

12. HISTORIA DE MÉXICO

Aquí tienes 6 viñetas que muestran qué pasaba en México en varios momentos de la historia. ¿Y hoy en día? ¿Qué puedes decir del México actual? Investiga esta información y escribe el texto de la última viñeta.

1 Mesoamérica. Hacia el año 1800 a. C. florecían en Mesoamérica las civilizaciones maya, zapoteca y la de los pobladores de Teotihuacán. Los aztecas (800 d. C. a 1519 d. C.) asimilaron la cultura de los pueblos avanzados del Valle, se convirtieron en un eficiente poder militar y, en solo 70 años, llegaron a ser el imperio más grande que había existido en Mesoamérica.

2 La colonia. Hernán Cortés llegó a tierra mesoamericana en el año 1519. El emperador azteca Moctezuma estaba convencido de que Cortés era el dios Quetzalcóatl, que regresaba en busca de su reino perdido, pero en 1521 Hernán Cortés tomó posesión de Tenochtitlán por la fuerza y empezó así la conversión de los indígenas al catolicismo y la época colonial.

3 La independencia. A principios del siglo XIX, toda Latinoamérica comenzó su lucha por la independencia. Miguel Hidalgo y Costilla, un sacerdote criollo, se levantó en armas en el pueblo de Dolores, Hidalgo. Los indígenas y los mestizos se unieron a los criollos en la lucha por la independencia, que se inició el 16 de septiembre de 1810 y terminó en 1821.

4 Siglo XIX. Gran parte del siglo XIX estuvo marcada por la inestabilidad política y económica, y por una guerra entre conservadores y liberales, quienes buscaban una forma política para gobernar México. Durante esta época, gobernaron el país figuras como el general Antonio López de Santa Anna (Guerra con los Estados Unidos), Benito Juárez (Leyes de Reforma), Maximiliano de Habsburgo (Imperio) y Porfirio Díaz (Porfiriato).

5 México revolucionario. Las injusticias sociales, políticas y económicas eran constantes durante el Porfiriato (1876-1910). Francisco y Madero era un rico hacendado que quería oponerse al gobierno de Díaz y que contaba con la ayuda de Emiliano Zapata y de Francisco "Pancho" Villa. Este enfrentamiento sentó las bases para la Revolución mexicana en 1910.

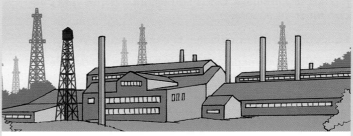

6 México contemporáneo. Después de la Revolución, las huellas de la destrucción eran palpables en la agricultura, en la industria y en el comercio. Lo único que seguía funcionando eran los campos petroleros y algunas minas que eran propiedad de extranjeros. Se institucionalizó la Revolución mediante la creación de un partido político (PRI) que cobijaba a toda la familia revolucionaria y que por setenta años se mantuvo en el poder. En el año 2000 se presentó en México un cambio de régimen de manera pacífica y democrática. Subió a la presidencia Vicente Fox, representante del Partido de Acción Nacional (PAN).

7 México actual.

10

MOMENTOS ESPECIALES

En esta unidad vamos a
**contar anécdotas personales
reales o inventadas**

Para ello vamos a aprender:

> *a relatar en pasado*
> *a secuenciar acciones*
> *la forma y algunos usos del Pretérito*
> *el contraste entre el Pretérito y el Imperfecto*
> *las formas del pasado de* **estar** *+ Gerundio*
> *algunos marcadores temporales*

1. UN DÍA EN LA HISTORIA

A. Vas a oír a tres personas que nos cuentan un momento de la historia que recuerdan con mucha intensidad. ¿De qué día habla cada una? Márcalo.

1983 - 30 de Octubre - 200...

RA

FIN DE LA DICTADURA MILITAR EN ARGENTINA

GOLPE DE ESTADO EN ESPAÑA

LIBERACIÓN DE PARÍS

B. Ahora, vuelve a escuchar los tres testimonios y completa el cuadro.

	¿Con quién estaba?	¿Dónde estaba?	¿Qué estaba haciendo?	¿Qué pasó?
1				
2				
3				

C. ¿Y tú? ¿Recuerdas algún momento muy especial? Explícaselo a tus compañeros.

- Yo recuerdo el día que nació mi hermano pequeño. Yo estaba jugando con mi otro hermano en mi casa y...

2. UN REBELDE CON CAUSA

A. Reinaldo Arenas es un conocido escritor cubano. En este fragmento de su libro *Antes que anochezca* cuenta un episodio clave de su vida. ¿En qué momento de la historia de Cuba crees que ocurrieron los hechos que se relatan en el texto?

Aquel año la vida en Holguín se fue haciendo cada vez más insoportable; casi sin comida, sin electricidad; si antes vivir allí era aburrido, ahora sencillamente era imposible. Yo, desde hacía algún tiempo, tenía deseos de irme de la casa, alzarme, unirme a los rebeldes; tenía catorce años y no tenía otra solución. Tenía que alzarme; tal vez podía hasta irme con Carlos, participar juntos en alguna batalla y perder la vida o ganarla; pero hacer algo. Le hice la proposición del alzamiento a Carlos y me dijo que sí. (...)

Yo me levanté de madrugada, fui para la casa de Carlos y llamé varias veces frente a la ventana de su cuarto, pero Carlos no respondió; evidentemente, no quería responder. Pero como yo ya estaba decidido a dejarlo todo, eché a caminar rumbo a Velasco; me pasé un día caminando hasta que llegué al pueblo. Pensé que allí me iba a encontrar con muchos rebeldes que me iban a aceptar con júbilo, pero en Velasco no había rebeldes, ni tampoco soldados batistianos; había un pueblo que se moría de hambre, compuesto en su mayoría por mujeres. Yo solo tenía cuarenta y siete centavos. Compré unos panqués de la región, me senté en un banco y me los comí. Estuve horas sentado en aquel banco; no tenía deseos de regresar a Holguín ni fuerzas para hacer la misma jornada caminando.

Al oscurecer, un hombre que hacía rato me observaba se me acercó y me preguntó si yo venía a alzarme. Yo le dije que sí y él me dijo llamarse Cuco Sánchez; tendría unos cuarenta años. Todos sus hermanos -siete- estaban alzados. (...) Me llevó a su casa; su esposa era una mujer desolada, tal vez porque solo tenía un plato de frijoles que ofrecerme...

Hitos de la historia de Cuba

1492	Cristóbal Colón descubre la isla de Cuba.
1560	La isla se convierte en un punto comercial estratégico.
1850	Se producen enfrentamientos entre el ejército español y los independentistas cubanos.
1895	Empieza la guerra entre España y Cuba.
1898	Estados Unidos entra en la guerra.
1899	Estados Unidos asume el gobierno de Cuba durante cuatro años.
1940	Nueva Constitución.
1952	Fulgencio Batista da un golpe de Estado.
1956	Un grupo de jóvenes liderados por Fidel Castro se interna en la Sierra Maestra y forma el núcleo del ejército rebelde.
1959	Tras derrotar a las fuerzas de Batista, el ejército rebelde entra en La Habana.
1962	J. F. Kennedy ordena el bloqueo a Cuba.
1980	El gobierno cubano autoriza la emigración hacia los Estados Unidos.
1991	La URSS pone fin a su alianza política, militar y económica con Cuba.

B. Estas frases resumen el texto de Reinaldo Arenas. Ordénalas cronológicamente.

☐ Al final del día, un hombre se le acercó y lo invitó a su casa.

☐ Propuso a un amigo dejar el pueblo.

☐ La vida en Holguín era terrible y Reinaldo decidió unirse a los revolucionarios.

☐ En Velasco no había revolucionarios, pero Reinaldo no quería volver a Holguín.

☐ Una noche fue a buscar a su amigo, pero este no le abrió la puerta y Reinaldo se fue solo a Velasco.

3. ¿CUÁNTO VALE UN PUEBLO?

A. Lee este artículo aparecido en la prensa. ¿Qué crees que quiere hacer Ibrahim Madani con el pueblo? Coméntalo con un compañero. El profesor sabe la respuesta.

El hijo de un jeque árabe compra un pueblo mexicano

El pasado miércoles, Ibrahim Madani, hijo mayor de un importante jeque árabe adquirió por 500 millones de pesos todas las casas y tierras de Botera, un pueblo de montaña abandonado, cercano a un centro turístico. El nuevo propietario visitó por primera vez la localidad en 1997 y volvió en diversas ocasiones antes de realizar definitivamente la compra.

"Cuando estuve aquí en 1997", dijo ayer Madani por teléfono a un periodista de este diario, "me enamoré del paisaje y de la arquitectura. Luego volví muchas otras veces a México y visité otros pueblos, pero ninguno tan adecuado para mi proyecto."

Este no es un caso único. El año pasado, dos grupos inversores extranjeros adquirieron pueblos abandonados en diferentes lugares de la Sierra Madre Oriental.

● Yo creo que Ibrahim Madani quiere construir...

B. En el texto aparecen algunas formas del Pretérito, tanto regulares como irregulares. Encuéntralas y colócalas en el lugar adecuado. Después, completa los cuadros con las formas que faltan.

	visitar	volver	adquirir
(yo)	....	....	....
(tú)	....	....	....
(él/ella/usted)	....	....	....
(nosotros/as)	....	....	....
(vosotros/as)	....	....	....
(ellos/ellas/ustedes)	....	....	....

	estar	decir	enamorarse
(yo)	....	....	....
(tú)	....	....	....
(él/ella/usted)	....	....	....
(nosotros/as)	....	....	....
(vosotros/as)	....	....	....
(ellos/ellas/ustedes)	....	....	....

4. MISTERIO EN EL PARQUE

A. En esta conversación, Omar cuenta una extraña experiencia que vivió recientemente. ¿Cuál crees que es la explicación de lo que pasó? Coméntalo con un compañero.

● ¿Sabes qué? El otro día vi a Marcos en el parque.
● ¿Marcos? ¡Qué dices! Si está en Argentina.
● Ya lo sé. Pero lo vi.
● ¿Ah sí? ¿Dónde?
● Pues mira, como hacía muy buen tiempo, decidí ir a dar una vuelta en bici. Salí de casa y fui por el camino hasta el parque. No había nadie y solo se oía el ruido de la fuente. Entonces vi a una persona detrás de un árbol. Me acerqué un poco más y lo vi: llevaba una camisa verde de cuadros y tenía un libro en la mano. Era Marcos, sin duda. Cuando me vio, empezó a correr, entró en un lugar donde había muchos arbustos y desapareció. Fui detrás de él pero, cuando llegué allí, ya no había nadie. Bueno sí, había una pareja de enamorados, pero él ya no estaba.
● O sea, que no era él.
● No sé. Yo creo que sí. Pero lo más fuerte es que ese mismo día Marcos me llamó. Supuestamente desde Argentina.
● ¡Ya ves!

● Yo creo que todo fue un sueño.

B. En el texto aparecen dos tiempos del pasado: el Pretérito y el Imperfecto. Márcalos de manera diferente.

C. Fíjate en estas frases. ¿Con cuál de los dos tiempos presentamos la información como un hecho? ¿Con cuál narramos las circunstancias, lo que rodea la acción?

... **hacía** muy buen tiempo, **decidí** ir a dar una vuelta...
... no **había** casi nadie y **se estaba** muy bien. Entonces **vi** a una persona...
... lo **vi**: **llevaba** una camisa verde de cuadros...
... **entró** en un lugar donde **había** muchos arbustos...

5. ESTABA LLOVIENDO Y...

Lee estas frases. ¿Por qué crees que usamos el Imperfecto en las de arriba y el Pretérito en las de abajo?

Estaba lloviendo y no salí de casa.
Estaba estudiando piano cuando llegaron sus padres.
Estábamos bailando y, de repente, llamaron a la puerta.
Estaba tomando el sol en la playa y se durmió.

Estuvo lloviendo de las 12 a las 7 de la tarde.
Estuvo estudiando piano cinco años, pero luego lo dejó.
Estuvimos bailando toda la noche hasta que llamó la vecina.
Estuvo cuatro horas seguidas **tomando** el sol y se quemó.

PRETÉRITO + >> pág. 164

VERBOS REGULARES

	comprar	perder	vivir
(yo)	compré	perdí	viví
(tú)	compraste	perdiste	viviste
(él/ella/usted)	compró	perdió	vivió
(nosotros/as)	compramos	perdimos	vivimos
(vosotros/as)	comprasteis	perdisteis	vivisteis
(ellos/ellas/ustedes)	compraron	perdieron	vivieron

Fíjate en que los verbos de la segunda y de la tercera conjugación tienen las mismas terminaciones.

VERBOS IRREGULARES

Los verbos de la tercera conjugación (-ir) que tienen cambios vocálicos en Presente presentan también un cambio vocálico en Pretérito (**e > i / o > u**); en este caso, en la tercera persona del singular y en la tercera del plural.

	pedir	sentir	dormir
(yo)	pedí	sentí	dormí
(tú)	pediste	sentiste	dormiste
(él/ella/usted)	pidió	sintió	durmió
(nosotros/as)	pedimos	sentimos	dormimos
(vosotros/as)	pedisteis	sentisteis	dormisteis
(ellos/ellas/ustedes)	pidieron	sintieron	durmieron

El verbo **estar** también es irregular. Muchos verbos, después de la raíz irregular, tienen las mismas terminaciones que **estar**.

	estar		
(yo)	estuve	saber ➡ **sup-**
(tú)	estuviste	tener ➡ **tuv-**
(él/ella/usted)	estuvo	querer ➡ **quis-**
(nosotros/as)	estuvimos	poner ➡ **pus-**
(vosotros/as)	estuvisteis	venir ➡ **vin-**
(ellos/ellas/ustedes)	estuvieron	poder ➡ **pud-**
		hacer ➡ **hic-/hiz-**
		haber ➡ **hub-**

¡Atención! En la primera y en la tercera personas del singular de estos verbos, la sílaba tónica no está en la terminación (como en los regulares) sino en la raíz.

Los verbos **ser** e **ir** tienen la misma forma en Pretérito.

	ser/ir
(yo)	**fui**
(tú)	**fuiste**
(él/ella/usted)	**fue**
(nosotros/as)	**fuimos**
(vosotros/as)	**fuisteis**
(ellos/ellas/ustedes)	**fueron**

PRETÉRITO/IMPERFECTO Relatar en pasado >> pág. 165

Cuando hablamos de acontecimientos que ocurrieron en el pasado, podemos usar los dos tiempos. Con el Pretérito[1] presentamos la información como un acontecimiento que hace avanzar la historia. Con el Imperfecto[2] describimos las circunstancias; la historia se detiene y "miramos" lo que pasa alrededor de los acontecimientos.

- **Visitó**[1] Madrid por primera vez en 1988. **Era**[2] verano y **hacía**[2] mucho calor.
- **Aprendí**[1] a cocinar en casa. Mi madre **era**[2] una cocinera excelente.

ESTAR + GERUNDIO + >> pág. 168

Usamos **estar** en Presente Perfecto, Pretérito o Imperfecto + Gerundio para presentar las acciones en su desarrollo.

PRESENTE PERFECTO

- Todo el día **he estado hablando** con Paco.
- Estos días **he estado pensando** en Marta.
- Carlos **ha estado** dos meses **ensayando** una canción.

PRETÉRITO

- Ayer **estuve hablando** con Paco.
- El martes **estuve** todo el día **pensando** en Marta.
- Carlos **estuvo** dos meses **ensayando** una canción.

IMPERFECTO

- Esta mañana **estaba hablando** con Paco y, de repente, me dio un beso.
- Cuando Marta me llamó, **estaba pensando** en ella.
- Cuando llegué, había mucho ruido porque Carlos **estaba ensayando** una canción.

Para expresar la ausencia total de una acción durante un periodo de tiempo, podemos usar **estar sin** + Infinitivo.

- **He estado** todo el fin de semana **sin** salir de casa.

MARCADORES TEMPORALES PARA RELATAR + >> pág. 159

Una vez / Un día / El otro día
(Y) entonces / (Y) en ese momento
Luego / Después / Más tarde
De repente

- *El otro día* me pasó una cosa increíble. Llegué a casa, abrí la puerta y, *entonces*, oí un ruido raro. *Luego*, cuando estaba en la cocina, oí otro ruido y, *de repente*, llamaron a la puerta...

6. LEYENDAS URBANAS

A. Todos conocemos historias increíbles o extrañas, leyendas urbanas. Aquí tienes dos bastante curiosas. ¿Crees que son verdad? Coméntalo con un compañero.

A

En un pueblo de mi municipio se declaró el pasado verano un gran incendio forestal. Para luchar contra el fuego se movilizaron todos los medios de emergencia ■: más de cien voluntarios, cuarenta bomberos profesionales, cinco helicópteros y un hidroavión. Tardaron cuatro días en controlar el incendio y dos más en apagarlo. Después, un equipo de técnicos fue al lugar para evaluar los daños. Hasta aquí todo normal. Pero la sorpresa llegó cuando los técnicos encontraron en medio del bosque el cadáver de un submarinista. ■. La única explicación que se les ocurrió fue que el hidroavión, al acudir al mar a llenar sus depósitos de agua, absorbió a un hombre ■. El caso nunca llegó a aclararse completamente.

■. Cuando el hombre llegó a unos 3 kilómetros del pueblo, se encontró con un control de la policía y lo hicieron detenerse. ■ en ese momento se produjo un accidente a unos 300 metros de aquel lugar y los guardias fueron hacia allí. Aprovechando el momento, el conductor huyó, llegó a su casa, y metió el coche en el garaje. Unas dos horas después, ■, la policía se presentó en su casa. El conductor negó los hechos. "Estuve toda la noche durmiendo en casa", les dijo. Pero los guardias le preguntaron por su coche. "¿Dónde guarda su coche, señor Martínez?". Los llevó hasta la cochera y cuando la abrieron, apareció dentro la patrulla:■. Parece que cuando huyó, ■ confundió el coche de la policía con su propio coche.

B

POLICIA

B. En estos dos relatos se narran los hechos, pero faltan descripciones e informaciones sobre las circunstancias. ¿Pueden colocarlas en el lugar adecuado?

1 ... cuando el conductor estaba durmiendo

2 ... todavía tenía las luces encendidas

3 ... que estaban disponibles

4 ... una vez, cerca de mi pueblo, un hombre iba en coche hacia su casa. Estaba algo bebido y conducía muy rápido

5 ... estaba tan nervioso que

6 ... que estaba practicando pesca submarina

7 ... nadie podía creer lo que veían sus ojos, ya que la playa más cercana está a más de 200 kilómetros

8 ... los policías le estaban pidiendo la documentación y

C. ¿Conocen otras historias curiosas?

7. ¡QUÉ VERGÜENZA!

A. En esta página web, adolescentes latinoamericanos cuentan experiencias incómodas o embarazosas. Carolina nos cuenta una.

VESTIDO APRETADO

Hace dos semanas me pasó una cosa terrible en la boda de una prima. Yo llevaba un vestido muy muy apretado. Casi no podía respirar, pero eso no me importaba porque estaba con Daniel, el chico más guapo de la prepa (que da la casualidad que es amigo del novio). Llegó la hora de comer y, como tenía mucha hambre, comí muchísimo y, claro, luego no podía ni moverme. Fue horrible porque Daniel quería bailar y yo parecía una momia. Para colmo, después se me rompió el cierre del vestido. ¡Un horror! Y lo peor es que Daniel se pasó todo el tiempo sentado a mi lado, aburrido y con cara de pocos amigos. Por supuesto, después de eso nunca más me llamó.

Carolina
16 años

 B. Vas a escuchar a tres personas que empiezan a contar una anécdota. ¿Cómo crees que acaban?

 C. Ahora, escucha y comprueba.

8. TITULARES DE PERIÓDICO

En parejas, tienen que tirar dos veces un dado o elegir dos números del 1 al 6. Cada número es una parte del titular de una noticia. Luego, tienen que escribirla.

1. Detienen por robo en una joyería a
2. Pagan $10,000 pesos por cenar con
3. Llega a la base espacial
4. Vuelve a las pantallas
5. Cae al río Pánuco
6. Un perro muerde a

1. un agricultor que duerme la siesta
2. el presidente del Gobierno guatemalte
3. Batman
4. Talía, la cantante del momento
5. un joven dentro de su coche
6. el primer astronauta mexicano

10

9. EL MISTERIO DE SARA P.

A. Hace unos días, Sara P. fue a pasar un fin de semana en la casa de campo de sus padres. Escucha la audición y toma notas de lo que pasó.

B. Ahora, en parejas, van a escribir lo que ocurrió aquel día. Pero ojo: en el relato tienen que usar al menos 10 de estas palabras. Si lo necesitan, pueden volver a escuchar la audición.

casa · coche · correr · luz · bosque · cerillos · copa · ojos verdes · vela · cocina · escalera · gato · piano · ruido · plato · puerta · romper

10. MOMENTOS

A. Piensa si has vivido momentos como los siguientes. Elige uno e intenta recordar las circunstancias y qué pasó. También puedes inventarte una historia.

¿Dónde estabas? ¿Con quién? ¿Cuándo fue?
¿Qué estabas haciendo? ¿Qué tiempo hacía?

Un momento en el que te emocionaste mucho

Un momento en el que pasaste mucho miedo

Un momento en el que te reíste mucho

Un momento en el que te quedaste sin palabras

Un momento en el que pasaste mucha vergüenza

B. Ahora, explícaselo a tus compañeros. ¿Quién tiene la anécdota más interesante o más impactante? Pueden grabar las intervenciones para evaluar su producción oral.

- Yo, una vez, pasé mucho miedo en un tren.
  ○ ¿Cuándo?
- Pues hace unos seis años. Yo estaba viajando por Latinoamérica con unos amigos y...

11. MUJERES ILUSTRES

Aquí tienes información sobre tres mujeres mexicanas ilustres. ¿Las conoces? ¿Sabes algo sobre ellas? Coméntalo con tus compañeros. Luego, lee los textos.

1. Frida Kahlo (1907-1954)

Hija del fotógrafo judío-alemán Guillermo Kahlo, Frida nació en Coyoacán, en el sur de Ciudad de México. Su vida estuvo marcada por los accidentes y por la enfermedad. Con solo 6 años sufrió poliomelitis y, a los 16 años, resultó gravemente herida en un accidente al chocar con un tranvía el autobús en el que viajaba. Frida comenzó a pintar durante su recuperación. Tres años más tarde, le enseñó al gran pintor Diego Rivera algunos de sus primeros cuadros y este la animó a continuar pintando. En 1929 se casaron. Influida por su marido, Frida quería que su obra fuera una afirmación de su identidad mexicana y por ello recurría con frecuencia a técnicas y a temas extraídos del folklore y del arte popular de su país. Sin embargo, sus cuadros representan fundamentalmente los aspectos dolorosos de su vida, que transcurrió en gran parte postrada en una cama: la frustración maternal, su progresivo deterioro físico, los celos por las infidelidades de su marido, etc. Tras su muerte, su casa de Coyoacán fue transformada en Museo.

2. Elena Poniatowska

Hija de una francesa de ascendencia mexicana y de un exiliado heredero de la corona polaca, Elena Poniatowska nació en París en 1933. Durante la Segunda Guerra Mundial abandonó Europa con su familia y llegó a la Ciudad de México en 1942. A los 20 años, comenzó a trabajar en el periódico *Excelsior* y después en el *Novedades* y, en 1955, publicó su primera novela, *Lilus Kikus*. Poniatowska ha destacado, desde entonces, como ensayista, novelista, escritora de cuentos, periodista y hasta fundadora de asociaciones culturales. Durante su larga carrera, ha recibido numerosos premios. En 1979 recibió el Premio Nacional de Periodismo, en 2001 el Alfaguara de

Novela por su novela *La piel del cielo* y en 2004 fue condecorada con la Legión de Honor del gobierno de Francia. Elena Poniatowska, fundadora de la Editorial Siglo XXI, de la Cineteca Nacional y del Taller Literario, es en la actualidad una de las intelectuales más activas de México.

3. María Novaro

Nacida en Ciudad de México en 1951, María Novaro es la realizadora más exitosa, y una de las más prolíficas, del cine mexicano. Estudió Sociología en la UNAM pero, tras trabajar como asesora en el rodaje de varios documentales, descubrió que el cine era su gran pasión. Películas como *Danzón* (1991), seleccionada por el Festival Internacional de Cannes, *El jardín del edén* (1994) y *Sin dejar huella* (2000) reflejan los temas esenciales de su obra fílmica: la condición femenina en el México contemporáneo y la lucha de la mujer por la supervivencia emocional.

11

BUSQUE Y COMPARE...

En esta unidad vamos a
**diseñar y a presentar
una campaña publicitaria**

Para ello vamos a aprender:
> a recomendar y a aconsejar
> a dar instrucciones
> a describir una escena en pasado y en presente
> la forma y algunos usos del Imperativo
> la colocación de los pronombres reflexivos y de OD/OI

1. LA PUBLICIDAD HOY

A. En una revista hicieron esta entrevista a un experto en publicidad. Léela y anota en tu cuaderno, en dos columnas, las afirmaciones con las que estás de acuerdo y aquellas con las que no.

PUBLICISTA NATO CON MÁS DE 30 AÑOS DE EXPERIENCIA, CREADOR DE LA AGENCIA LINCEX PUB, JOAQUÍN LINARES ACABA DE PUBLICAR SU LIBRO *HISTORIA DE LA PUBLICIDAD*. EN ESTA ENTREVISTA NOS HABLA DE SU VISIÓN DEL TEMA.

Sr. Linares, ¿cómo es la publicidad hoy? Actualmente, para el anunciante, la marca es un tema cada vez más importante. Pero, hoy en día, ya no sirve solo la presentación de la marca y del producto. Los consumidores quieren ver otros valores. Después del lujo, la ambición y la agresividad de las campañas de los 80 y 90, se ha iniciado una tendencia más ética y más respetuosa con el medio ambiente. Hoy en día vende lo que no contamina, lo que es solidario, lo políticamente correcto... En cuanto a los soportes, nos adaptamos a los tiempos y aprovechamos medios como Internet. Pero, por supuesto, se van a seguir haciendo campañas con anuncios en la televisión, en la radio y en vallas publicitarias.

"La publicidad tiene **más** futuro que **pasado**"

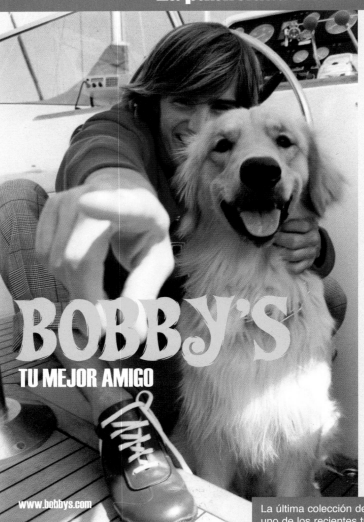

BOBBY'S
TU MEJOR AMIGO

www.bobbys.com

La última colección de la marca de ropa juvenil Bobby's es uno de los recientes trabajos de la empresa Lincex Pub.

¿Tiene futuro la publicidad? Claro que tiene futuro, más que pasado. La publicidad es una herramienta imprescindible, no solo para los empresarios que venden productos, sino también para las instituciones que necesitan comunicarse con el público. Cada vez más, los gobiernos, los partidos políticos y las ONG lanzan campañas para concienciar a la población y potenciar determinadas actitudes.

¿Cómo ve la publicidad del futuro? En lo esencial no va a cambiar: la publicidad va a seguir teniendo como objetivo convencer a los consumidores y los eslóganes van a seguir siendo cortos y efectivos. La finalidad de la publicidad es crear nuevas necesidades, concienciar al público de que existe un problema y proponer una solución. Esa es la idea básica.

¿La publicidad es arte? El publicista combina el texto, las imágenes, la marca y el logotipo para impactar al observador. Y eso, para mí, hace de la publicidad un arte. Yo creo que en los museos algunos anuncios deberían estar colgados al lado de *La Gioconda* y de *Las Meninas*.

¿Qué tipo de campaña es más eficaz? Las campañas de comparación quizá son las más clásicas: "use nuestro coche; contamina menos". Pero existen muchas otras, porque en publicidad es siempre importante sorprender al público. Hace unos años se pusieron de moda las campañas de misterio. Son campañas que sorprenden porque no sabes qué anuncian hasta pasados unos días o semanas del lanzamiento de la campaña. Pero, sin duda, van a aparecer otras.

B. Vuelve a leer el texto y busca palabras o expresiones para cada una de estas categorías. ¿Sabes otras?

Soportes publicitarios	Elementos de un anuncio	Personas relacionadas con la publicidad
Internet	la marca	los consumidores

2. UN ANUNCIO

A. Este anuncio corresponde a una campaña de una empresa telefónica. ¿Qué ves? ¿Qué te sugiere? Completa la ficha.

¿Qué vemos?

1. Logotipo: UNET

2. Servicio que ofrece:
....

3. Eslogan: ....
....

4. Soporte:
☐ prensa escrita
☐ radio
☐ televisión
☐ ....

5. ¿Cómo describe el producto?
☐ objetivamente
☐ muestra indirectamente sus ventajas
☐ lo compara con otros
☐ ....

6. ¿Cómo es el el texto?
☐ técnico
☐ humorístico
☐ poético
☐ ....

7. ¿Qué tipo de texto imita?
☐ un cuento
☐ una carta
☐ una conversación
☐ una postal

¿Qué nos sugiere?

1. ¿Te gusta? ¿Por qué?
....
....
....
....
....
....
....
....

2. ¿El eslogan es fácil de recordar?
....

3. ¿A qué tipo de público se dirige?
☐ hombres
☐ mujeres
☐ jóvenes
☐ niños
☐ ....

4. ¿A qué valores se asocia el producto?
☐ belleza
☐ éxito social
☐ amor y amistad
☐ libertad
☐ solidaridad
☐ ....

→OK, cariño, un beso.
→ MUA MUA
→BUENO, CUELGA YA.
→ No, cuelga TÚ.
→NO, PRIMERO TÚ.
→Bueno, YA VOY A COLGAR.
→UN ÚLTIMO BESO.
→ MUA
→ÁNDALE, CUELGA.
→NO, TÚ.
→LOS DOS.
→Sale, los dos.
→PERO CUELGA, ¿EH?

ÚNETE A LA COMUNICACIÓN

Ahora con UNET conseguirás tarifas más baratas incluso en llamadas de fijo a móvil (3 pesos minuto).

UNET

B. Traigan a clase anuncios (a ser posible en español) y coméntenlos en parejas. Elijan el que más les guste y, luego, expliquen a los demás por qué les parece un buen anuncio.

3. ESLÓGANES

A. Lee estos eslóganes publicitarios. ¿Qué crees que anuncia cada uno? No siempre hay una respuesta única.

1. **Rompa** con la monotonía, **vuele** con nosotros.
2. **No rompas** la tradición; en Navidad siempre lo mejor.
3. **Haz** números y **deja** el coche en casa.
4. **Sal** de la rutina, **ven** a Veracruz.
5. **Pon** más sabor a tu vida.
6. **No deje** su ropa en otras manos.
7. **Pida** algo intenso: solo o con leche.
8. **No vivas** peligrosamente. **Vive.**
9. **Vive** una doble vida.
10. **Acuéstate** con "Doncotón".
11. **Piense** en el planeta.

a. Una región
b. Una campaña ecológica
c. Una marca de coches
d. Transportes públicos
e. Un detergente
f. Una marca de chocolate
g. Un helado de dos sabores
h. Una marca de pijamas
i. Una compañía aérea
j. Una salsa de tomate
k. Una marca de café

B. Fíjate en los verbos que están en negrita. Están en Imperativo. ¿Sabes cómo se forma? Completa los cuadros.

IMPERATIVO AFIRMATIVO

	dejar	romper	vivir
(tú)	....	romp**e**	....
(usted)	dej**e**	....	viv**a**

IMPERATIVO NEGATIVO

	dejar	romper	vivir
(tú)	no dej**es**	....	....
(usted)	....	no romp**a**	no viv**a**

C. Fíjate en estos imperativos irregulares. ¿Son estos verbos irregulares también en algún otro tiempo verbal?

O - UE	dormir	(tú)	duerme	no duermas
		(usted)	duerma	no duerma
E - IE	pensar	(tú)	piensa	no pienses
		(usted)	piense	no piense
E - I	pedir	(tú)	pide	no pidas
		(usted)	pida	no pida

D. Aquí tienes los imperativos negativos de **tú** y **usted** de algunos verbos. Busca en los eslóganes la forma afirmativa de **tú** y luego completa la columna afirmativa de **usted**.

IMPERATIVO NEGATIVO

tú	usted
no hagas	no haga
no salgas	no salga
no pongas	no ponga
no vengas	no venga

IMPERATIVO AFIRMATIVO

tú	usted
Acuestate	rompa
Sale	Vuelve
Pon	ponga
Ven	pida
	piense

4. RECICLA Y SÉ FELIZ

A. Este es un anuncio de "Reciclaje en acción". Léelo y responde a las preguntas.

NO TE DUERMAS, TE NECESITAMOS

¿Te cansaste de un mueble? No lo tires.

¿Tu ropa está pasada de moda? Regálala.

¿Medicamentos que no vas a utilizar? Guárdalos. Puedes enviarlos a hospitales que sí los necesitan.

¿Cobijas que no usas? ¿No las quieres? ¿Por qué tirarlas? Envíalas a quien las necesita.

Con "Reciclaje en Acción" puedes enviar todas esas cosas a quien las necesita.

¡HAZTE SOCIO!

1. ¿Qué es "Reciclaje en acción"?
2. ¿A qué se dedica?
3. ¿Qué mensaje pretende transmitir? ¿Puedes resumirlo en una sola palabra?

B. Vuelve a leer el anuncio. ¿Puedes decir a qué palabras del texto hacen referencia estos pronombres?

Lo = mueble
La = ropa
Los = medicamentos
Las = cobijas

C. ¿Puedes deducir cuándo ponemos los pronombres delante del verbo y cuándo después?

■■■	Delante	Detrás
¿Con un Infinitivo?		
¿Con un Imperativo afirmativo?		
¿Con un Imperativo negativo?		
¿Con otros tiempos verbales?		

D. Fíjate en este verbo. ¿Puedes escribir la forma de **usted** en Imperativo negativo?

	hacer**se** socio/a
(tú)	no te hagas
(usted)	no se haga

11

IMPERATIVO + >> pág. 165

IMPERATIVO AFIRMATIVO

En el español de México, el Imperativo tiene tres formas:
tú (más informal), **usted** (más formal) y **ustedes**.

	pensar	comer	dormir
(tú)	piens**a**	com**e**	duerm**e**
(usted)	piens**e**	com**a**	duerm**a**
(ustedes)	piens**en**	com**an**	duerm**an**

La forma para **tú** se obtiene eliminando la **-s** final de la forma correspondiente del Presente.

piensa**s** ➡ **piensa**	comes ➡ **come**	vives ➡ **vive**

Algunos verbos irregulares no siguen esta regla.

poner ➡ **pon**	salir ➡ **sal**	venir ➡ **ven**	ir ➡ **ve**
hacer ➡ **haz**	tener ➡ **ten**	ser ➡ **sé**	decir ➡ **di**

IMPERATIVO NEGATIVO

	pensar	comer	dormir
(tú)	no piens**es**	no com**as**	no duerm**as**
(usted)	no piens**e**	no com**a**	no duerm**a**
(ustedes)	no piens**en**	no com**an**	no duerm**an**

Fíjate en que las formas para **usted** y **ustedes** son las mismas que las del Imperativo afirmativo.

Con los verbos acabados en **-ar**, se sustituye la **a** de la segunda y de la tercera personas del Presente de Indicativo por una **e** en todas las personas.

Presente		Imperativo
hablas	➡	**no hables**
habla	➡	**no hable**

Con los verbos acabados en **-er/-ir**, se sustituye la **e** de la segunda y de la tercera personas del Presente de Indicativo por una **a** en todas las personas.

Presente		Imperativo	Presente		Imperativo
comes	➡	**no comas**	vives	➡	**no vivas**
come	➡	**no coma**	vive	➡	**no viva**

Algunos verbos, sin embargo, no siguen esta norma.

ir ➡ **no vaya**	estar ➡ **no esté**	ser ➡ **no sea**

ALGUNOS USOS DEL IMPERATIVO
+ >> pág. 165

RECOMENDAR Y ACONSEJAR

- **No deje** este producto al alcance de los niños.
- **Lea** las instrucciones antes de encender el horno.
- **Haz** algo diferente este fin de semana.
- **Descansa** un poco.

¿Qué hago?

No seas tímido, hombre. Ve a hablar con ella.

DAR INSTRUCCIONES

- Primero, **llene** una taza de agua. Luego...
- **Lave** esta prenda a menos de 30°.

LA POSICIÓN DEL PRONOMBRE
+ >> pág. 157

Con nombres conjugados, los pronombres, tanto reflexivos como de OD y OI, se sitúan delante del verbo.

- Esta mañana no **me** bañé.
- ¿Qué **le** regalaste?

El Imperativo es un caso especial: los pronombres van detrás con la forma afirmativa y delante con la negativa.

- Déja**me** el coche por favor.
- ○ Ok, pero no **me lo** pidas más esta semana.

En perífrasis y otras estructuras con Infinitivo y con Gerundio pueden ir detrás.

- Para evitar el estrés, tienes que relajar**te** más.
- ¿El coche? Están arreglándo**lo**.

O delante del verbo conjugado.

- Para evitar el estrés, **te** tienes que relajar más.
- ¿El coche? **Lo** están arreglando.

DESCRIBIR UNA ESCENA

Cuando describimos una escena o una secuencia que recordamos (de una película, de un anuncio...) podemos utilizar el Imperfecto o el Presente.

EN IMPERFECTO

- En el anuncio, una mujer **salía** de la ducha y **decía**...
- En la imagen **se veía** un perro que **estaba** solo y...

EN PRESENTE

- En el anuncio **se oye** una voz, pero no **se ve** a nadie.
- El mensaje **dice** algo contra las drogas.

5. INSTRUCCIONES

A. Aquí tienes unas instrucciones. ¿Dónde crees que podemos encontrarlas? Coméntalo con un compañero.

1

1. Llene una taza de agua.
2. Póngala en el microondas entre 2 y 3 minutos.
3. Eche el contenido del sobre.
4. Remuévalo y disfrute del momento.

2

- Introduzca su número secreto.
- Seleccione una cantidad o escriba la que desea.
- Recoja su tarjeta.
- Si desea realizar otra operación, vuelva a la pantalla de inicio.

3

- No use cloro.
- Lave esta prenda a menos de 30°.
- Seque la prenda extendida lejos de la luz del sol.

4

1502045841221508
528569325874560 7

➡ Conserve el boleto hasta el final del trayecto.

➡ Preséntelo a petición de cualquier empleado.

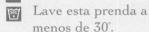

● Yo creo que estas instrucciones son de un…

B. En parejas, escriban ahora unas instrucciones. Sus compañeros tienen que adivinar de qué son.

6. ORDÉNALO, POR FAVOR

Imagina que tu compañero de casa dejó la casa así. Como no es la primera vez, le dejaste una nota. Mira la lista de las cosas que tiene que hacer y, luego, escribe la nota.

Lavar los platos
Recoger la mesa
Pasar la aspiradora
Hacer la compra
Colgar el teléfono
Apagar la computadora
Apagar las luces
Sacar la basura
Dar de comer al gato
Regar las plantas
Ordenar las revistas
Arreglar la habitación
Tender la cama

7. ROBOTS MUY OBEDIENTES

A. Vamos a jugar a ser robots. Piensa en cosas que se pueden hacer en clase y escribe una "orden" en un papel en blanco. Ten en cuenta que un compañero la va a tener que representar con mímica después.

Toma el bolso de la persona que está a tu lado y ábrelo…

B. Ahora, su profesor recogerá los papeles y los repartirá entre los compañeros. Cada uno tiene que ejecutar la instrucción del papel que le tocó y los demás compañeros tienen que adivinarla.

Los platos están sucios. Lávalos, por favor. …

8. UNA PAUSA PARA LA PUBLICIDAD

A. Aquí tienes la transcripción incompleta de algunos anuncios de radio. ¿Qué crees que anuncia cada uno? Coméntalo con un compañero. Luego, en parejas, piensen y escriban un final para cada anuncio.

1 *"Lo primero que notas es que los ojos se abren, la boca se abre y no puedes moverte. Intentas pensar en otra cosa, mirar hacia otro lado, pero no puedes. Quieres decir algo, pero no puedes."*

....
....
....
....

2 *"¿Cansado de los ruidos, del tráfico y de la contaminación? ¿Harto de la multitud y de las aglomeraciones? ¿Odia la falta de espacio? ¿Busca tranquilidad?"*

....
....
....
....

3 *"¿Vas a clase para principiantes porque allí eres el mejor? ¿Usas zapatos sin cintas para no tener que atártelas? ¿Prefieres tomar dos autobuses que caminar diez minutos?"*

....
....
....
....

4 *"En Argentina, a todo el mundo le gusta el mate y el tango. ¿Qué esperas para descubrirlo?"*

....
....
....
....

B. Ahora, van a escuchar la versión completa de estos anuncios. ¿Coincide con lo que ustedes habían pensado?

9. UNA CAMPAÑA

A. ¿Recuerdas alguna campaña publicitaria que te gustó mucho? Coméntalo con tus compañeros.

- Yo recuerdo una campaña publicitaria de un carro todoterreno. En el anuncio se veía a un hombre conduciendo el carro por un parque natural muy bonito. El lema del anuncio era: "Técnica, precisión y fuerza, son cualidades obligatorias para realizar el salto de altura. Pero algunas personas lo practican cómodamente sentados, incluso escuchando música." Este anuncio me encantaba...

B. ¿Cómo es para ti la campaña publicitaria ideal? Piensa las características que debe tener.

☐ **Un buen eslogan**   ☐ **Una música pegajosa**

☐ **Un texto impactante**

☐ **Una buena foto**   ☐ **Una buena historia**

☐ **Un famoso asociado al producto**

☐ **Una buena descripción del producto**

C. Vamos a ser publicistas. En parejas, decidan cuál de estos productos van a anunciar. Piensen primero qué palabras o valores asocian al producto y a qué público se quieren dirigir.

- ⇨ Un coche para jóvenes. Pequeño y barato.
- ⇨ Un perfume de mujer. Muy exclusivo.
- ⇨ Un perfume de hombres. Muy varonil.
- ⇨ Una línea de maquillaje masculino.
- ⇨ Unas pastillas que alivian los gases intestinales.
- ⇨ Una revista rosa.
- ⇨ Unas crema para la celulitis.
- ⇨ Una escuela de español.
- ⇨ Una compañía aérea. Vuelos económicos.
- ⇨ Un tequila de gran calidad.
- ⇨ …

- Para anunciar un coche para jóvenes, tenemos que usar palabras como libertad, económico, solidario...

D. Ahora, van a preparar la campaña (para prensa, radio y/o televisión). Tienen que decidir los siguientes puntos y, finalmente, grabarlo, escenificarlo o diseñarlo.

★ **Nombre del producto** ★ **Eslogan** ★ **Actores o actrices**
★ **Escenario** ★ **Personajes** ★ **Texto** ★ **Música**

- Yo creo que podemos poner una foto de una mujer en primer plano y de fondo...

10. LA PUBLICIDAD

A. ¿Crees que la publicidad es un fenómeno exclusivo de la época actual? Coméntalo con tus compañeros. Luego, lee el siguiente texto.

MÉXICO PREHISPÁNICO

En el México prehispánico, la gente se reunía en los mercados para comprar y para vender. Los pochtecas fueron los primeros vendedores organizados. Gracias a ellos, llegaron a los mercados aztecas una gran variedad de productos producidos en diferentes zonas de Mesoamérica. Los pochtecas eran muy sabios en el arte de hacer atractivos sus productos y buenos conocedores de las necesidades de sus posibles compradores. Tenían puestos especializados en animales, frutas y legumbres, pescados frescos, cerámica, pigmentos y minerales, hierbas medicinales, etc.

LA ÉPOCA COLONIAL

En el México virreinal, la publicidad de los productos o de los servicios la realizaban más comúnmente los pregoneros. Estos voceadores o vendedores errantes iban por la calle anunciando artículos y servicios muy variados. Algunas veces, además de utilizar su voz, se acompañaban de tambores, de trompetas y de diversos instrumentos musicales para llamar la atención del público. En 1666, apareció el primer volante informativo y la primera gaceta.

MÉXICO INDEPENDIENTE

En esta época se desarrolló la primera campaña publicitaria y se creó la primera tarifa de publicidad. Las compañías cerveceras, las cigarreras y las grandes tiendas de departamentos utilizaron el cartel (que colgaban de los tranvías y de los edificios más importantes) para promocionar sus productos. Los establecimientos pequeños utilizaban el tablón de avisos para anunciar sus ofertas; lo colocaban sobre la pared a un lado de la puerta principal. En esta época, se empezaron a vender espacios publicitarios a comisión en los periódicos.

MÉXICO EN EL SIGLO XX

El siglo XX supuso el auge de la publicidad escrita. A partir de 1916, se fundaron en México periódicos de circulación diaria que sirvieron de escaparate a todo tipo de anuncios. En 1925, empezó a utilizarse la radio como plataforma de difusión publicitaria y pronto se convirtió en el medio masivo de comunicación más importante. En 1951 apareció la televisión, fundamental en el desarrollo posterior de la publicidad.

MÉXICO ACTUAL

Los tradicionales medios publicitarios, como la televisión, la radio o el periódico, han cedido paso, en los últimos años, a medios más innovadores de mercadeo como Internet. Flexibilidad, creatividad, originalidad e integración de contenidos son características esenciales de la publicidad en el siglo XXI.

B. Ahora, en parejas, elijan una de las épocas anteriores y preparen el anuncio de un producto. Piensen las características, el formato y el canal más habituales de la época que hayan elegido. Luego, preséntenlo a toda la clase.

En esta unidad vamos a
imaginar cómo seremos dentro de unos años

Para ello vamos a aprender:

> a hablar de acciones y situaciones futuras
> a expresar condiciones: **si** + Presente, Futuro / **depende (de)** + sustantivo /
si + Presente de Indicativo > marcadores temporales de futuro
> recursos para formular hipótesis: **seguramente/probablemente/**
posiblemente/seguro que/supongo que + Futuro
> las formas y algunos usos del Futuro Simple

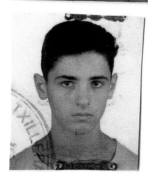

1. UN FUTURO DIFÍCIL

A. ¿Cuáles crees que son los problemas más graves que tiene el mundo actualmente? Coméntalo con tus compañeros.

- Yo creo que uno de los problemas más graves es...

B. Ahora, lee el siguiente texto sobre uno de los principales problemas que amenazan a la humanidad e intenta resumirlo en un párrafo.

LA TIERRA EN PELIGRO

Uno de los peligros más graves que amenaza al mundo en el siglo XXI es la llamada "explosión demográfica". El constante aumento de la población mundial está poniendo en peligro la supervivencia de los que habitamos el planeta Tierra: hay demasiada gente para el espacio y los recursos disponibles.

Unos años atrás, la Tierra estaba poblada por 2,500 millones de personas. Hoy somos más de 5,500 millones. Irán, por ejemplo, tenía en 1950 casi 16 millones de habitantes; ahora los iranís son más de 80 millones y dentro de 50 años serán casi 300 millones. En la India viven actualmente unos 1,000 millones de personas, pero en 2033 serán 1,900 millones. En Latinoamérica viven 450 millones de personas; en 2020, si se cumplen las previsiones, serán aproximadamente 760 millones. ¿Y el resto del mundo? Un informe reciente asegura que

en 2050 la población mundial superará los 10,000 millones de habitantes.

Las preguntas son obvias: ¿resistirá la Tierra este ritmo de crecimiento? ¿Hasta cuándo durarán los recursos no renovables como el agua, el petróleo o el gas, que justamente están en las zonas de mayor explosión demográfica? ¿Podrán los gobiernos neutralizar los grandes desequilibrios que provoca este crecimiento? Lo que es seguro es que la explosión demográfica es en parte responsable de los mayores problemas del planeta: la miseria, el hambre, la contaminación, la deforestación, el recalentamiento de la atmósfera... Los gobernantes tienen la última palabra, pero, entre todos, tenemos que hacer algo, y pronto.

C. Vamos a trabajar en grupos. ¿Cuál de estas soluciones les parece mejor? ¿Tienen otras propuestas?

- Premiar a las familias con pocos hijos
- Dar más información sobre métodos anticonceptivos y distribuirlos gratuitamente
- No limitar la inmigración
- Prohibir tener más de un hijo
- Ayudar a los países pobres a desarrollarse económicamente
- OTRAS: ....

- Para nosotros, la mejor solución es...

2. EL AÑO PERSONAL

A. ¿Sabes qué es la Numerología? ¿Sabes en qué año personal estás viviendo? Lee el siguiente texto y descúbrelo.

LA NUMEROLOGÍA Y LOS AÑOS PERSONALES

La Numerología fue creada en la antigua Grecia por Pitágoras, filósofo y matemático que vivió aproximadamente entre los años 580 y 500 a. C. Pitágoras integró esta disciplina al conocimiento humano a través de tablas explicativas que pasaron de generación en generación hasta nuestros días.

Según la Numerología, toda persona vive ciclos distintos cada nueve años. Cada uno de esos años puede ser muy diferente en cuanto a riqueza interior, sentimientos, necesidades, objetivos...

Para determinar el número del año personal, se debe realizar una suma muy sencilla partiendo de la fecha de nacimiento y del año en el que vivimos. Por ejemplo, si usted nació un 3 de diciembre, los números correspondientes son 3 y 12 (diciembre), que suman 15. A este número (15) le sumamos el año en el que estamos, pero reducido a una cifra. Por ejemplo: 2005 = 2 + 0 + 0 + 5 = 7. Finalmente, del número resultante (15 + 7 = 22) sumamos las cifras que lo componen (2 + 2 = 4).

B. Ahora que ya sabes en qué año personal estás, lee las predicciones para ese año. ¿Cómo va a ser? ¿Qué cosas harás? ¿Crees que es verdad? Cuéntaselo a tus compañeros.

AÑO PERSONAL UNO. Generalmente, cuando estamos en un año personal uno, empezamos una etapa totalmente nueva en la vida. Cambiará su vida desde el punto de vista sentimental o comenzará un ciclo nuevo de libertad después de una separación. Probablemente cambiará de empleo, de residencia o de país.

AÑO PERSONAL DOS. En este año las palabras clave son paciencia y cooperación. Tiene que ser tolerante y procurar entender más a los demás. Seguramente pasarán cosas importantes en el terreno del amor y de la amistad: nuevos amigos, nueva pareja. Asimismo, durante este año podrán romperse relaciones que hasta ahora eran estables.

AÑO PERSONAL TRES. Durante este año tendrá que demostrar su capacidad creativa. Posiblemente pasará el año viajando, estudiando algo nuevo, creando... Tendrá muchas ganas de conocer cosas nuevas y de pasarlo bien. Además, tendrá éxito en el trabajo o en los estudios, pero para ello tendrá que arriesgar y ser innovador. Seguramente durante este año disfrutará de momentos muy felices.

AÑO PERSONAL CUATRO. Este es un año de trabajo duro. Probablemente trabajará más de lo necesario y no logrará los resultados esperados, pero no se desespere. Tendrá poco tiempo para descansar, por lo que tendrá que cuidar su salud. Eso sí, es un buen año para hacer negocios: vender la casa, por ejemplo. Posiblemente sus parientes le pedirán ayuda y sus amigos, dinero. No confíe en la suerte, sino en el trabajo y en la organización.

AÑO PERSONAL CINCO. Este es un año básicamente de cambios. Seguramente cambiará de residencia, de pareja, de trabajo... Intente estar tranquilo y no tome decisiones precipitadas. No haga muchas cosas al mismo tiempo, porque durante este año habrá muchas oportunidades, pero tendrá que ir paso a paso.

AÑO PERSONAL SEIS. Es el año de la responsabilidad. Tendrá obligaciones respecto a su familia, a su trabajo y a sus amistades. Este es un año altruista, de servicio a los demás. Muchas personas, en un año personal seis, comprarán una casa o la reformarán, tendrán una mascota nueva o plantarán árboles.

AÑO PERSONAL SIETE. El año personal siete es el año del conocimiento y de la sabiduría. Muchas personas se encontrarán más solas que en otros años, con más tiempo para estudiar, reflexionar, tomar decisiones importantes en su vida. Si tiene hijos, probablemente este año se irán de su casa. Quizá cambiará de religión o comenzará cursos de yoga, de meditación o se interesará por la astrología o el tarot. También es un año para viajar. Si viaja durante este año, probablemente irá a lugares históricos y de interés cultural.

AÑO PERSONAL OCHO. Seguramente tendrá dificultades económicas durante este año. Intente, por tanto, hacer planes muy concretos al comenzarlo. Posiblemente también tendrá algún problema de salud y las preocupaciones por el dinero podrán afectar a las relaciones personales. Eso sí, si hace algo para ayudar a los demás y no solo pensando en su propio beneficio, se verá recompensado.

AÑO PERSONAL NUEVE. Este año terminará todo lo que quería hacer y probablemente no empezará nada nuevo. Es un año para tomar conciencia de los propios aciertos y errores, para recuperar la salud y prepararse para el próximo ciclo. Es, en definitiva, un año de puntos finales.

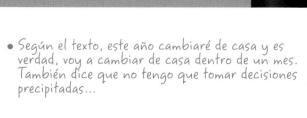

• Según el texto, este año cambiaré de casa y es verdad, voy a cambiar de casa dentro de un mes. También dice que no tengo que tomar decisiones precipitadas...

3. EL FUTURO

A. Completa el cuadro. Ten en cuenta que todas las conjugaciones tienen la misma terminación.

	llegar	aprender	pedir
(yo)	llegar**é**	....	....
(tú)	....	aprender**ás**	....
(él/ella/usted)	llegar**á**	....	....
(nosotros/as)	....	aprender**emos**	....
(vosotros/as)	llegar**éis**	....	....
(ellos/ellas/ustedes)	....	aprender**án**	....

B. Relaciona cada frase con su réplica.

1. Si me voy a vivir a París, ¿**vendrás** a verme?
2. El lunes es la mudanza, ¿**podrán** ayudarnos?
3. Supongo que mañana me **dirán** la nota del último examen de la carrera.
4. ¿Dónde **pondrán** la nueva guardería del barrio?
5. ¿Quién mató a Laura Palmer?

A. Creo que **habrá** una reunión de vecinos para decidirlo.
B. Eso nunca lo **sabremos**.
C. Ok, pero **tendremos** que pedirle la furgoneta a Luis.
D. Y si apruebas, ¿qué **harás**?
E. Si me prometes que **querrás** acompañarme a todos los museos...

1. ☐   2. ☐   3. ☐   4. ☐   5. ☐

C. En parejas, intenten conjugar los verbos anteriores.

- Venir: vendré, vendrás, vendrá...
- Vendremos, vendréis, vendrán.

4. ANA Y LUPE

A. Ana es muy optimista, en cambio Lupe es muy pesimista. ¿Quién crees que dijo las siguientes frases?

	Ana	Lupe
Si compro lotería, seguro no me la sacaré.		
Si me saco la lotería, dejaré de trabajar.		
Si voy a la fiesta, mi novio se enojará.		
Si voy a la fiesta, me lo pasaré muy bien.		
Si vamos en coche, podremos ver el paisaje.		
Si vamos en coche, llegaremos muy cansados.		
Si vamos a Rusia, podremos visitar Moscú.		
Si vamos a Rusia, pasaremos mucho frío.		

B. Ahora, continúa estas frases.

1. Si ....…........…...., habrá paz en el mundo.
2. Si en el futuro la gente tiene menos hijos, ...
3. Si ...., habrá menos desempleo en mi país
4. Si todos empezamos a gastar menos energía, ...

C. Para expresar una condición sobre el futuro, podemos usar esta estructura. Completa los espacios con los nombre de los tiempos verbales.

Si + ..., ...…...

D. Fíjate ahora en esta otra forma de expresar condición y completa los espacios con otros finales posibles.

- ¿Irán de vacaciones a Japón?
- No sé. **Depende del** dinero / **de** _____

- ¿Irán a la playa el domingo?
- **Depende de si** hace sol / **de si** _____

5. SEGURAMENTE

A. ¿Qué tienen en común todas estas frases? Coméntalo con un compañero.

1. **Seguramente** iremos a Cancún de vacaciones.
2. Este fin de semana **creo que** nos quedaremos en casa.
3. **Probablemente** hoy terminaré a las ocho.
4. **Estoy seguro de que** al final nos casaremos.
5. Este año **posiblemente** iré a Italia.
6. **Seguro que** algún día terminaré la carrera.
7. **Supongo que** mañana iremos al Museo de Arte Moderno.

B. Ahora, vas a escuchar una serie de preguntas. Intenta responderlas. Puedes utilizar estas estructuras.

(Sí,) seguro.
(Sí,) seguramente (sí).
(Sí,) supongo que sí.
(Sí,) creo que sí.

No lo sé, depende de + sustantivo
                depende de si + Presente de Indicativo

(No,) seguro que no.
(No,) seguramente (no).
(No,) supongo que no.
(No,) creo que no.

FUTURO SIMPLE + >> pág. 165

El Futuro Simple se forma añadiendo las siguientes terminaciones al Infinitivo.

VERBOS REGULARES

	hablar
(yo)	hablar**é**
(tú)	hablar**ás**
(él/ella/usted)	hablar**á**
(nosotros/as)	hablar**emos**
(vosotros/as)	hablar**éis**
(ellos/ellas/ustedes)	hablar**án**

VERBOS IRREGULARES

tener	➡ **tendr-**	venir	➡ **vendr-**		**-é**
salir	➡ **saldr-**	hacer	➡ **har-**		**-ás**
haber	➡ **habr-**	decir	➡ **dir-**	+	**-á**
poner	➡ **pondr-**	querer	➡ **querr-**		**-emos**
poder	➡ **podr-**	saber	➡ **sabr-**		**-éis**
					-án

Usamos el Futuro Simple cuando queremos hacer predicciones sobre el futuro.

- *Mañana **subirán** las temperaturas.*

Podemos referirnos al futuro con el Presente de Indicativo. Esto lo hacemos cuando presentamos el resultado de una decisión firme.

- *Mañana **salgo** con mis compañeros de trabajo.*

También podemos referirnos al futuro mediante la construcción **ir a** + Infinitivo, normalmente para hablar de decisiones, de planes o de acciones futuras muy vinculadas con el momento en el que hablamos.

- *¿Qué **van a hacer** este fin de semana?*
- *Seguramente **vamos a ir** al cine.*

MARCADORES TEMPORALES PARA HABLAR DEL FUTURO + >> pág. 159

mañana
pasado mañana
el sábado
este jueves/año/mes/siglo...
esta mañana/tarde/noche/semana...
dentro de dos años/unos años...
el lunes/mes/año... **que viene**
el lunes/mes/año... **próximo**

- *He tenido mucho trabajo esta semana y estoy cansadísima. Creo que **el sábado** no saldré.*

RECURSOS PARA FORMULAR HIPÓTESIS SOBRE EL FUTURO

Seguramente
Probablemente
Posiblemente   + Futuro Simple
Seguro que
Supongo que

- ***Seguramente** llegarán como a las diez de la noche.*
- ***Probablemente** volverán muy cansados después de la excursión y se irán a la cama.*
- *El Partido Acción Nacional **posiblemente** ganará las elecciones.*
- ***Seguro que** nos veremos pronto.*
- ***Supongo que** iremos de vacaciones a Colombia.*

EXPRESAR UNA CONDICIÓN

SI + PRESENTE, FUTURO

- **Si estudias** todos los días, **aprobarás** el examen.

DEPENDE DE + SUSTANTIVO

- ¿Vendrás a Cancún?
- No sé... **Depende de** mi trabajo.

DEPENDE DE SI + PRESENTE DE INDICATIVO

- ¿Saldrás del trabajo a las seis?
- **Depende de si** termino el informe.

6. LA GALLETA DE LA SUERTE

A. Según la tradición china, las galletas de la suerte esconden en su interior predicciones sobre el futuro. Vamos a escribir ahora predicciones para nuestros compañeros. Escribe en un trozo de papel un mensaje para un compañero y dáselo a tu profesor.

B. Ahora, tu profesor va a repartir los papeles. Abre tu papel y lee el mensaje. ¿Qué te depara el destino? ¿Crees que te pasará?

- Mi mensaje dice : "Esta semana conocerás a la persona de tu vida". Sinceramente, creo que no es verdad.

7. LOS EXPERTOS OPINAN

A. Varios expertos se han reunido para hablar sobre el futuro del mundo (año 2050). Estas son algunas de las cosas que han dicho. ¿Con cuáles de estas afirmaciones estás más de acuerdo? Coméntalo con un compañero.

"Las lenguas minoritarias desaparecerán"
"Habrá muchos más atentados terroristas"
"Solo habrá libros electrónicos"
"Se producirán grandes catástrofes naturales"
"Habrá transporte aéreo individual"
"Los niños no irán a la escuela"
"Será normal vivir 100 años"

- Yo también pienso que las lenguas minoritarias desaparecerán porque...
- Bueno, eso depende de los gobiernos. Si...

B. ¿Qué otras cosas crees que sucederán?

- Creo que el agua será tan cara como el petróleo...

8. ¿QUÉ CREES QUE HARÁ?

Francisco está de vacaciones en su casa de Puerto Vallarta. ¿Qué crees que hará en cada una de estas situaciones? Coméntalo con tu compañero.

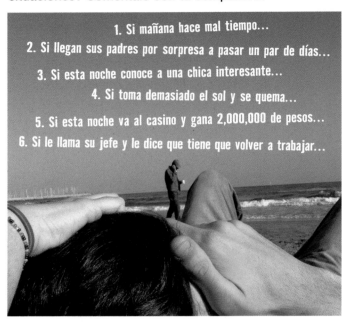

1. Si mañana hace mal tiempo...
2. Si llegan sus padres por sorpresa a pasar un par de días...
3. Si esta noche conoce a una chica interesante...
4. Si toma demasiado el sol y se quema...
5. Si esta noche va al casino y gana 2,000,000 de pesos...
6. Si le llama su jefe y le dice que tiene que volver a trabajar...

- Si mañana hace mal tiempo, supongo que se quedará en casa leyendo o viendo la tele.

9. EL FUTURO DE EVA

A. Eva fue a ver a una adivina para saber cómo será su futuro. Escucha la conversación. ¿Cuáles de las siguientes cosas predice la adivina? Márcalo.

☐ Vivirá en un **país** extranjero

☐ Será **muy rica**

☐ Será **famosa**

☐ Volverá a la **universidad** dentro de unos años

☐ Tendrá **dos hijos**

☐ Será **feliz** en su vejez

☐ Conocerá a una **persona** que la querrá mucho

☐ Vivirá **en** el **campo**

B. Ahora, van a imaginar cómo seremos dentro de 25 años. En parejas, van a escribir cómo será la vida de dos compañeros de la clase. Tengan en cuenta, entre otros, los siguientes aspectos:

Familia
Trabajo
Aspecto físico
Situación económica
Lugar de residencia
...

C. Lean sus predicciones para toda la clase. ¿Están de acuerdo sus compañeros?

● Nosotros creemos que dentro de 25 años Roberta será muy rica porque será la directora de una empresa multinacional. Vivirá en un apartamento precioso en Manhattan con su marido y...

10. UNA CANCIÓN DE DESAMOR

A. Lee la letra de esta canción. ¿Quiénes son los protagonistas? ¿Qué les pasa? ¿Quién crees que canta: el hombre o la mujer?

Cuando lejos me encuentre de ti,
cuando quieras que yo esté contigo,
no hallarás un recuerdo de mí,
ni tendrás más amores conmigo.

Y te juro que no volveré,
aunque me haga pedazos la vida,
si una vez con locura te amé,
ya de mi alma estarás despedida.

No volveré,
te lo juro por Dios que me mira,
te lo digo llorando de rabia.
No volveré.

No pararé
hasta ver que mi llanto ha formado
un arroyo de olvido anegado
donde yo tu recuerdo ahogaré.

Fuimos nubes que el viento apartó,
fuimos piedras que siempre chocamos,
gotas de agua que el sol resecó,
borracheras que no terminamos.

En el tren de la ausencia me voy,
mi boleto no tiene regreso,
lo que tengas de mi te lo doy,
pero yo te devuelvo tus besos.

Esta canción se hizo popular en la voz del gran cantante Pedro Infante, quien, a pesar de haber muerto en 1957, sigue vivo a través de sus más de 360 canciones.

B. Ahora, escucha la canción. ¿Cómo crees que continúa la historia?

MÁS EJERCICIOS

1. EL ESPAÑOL Y TÚ

1. Completa el texto conjugando en Presente los siguientes infinitivos.

vivir   levantarse   tener

desayunar   estudiar   ver   hablar

querer   leer   trabajar (2)

Barbara Schneider ....*tiene*.......... 38 años y hace cuatro años que ....*vive*.......... en Querétaro. Es profesora de alemán y ....*trabaja*.......... en una escuela de idiomas. Tiene las mañanas libres y por eso ....*se levanta*.......... un poco tarde. Luego, ...*desayuna*.......... en un restaurante. Barbara ....*trabaja*.......... toda la tarde, hasta las ocho, y, en las noches, ...*estudia*.......... un poco de español, ...*ve*.......... la tele y ....*lee*.........., especialmente novelas de ciencia ficción. ....*habla*.......... muy bien español y le gusta mucho México. Todavía no ....*quiere*.......... volver a Alemania.

2. ¿A qué hora haces normalmente estas cosas?

1. levantarse: Me levanto a las...

2. desayunar: desayuno a las 7:30

3. salir de casa: salgo de casa a las 8.

4. llegar al trabajo / a la escuela: llego a la escuela a las 8:5

5. comer: yo como todas las mañanos

6. salir del trabajo / de la escuela: yo salgo de la escuela a las 3:15

7. cenar: yo ceno a las 7:30 de la noche

8. acostarse: yo me acuesto a las 10 de la noche.

3. Unos estudiantes nos han explicado los motivos por los que estudian español. Completa las frases con **porque** o **para**.

Yo estudio español...

❶ ....*porque*.......... tengo amigos en México.

❷ ....*para*.......... conseguir un trabajo mejor en mi país.

❸ ....*porque*.......... tengo un examen en la Universidad.

❹ ....*porque*.......... pienso viajar por toda América.

❺ ....*para*.......... entender las películas de habla española.

❻ ....*porque*.......... quiero pasar un tiempo en Argentina.

❼ ....*porque*.......... quiero trabajar en una empresa mexicana.

❽ ....*para*.......... mi novio es venezolano.

4. Relaciona los elementos de las cajas para formar tus recomendaciones para aprender mejor el español.

| tienes que |
| lo mejor es |
| ayuda mucho |

Para practicar los verbos

Para entender a la gente

Para hablar con fluidez

Para aprender vocabulario

Para no tener problemas con el orden de las palabras

Para pronunciar mejor

Para escribir correctamente

buscar palabras en el diccionario.

traducir.

leer mucho.

repetir muchas veces la misma frase.

escuchar canciones y ver la tele.

hablar con mejicanos.

hacer muchos ejercicios.

perder el miedo y hablar mucho.

estudiar gramática.

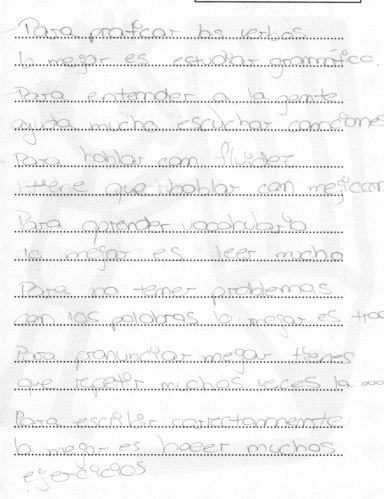

Para practicar los verbos
lo mejor es estudiar gramática
Para entender a la gente
ayuda mucho escuchar canciones
Para hablar con fluidez
tiene que hablar con mejicanos
Para aprender vocabulario
lo mejor es leer mucho
Para no tener problemas
con las palabras lo mejor es traduc
Para pronunciar mejor tienes
que repetir muchas veces la
Para escribir correctamente
lo mejor es hacer muchos
ejercicios

5. Las siguientes frases hablan de las actividades que hace Javier, el señor de la fotografía. Complétalas conjugando los siguientes verbos en Presente de Indicativo.

levantarse   desayunar   trabajar   hablar

cenar   jugar   visitar   leer   beber   pasear

1. Todos los días ....trabaja........ desde las 8 de la mañana hasta las 5 de la tarde.

2. Los sábados en la mañana ....juga........ al tenis con unos amigos.

3. Siempre ....bebe........ café después de comer.

4. Casi siempre ....desayuna........ cereal y leche.

5. En las tardes ....pasea........ con su perro.

6. Los sábados en la noche ....cena........ en un restaurante con su esposa.

7. Los domingos en la tarde ....visita........ a su mamá en su casa.

8. Todas las mañanas ....lee........ el periódico.

9. Todos los días ....levantase........ temprano, a las 6 de la mañana.

10. A veces ....habla........ inglés en su trabajo.

6. Escribe cada uno de los siguientes problemas en la conversación que le corresponde.

ayer fue el cumpleaños de mi novio y lo olvidé

me cuesta mucho concentrarme en clase

tengo un dolor de espalda horrible

me cobraron 300 pesos de más en el recibo del teléfono

mis alumnos siempre llegan tarde a clase

tengo problemas de insomnio

tengo que encontrar un trabajo urgentemente

1
- Últimamente tengo problemas de insomnio
- Para eso, lo mejor es tomarse un té de tila un poco antes de acostarse.

2
- ¡Ya estoy harto! mis alumnos siempre llegan tarde a classe. No sé qué hacer.
- Hombre, yo creo que tienes que hablar con los de la compañía.

3
- Desde hace unos días tengo un dolor de espalda horrible. No sé, duermo igual que siempre, pero me encuentro muy cansado.
- ¿Ah, sí? Un amigo mío tiene este problema y le ayudan mucho unas pastillas que le recetó el médico.

4
- Soy un desastre. Ayer fue el cumpleaños de mi novio y lo olvidé
- ¿En serio? ¿Y por qué no te compras una agenda?

5
- Tengo que encontrar un trabajo urgentemente o no sé cómo voy a pagar la renta.
- Pues tienes que empezar a buscar, ¿no?

6
- ¡Es increíble! me cuesta mucho concentrarme en clase ¡Y esta es la tercera vez en dos semanas!
- Hombre, pues tienes que hacer algo.

7
- Hace unos días que me cobraron 300 pesos de más en el recibo de teléfono.
- Para eso, lo mejor es nadar un poco todos los días.

7. Dos estudiantes de español platican el primer día de clases. Completa el texto con la forma adecuada de los verbos que están entre paréntesis.

Tom: Hola, ¿cómo (llamarse, tú) te llamas?

Ann: (llamarse, yo) me llamo Ann. ¿Y tú?

Tom: Yo, Tom. Mucho gusto.

Ann: Encantada de conocerte.

Tom: ¿(ser, tú) yo soy estudiante de español?

Ann: Bueno, sí, (ir, yo) voy a tomar el curso de Español Intermedio.

Tom: ¡Ah! ¡Entonces (estar, tú) estas en el mismo curso que yo! ¡Qué bien! Oye Ann, ¿a ti te (gustar) gusta estudiar español?

Ann: Sí, sí, a mí me (encantar) encanta el español. Además, (querer, yo) .... ser traductora en el futuro. ¿Y a ti te (gustar) gusta?

Tom: Sí, a mí el español me (encantar) encanta pero me (costar) cuesta un poco, sobre todo la gramática. Es muy difícil. ¿No te parece?

Ann: Ah, pues, para mí es al revés. Para mí, lo más fácil (ser) eres la gramática y lo que más me (costar) cuesta es hablar. La verdad es que me (sentirse, yo) siento un poco ridícula cuando (hablar, yo) hablo en español en público. Pero, para mí, la corrección gramatical no (ser) es lo más importante, lo importante (ser) es poder comunicarse. A mí lo que me (interesar) interesa es precisamente eso: poder comunicarme.

Tom: Sí, sí, (estar, yo) estoy totalmente de acuerdo. Oye, ¿tú (creer) crees que (haber) hay idiomas más fáciles que otros? Porque a mí el español me (resultar) resulta muy difícil.

Ann: Mmm... Yo (creer) creo que sí, depende de la lengua materna. (creer, yo) creo que, por ejemplo, para un italiano o para un brasileño, el español (ser) es bastante fácil, ¿no? En cambio para un ruso o para un americano, pues, seguramente es más difícil.

Tom: Sí, es verdad. Oye, (tener, yo) tengo que irme ahora, ¿sale? ¿Te (ver, yo) veo luego en clase?

Ann: OK. Hasta luego, Tom. Nos (ver) vemos

Tom: Hasta luego.

8. Subraya la opción correcta en cada una de las siguientes frases.

1. Me (cuesta)/cuestan aprender los verbos en español.

2. Para aprender vocabulario, (ayuda)/ayudan mucho leer el periódico, novelas...

3. Me (cuesta)/cuestan producir algunos sonidos del español como la "jota" y la "erre".

4. A Peer y a mí nos (cuesta)/cuestan mucho entender a la gente.

5. Nosotros creemos que para recordar una palabra **ayuda**/**ayudan** mucho escribirla.

6. A casi todos los alumnos de la clase nos **cuesta**/**cuestan** hablar rápido.

7. Para estudiar **ayuda**/**ayudan** mucho tener una buena gramática.

8. A Petra también le **cuesta**/**cuestan** decir las palabras muy largas.

9. Estas frases describen el modo de vida de unas personas. Complétalas conjugando los verbos en primera persona del plural del Presente. ¿Cuál crees que es la profesión de estas personas? Escríbelo.

1. [levantarse] .... tarde.

2. [sentarse] .... a desayunar en una casa rodante.

3. [bañarse] .... en el mar o en un río.

4. [rasurarse] .... muchas veces sin electricidad.

7. [quedarse] .... poco tiempo en cada lugar.

8. [separarse] .... pronto de la gente que conocemos.

9. [llevarse] .... la casa a cuestas.

10. [encontrarse] .... bien en cualquier parte.

11. [maquillarse] .... y [vestirse] .... con muchos colores antes de cada función.

12. Nunca [acostarse] .... antes de las 3 de la madrugada.

PROFESIÓN: [Somos ....]

---

10. Completa la entrevista que hizo un reportero de la revista *Lingua* a una traductora e intérprete de la ONU con los siguientes verbos conjugados en Presente de Indicativo. Algunos los tienes que usar más de una vez. Puede haber más de una opción.

~~traducir~~ **vestir** **interpretar** ~~tener~~ ir ~~hacer~~ ponerse ~~ser~~ ~~leer~~ ver poder **discutir**

P: *¿Cuál es su profesión?*
R: ....Soy........... traductora e intérprete.

P: *¿En qué consiste su trabajo?*
R: ......Traduzco...... documentos y ....hago........ interpretación simultánea de conferencias, sesiones de trabajo y entrevistas.

P: *¿Hay que tener buena memoria para esta profesión?*
R: Para la interpretación, sí. El intérprete simultáneo ......tiene...... que escuchar la nueva información mientras ......traduce...... lo que acaba de oír. Afortunadamente yo ....tengo........ buena memoria.

P: *¿Qué otros aspectos son importantes en esta profesión?*
El atuendo ....es........ importante porque el ambiente diplomático es muy formal. Así que ....visto........ con formalidad cuando .....voy..... a las conferencias; ......pongo...... trajes muy elegantes.

P: *¿Cuánto tiempo hace que se dedica a esta profesión?*
R: Quince años.

P: *¿Cuáles son las dificultades de esta profesión?*
R: Pues, las traducciones ......pueden...... ser sobre temas muy diversos; así que uno de los retos es mantenerme actualizada. ......Leo...... varios periódicos y revistas todos los días, ...veo...... la televisión para enterarme de lo que pasa en el mundo y ......discuto...... con expertos sobre temas de actualidad.

P: *¿Qué recomendaciones les da a los estudiantes de Traducción e Interpretación?*
R: Que conozcan no solo la lengua, sino también la cultura a la cual ......interpreta......

2. HOGAR, DULCE HOGAR

1. A. En español hay muchos verbos irregulares con cambio vocálico **e-ie**. ¿Sabes qué Infinitivo corresponde a cada una de las siguientes formas? Escríbelo.

prefieres	➡	cierran	➡ ....
pierde	➡	entiendo	➡ ....
sientes	➡	piensa	➡ ....
quieren	➡	riego	➡ ....

B. Ahora, conjuga el Presente de Indicativo de un verbo de los anteriores, uno de cada conjugación.

	-AR	-ER	-IR
(yo)	....	....	....
(tú)	....	....	....
(él/ella/usted)	....	....	....
(nosotros/as)	....	....	....
(vosotros/as)	....	....	....
(ellos/ellas/ustedes)	....	....	....

2. Lee la descripción de las casas de estos dos amigos y escribe frases comparándolas.

Fernando
- departamento de 90 m² ● $5,000 pesos al mes
- 3 habitaciones ● terraza de 25 m² ● 2 balcones
- 1 baño ● mucha luz ● a 10 minutos del centro

Julio
- penthouse de 100 m² ● $7,000 pesos al mes
- 3 habitaciones ● terraza de 20 m² ● 2 balcones
- 2 baños ● mucha luz ● a 30 minutos del centro

La casa de Fernando es más pequeña que la de Julio.

....

....

....

....

....

....

3. ¿En qué parte de la casa están normalmente estas cosas? Escríbelo. ¿Puedes añadir más cosas?

mesita de noche · plantas · refrigerador · sillón · espejo · sillas · cafetera · cuadros · sofá · librero · cortinas · mesa · tina de baño · lámpara · closet · televisión · lavadora · estéreo · horno

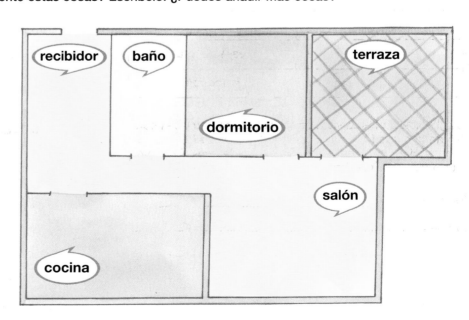

recibidor · baño · terraza · dormitorio · salón · cocina

110

4. Clasifica las palabras anteriores en masculinas o femeninas. Añade el artículo indeterminado.

Masculino	Femenino
un sofá	una lámpara
un espejo	una planta
un ropero	unas sillas
un refrigerador	una mesa
un closet	una lavadora
un estéreo	unas plantas
un horno	unas cortinas
unos cuadros	una cafetera
un sillón	una mesita de noche

5. Completa este cuadro con los sustantivos y los adjetivos que faltan. Puede haber varias opciones.

Sustantivo	Adjetivo
estrés	estresante
tranquilidad	tranquila
salud	saludable = sano
diversión	divertido/a
cultura	cultural
ruido	ruidosa
espaciosa	espacioso/a
comodidad	cómodo/a

6. ¿Dónde prefieres vivir: en un departamento en el centro de la ciudad o en una casa en las afueras? Escribe al menos cinco razones. Las palabras de la actividad anterior pueden serte útiles.

Prefiero vivir en ....

porque ....

....

....

....

....

7. Imagina que quieres compartir tu departamento. Haz una descripción para colgar en el tablón de anuncios de la escuela.

Busco chico/a para compartir departamento...

8. Lee las siguientes frases y reacciona de acuerdo con tu realidad.

1. En mi barrio hay pocos parques.

(Pues) en el mío no hay ninguno...

2. Mi casa tiene seis habitaciones.

La mía tiene tres.

3. En mi ciudad hay muchos cines y teatros.

En la mía hay dos.

4. En mi ciudad hay mucha contaminación.

En la mía también.

5. En mi clase de español todos mis compañeros son muy buena onda.

En la mía también.

6. Mi profesor de español es muy bueno.

Mi profesor también.

7. En mi país hay algunas ciudades de más de un millón de habitantes.

En mi país también.

8. Mi libro de español es muy divertido.

Yo no tengo uno libro.

9. Completa este texto con las preposiciones **con**, **de** y **para**.

Mi casa es una preciosa mansión ....de.... estilo colonial,

...con.... vista al mar. Tiene un jardín muy grande y alberca.

Es una casa .....con..... suficiente espacio ....para.... 30 perso-

nas, que se puede utilizar ...para.... vivir todo el año o solo

...para.... las vacaciones. Las ventanas son ...de.......

madera y las escaleras ...de..... ladrillo.

10. ¿Estás de acuerdo con las siguientes afirmaciones? Para contestar, utiliza **Yo también / Yo no / Yo tampoco / Yo sí** o **A mí también / A mí no / A mí tampoco / A mí sí.**

1. ● Me gusta vivir en el centro de una gran ciudad.
   ○ ....A mí también....

2. ● A mí no me gustan mucho los sofás de colores.
   ○ ....A mí tampoco....

3. ● Me encanta la playa.
   ○ ....A mí también....

4. ● Prefiero el frío al calor.
   ○ ....Yo no se....

5. ● Me gustan muchísimo las casas con jardín.
   ○ ....Yo no se....

6. ● Me encanta jugar al ajedrez.
   ○ ....Yo no se....

11. Observa estas dos fotografías y describe los muebles y los objetos que aparecen numerados.

12. Lee el perfil de estas dos ciudades y haz comparaciones (de superioridad, de igualdad y/o de inferioridad) entre ellas en cuanto al tipo de ciudad, el número de habitantes, la situación geográfica, las atracciones, las instituciones, el turismo, la historia, etc.

QUERÉTARO MONTERREY

Ubicada en el centro de la República, a tan solo 220 Km de la Ciudad de México, **QUERÉTARO** es, desde 1996, Patrimonio de la Humanidad. En ella sucedieron dos acontecimientos fundamentales en la historia de la nación mexicana: la conspiración del movimiento de Independencia y la promulgación de la Constitución de los Estados Mexicanos. **QUERÉTARO** tiene un millón de habitantes y, además de su belleza arquitectónica e histórica, la ciudad es sede de muchas instituciones educativas del país, así como de instituciones culturales, como la Filarmónica del Estado de Querétaro, y diversos museos de arte y de historia. Todo ello ha convertido Querétaro en una de las ciudades con más atractivo turístico del país.

Considerada el polo industrial de México, **MONTERREY** es una ciudad que presenta un alto desarrollo tecnológico, ya que cuenta con muchísimas industrias en diferentes sectores: alimentación, vidrio, cemento, lámina, acero, maquinaria y equipo, entre otros. Está situada en el norte del país, muy cerca de la frontera con los Estados Unidos, y tiene una población de casi cuatro millones. De historia reciente, la ciudad de **MONTERREY** ha desarrollado las mejores comodidades para el turista de negocios, así como un Centro Internacional de Negocios (Cintermex) que alberga convenciones, congresos, ferias y exposiciones nacionales e internacionales. Asimismo, la ciudad cuenta con una importante oferta cultural.

Querétaro tiene más monumentos históricos que Monterrey.

3. YO SOY ASÍ

1. Fíjate en estas cuatro personas. ¿Qué ropa trae cada una? Márcalo en el cuadro.

	Manuel	Carlos	Yvonne	Teresa
una gorra				
una chamarra				
unos pantalones				
una camiseta				
una blusa				
unos zapatos				
unas sandalias				
unas botas				
unos tenis				
un sombrero				
un reloj				
un suéter				
unos lentes de sol				
un vestido				
una falda				
unos aretes				
una bolsa de mano				
unas medias				

Manuel

Yvonne

Carlos

Teresa

2. Subraya las irregularidades de estos verbos. Luego, conjuga los verbos **conocer** y **vestirse**.

	parecerse	**medir**
(yo)	me parezco	mido
(tú)	te pareces	mides
(él/ella/usted)	se parece	mide
(nosotros/as)	nos parecemos	medimos
(vosotros/as)	os parecéis	medís
(ellos/ellas/ustedes)	se parecen	miden

	conocer	**vestirse**
(yo)	....	....
(tú)	....	....
(él/ella/usted)	....	....
(nosotros/as)	....	....
(vosotros/as)	....	....
(ellos/ellas/ustedes)	....	....

3. Completa las frases con estas palabras.

abuelos   tío/a   sobrino/a

primo/a   cuñado/a   suegros   hermano/a

1. El hijo de mi tío es mi ....

2. La hermana de mi mujer es mi ....

3. El hijo de tus padres es tu ....

4. Los padres de nuestra madre son nuestros ....

5. El marido de tu tía es tu ....

6. La hija de mi hermano es mi ....

7. Los padres de tu marido son tus ....

8. La hermana de mi madre es mi ....

4. Relaciona preguntas y respuestas.

1. ¿Quién es Juan?
2. ¿Cómo es tu prima?
3. ¿Quiénes son aquellos de azul?
4. ¿Qué trae Penélope?
5. Aquella de negro, ¿quién es?
6. ¿Tus amigos son los que están en la puerta?
7. ¿Quiénes son esas?
8. ¿Cómo es tu novio?
9. ¿Quién es tu madre?
10. ¿Y tú? ¿A quién te pareces?

a. Mis abuelos.
b. Alto, delgado, tiene los ojos verdes...
c. Sí, son ellos.
d. El de la chaqueta café.
e. Un vestido de piel café y unos zapatos de tacón.
f. Una compañera de la facultad.
g. Muy simpática.
h. ¿Las de pelo negro? Mis hermanas.
i. A mi padre. Tenemos los mismos ojos.
j. Esa que está en la puerta.

1 ... 2 ... 3 ... 4 ... 5 ... 6 ... 7 ... 8 ... 9 ... 10 ...

5. Nuria, una chica de Querétaro, se fue a estudiar a la Ciudad de México. Lee el e-mail que le escribe a un amigo y escribe el nombre de cada persona en su lugar correspondiente.

Hola Carlos:

¿Cómo va todo? Espero que bien. Yo estoy de maravilla. Hace solo dos semanas que llegué y ya conozco a mucha gente, la mayoría compañeros de la facultad. Hace unos días hicimos una fiesta en la casa de Rosa, una compañera de clase, y la verdad es que me la pasé a todo dar. En la foto que te envío puedes ver a mis mejores amigos de aquí. Rosa es la de lentes, la morena de camisa blanca. Es muy simpática. La que está a su lado es Ana, es la primera persona a la que conocí en la facultad. El del suéter rojo se llama Mario y es de Durango. El otro chico, el de la guitarra, es Alberto y la rubia que está a su lado es su novia, Carla. La verdad es que son todos muy buena onda. A ver si un día vienes de visita y los conoces en persona, ¿sale? Bueno, me voy a estudiar un rato.

Besos,

Nuria

6. Describe a estas personas.

Federica

Es rubia, tiene el pelo largo...

Irma

Salvador

Francisco

Oswaldo

María Luisa

7. Elige el pronombre o el adjetivo demostrativo que corresponda.

1. ● .... es mi hermano.
   ○ Mucho gusto.

   ☐ esto   ☐ esta   ☐ este

2. No quiero .... falda, sino ....

   ☐ ese/esa   ☐ esa/esta   ☐ estas/esas

3. ¿Cuánto cuestan .... camisas?

   ☐ esa   ☐ esas   ☐ esta

4. Estos pantalones son muy pequeños. ¿Puedo probarme ....?

   ☐ esos   ☐ ese   ☐ esas

5. Estas camisetas son más bonitas que ....

   ☐ esos   ☐ esas   ☐ esa

6. ¿Es tuyo .... suéter?

   ☐ esos   ☐ este   ☐ esa

7. De todos los zapatos, ... son los que más le gustan.

   ☐ esos   ☐ ese   ☐ estas

8. .... de negro es mi suegro.

   ☐ ese   ☐ esa   ☐ esta

9. Mi amiga Jennifer vive con .... familia aquí en México.

   ☐ esta   ☐ esos   ☐ ese

10. En .... tienda compro el pan todos los días.

   ☐ esto   ☐ esas   ☐ esta

8. Escribe posibles preguntas a estas respuestas.

1. ● ....
   ○ No, él es más abierto que yo.

2. ● ....
   ○ Sí, mucho, son casi idénticas.

3. ● ....
   ○ No mucho, la verdad. En realidad, somos muy distintos.

4. ● ....
   ○ No, me parezco más a mi padre.

9. Gabriela es una chica muy simpática y le encanta conocer gente. Lee el anuncio que mandó a una revista para buscar amigos y complétalo conjugando en Presente de Indicativo los siguientes verbos.

medir   encantar   pesar   conocer
ser (2)
estar   tener   querer   llevarse

gabriela

Me llamo Gabriela, ... soltera y .... 33 años. .... 1,75 m y .... 60 kilos. .... una persona cariñosa, divertida y sincera. .... viajar, bailar e ir a fiestas. .... a mucha gente interesante. .... también muy sociable, extrovertida, optimista y .... bien con todo el mundo. .... conocer a un hombre cariñoso, trabajador y honesto, de 30 a 45 años, para compartir mi alegría y mi amor a la vida.

10. Relaciona cada adjetivo de la columna de la izquierda con su opuesto de la columna de la derecha.

alto/a ●	● feo/a
optimista ●	● generoso/a
fuerte ●	● gordo/a
guapo/a ●	● moreno/a
extrovertido/a ●	● bajo/a
aburrido/a ●	● divertido/a
rubio/a ●	● débil
egoísta ●	● pesimista
delgado/a ●	● pasivo/a
activo/a ●	● introvertido/a

11. Responde a las siguientes preguntas como en el ejemplo.

> **Ejemplo:** ¿A quién te pareces en tu familia? ¿En qué? ➢ Me parezco a mi mamá. En el carácter soy como ella.

1. ¿Te pareces a tu papá o a tu mamá? ¿En qué te pareces a él/ella? ¿Te llevas bien con él/ella? ¿Por qué?

....

....

2. ¿Cómo te llevas con tu jefe/a o con tu profesor/a? ¿Por qué?

....

....

3. ¿Te pareces a tu hermano/a? ¿En qué te pareces? ¿Te llevas bien con él/ella?

....

....

4. ¿Te llevas bien con tus compañeros de clase? ¿Con quién te llevas mejor? ¿Por qué?

....

....

12. Decide de forma lógica si las siguientes informaciones corresponden a la fotografía número 1 o a la número 2.

☐ **viven juntos desde hace cuatro años**   ☐ **no viven juntos**   ☐ **se casaron hace dos años**

☐ **están muy enamorados**   ☐ **se ven solo algunos fines de semana**

☐ **pasan mucho tiempo juntos porque trabajan en la misma empresa**

☐ **no tienen hijos**   ☐ **se conocieron en la Universidad**

4. ¿PUEDO TOMARTE UNA FOTO?

1. ¿A qué infinitivos corresponden estos gerundios irregulares?

GERUNDIO		INFINITIVO
oyendo	→	....
cayendo	→	....
leyendo	→	....
construyendo	→	....
durmiendo	→	....
diciendo	→	....
vistiéndose	→	....
sintiendo	→	....
yendo	→	....
viniendo	→	....

2. Escribe las formas de los verbos que faltan.

	tú	vosotros	usted	ustedes
saber	sabes	....	....	....
tener	....	tenéis	....	....
comprar	....	....	compra	....
vivir	vives	....	....	....
estar	....	....	....	están
ir	....	vais	....	....
ser	....	....	es	....
hacer	haces	....	....	....
querer	....	....	....	quieren
comprender	....	comprendéis	....	....

3. ¿Tú o usted?

	tú	usted
1. Deja, yo te invito.	❏	❏
2. ¿Me das un café con leche, por favor?	❏	❏
3. Saludos a su familia.	❏	❏
4. Mira, te presento a Ana.	❏	❏
5. ¿Cincuenta pesos? Aquí tiene.	❏	❏
6. Buenos días. ¿Qué desea?	❏	❏

4. Lee este texto sobre las diferencias culturales relacionadas con la cortesía. Luego, marca si en tu cultura se hacen normalmente las cosas que aparecen en la lista de abajo. Puedes comentar cada uno de los puntos en tu cuaderno.

La cortesía

Aunque la cortesía es un elemento presente en todas las culturas del mundo, cuando salimos de nuestro país nos damos cuenta de las diferencias que existen en este aspecto. Vamos a ver algunos ejemplos.

En México, por ejemplo, se da siempre las gracias. En los restaurantes se le agradece a los meseros cuando sirven comidas o bebidas y es costumbre responder ante el agradecimiento con un "de nada" o un "no hay de que". Pedir las cosas por favor es casi obligatorio, incluso entre familiares. Ejemplo: "¿me pasas la sal, por favor?".

Otro ejemplo: el revisor de los ferrocarriles en Holanda intercambia cada día mil gracias con los viajeros al recibir y entregar los billetes. En España, en cambio, los revisores suelen ahorrárselo por completo. Y algo muy curioso: algunas lenguas, como el botswana (lengua indígena del sur de África), no tienen fórmulas lingüísticas para agradecer. Lo hacen mediante gestos.

Este tipo de diferencias puede dar lugar a malentendidos de tipo cultural. Para los mexicanos, los españoles pueden parecer muy descorteses y, sin embargo, los españoles pueden pensar que los mexicanos son exageradamente educados.

	Sí	No
1. Cuando un mesero nos sirve la comida o la bebida, damos las gracias.	☐	☐
2. Cuando alguien nos llama por teléfono, le damos las gracias al acabar la conversación.	☐	☐
3. Los revisores de tren piden los boletos por favor y dan las gracias cuando los devuelven.	☐	☐
4. Cuando una esposa le sirve la comida al esposo, este le da las gracias.	☐	☐
5. Cuando alguien te da las gracias, no se contesta nada.	☐	☐

5. Esta es una clase un poco especial. ¿Qué están haciendo? Escríbelo.

1. Vanesa se está pintando las uñas.
2. Mateo ....
3. Sam ....
4. Julia ....
5. Susan ....

6. Hans ....
7. John ....
8. Cristina ....
9. Yuri ....
10. La profesora ....

6. Escríbele una postal a un amigo que no ves desde hace algunas semanas y cuéntale qué estás haciendo estos días.

Querido/a .... :

7. Lee estas frases y marca, en cada caso, en qué situación te parecen más adecuadas.

1. ● ¿**Me das** una hoja de papel?
   - ☐ a. Pensamos devolverla.
   - ☐ b. No pensamos devolverla.

2. ● ¿**Me pasas** el aceite?
   - ☐ a. Estás comiendo con unos amigos.
   - ☐ b. Quieres comprar aceite en una tienda.

3. ● ¿**Me prestas** el diccionario?
   - ☐ a. El diccionario es de la otra persona.
   - ☐ b. El diccionario está cerca de la otra persona.

4. ● ¿**Me da** un café, por favor?
   - ☐ a. Pides un café en un bar.
   - ☐ b. Pides un café en casa de los padres de tu amigo/a.

5. ● ¿**Me prestas** la chamarra de piel?
   - ☐ a. La chaqueta es de la otra persona.
   - ☐ b. La chaqueta es tuya.

6. ● ¿**Me traes** un poco de agua, por favor?
   - ☐ a. La persona se tiene que desplazar.
   - ☐ b. La persona no se tiene que desplazar.

7. ● Buenos días. ¿**Me da** una barra de pan?
   - ☐ a. Estás comprando en una tienda.
   - ☐ b. Estás pidiendo algo gratis.

8. ¿Cómo le pedirías estas cosas a un compañero de clase? Clasifícalas en la columna correspondiente.

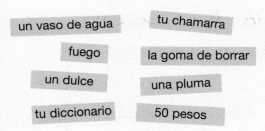

un vaso de agua

tu chamarra

fuego

la goma de borrar

un dulce

una pluma

tu diccionario

50 pesos

¿Me prestas...?	¿Me das...?

9. Responde a estas peticiones de un amigo. Piensa una respuesta afirmativa y otra negativa con una excusa para cada una de ellas.

1.
● ¿Te importa si abro la ventana? ¡Hace un calor!
+ ....
- ....

2.
● ¿Puedo usar tu teléfono un momento? Es solo una llamada local.
+ ....
- ....

3.
● ¿Me prestas tu diccionario?
+ ....
- ....

4.
● ¿Me prestas 10 pesos?
+ ....
- ....

5.
● ¿Puedo ponerme tu chamarra? Tengo un frío...
+ ....
- ....

6.
● ¡Hola! Soy Carlos. Me abres y subo, ¿sale?
+ ....
- ....

7.
● ¿De quién son estos dulces? ¿Puedo tomar uno?
+ ....
- ....

8.
● ¿Te importa si me como el último chicle? Luego compro más, ¿ok?
+ ....
- ....

10. A. Completa las frases con estas formas.

me da
puedo
te importa si
tienes
me prestas
prestarme

1. ● ¡Disculpe! ¿ .... un café, por favor?

2. ● ¿ .... pongo algo de música?

3. ● Perdona, ¿puedes .... los apuntes de ayer?

4. ● Oye, ¿ .... un momento tu moto? Es que...

5. ● ¿ .... fuego?

6. ● ¿ .... usar esta computadora?

B. ¿Dónde crees que están las personas que dicen las frases anteriores?

1. ....
....

2. ....
....

3. ....
....

4. ....
....

5. ....
....

6. ....
....

11. Relaciona los elementos de las dos columnas para formar pequeñas conversaciones.

Buenos días, ¿cómo está usted?	En un momento se la traigo, señora.
Hasta mañana.	Muy bien, gracias, ¿y usted?
Disculpe, ¿cómo se va al mercado Juárez?	Propio.
Perdón.	¡Hasta mañana! ¡Que descanses!
Hola, ¿qué onda?	Por la avenida Pino Suárez, todo derecho, señora.
Gracias por su ayuda. Nos vemos.	No hay cuidado.
Con permiso.	¡Que le vaya bien!
La cuenta, si es tan amable.	Mucho gusto.
Te presento a Ángel Sotomayor.	Nada, aquí pasándola.

5. TIEMPO LIBRE

1. Observa los anuncios de la página 42 y busca al menos un lugar...

1. que abre de martes a domingo de 9:00 a 18:00.

lugar: Museo del vidrio

2. que está cerrado los domingos.

lugar: El Botanero

3. que es gratis para las mujeres los jueves.

lugar: Alebrije

4. que tiene música alternativa.

lugar: Café Iguana

5. que tiene descuento para las personas mayores.

lugar: Museo del Vidrio

6. donde los niños no pagan.

lugar: Museo de Historia

7. que tiene música en vivo.

lugar: El breve espacio

8. donde ponen el documental "Aventuras extremas".

lugar: Centro cultural Alpha

2. ¿Cuál es la opción más adecuada en cada una de estas situaciones? Márcalo.

1 Son las dos de la tarde y María todavía no termina su trabajo de investigación. Se encuentra con un amigo y le dice…

- ☒ a. Hoy he ido ya tres veces a la biblioteca.
- ☐ b. Hoy fui tres veces a la biblioteca.

2 Juan vivió un año en Argentina y viajó mucho por el país. Habla con su amiga María sobre su estancia allá. ¿Qué le dice?

- ☒ a. Cuando estuve en Argentina, viajé a Río de Janeiro.
- ☐ b. Cuando he estado en Argentina, he viajado a Río de Janeiro.

3 Alguien le pregunta a María si ha ido al teatro últimamente. ¿Qué responde?

- ☐ a. No, no fui.
- ☒ b. Sí, he ido varias veces.

4 María se va a acostar. Son las 23:00 y su hijo le pregunta:

- ☒ a. ¿Qué hiciste hoy en la oficina?
- ☐ b. ¿Qué has hecho hoy en la oficina?

5 Florence habla con María, su amiga mexicana, en un café de la Cd. de México. María le pregunta cuánto tiempo lleva en el país y Florence contesta:

- ☐ a. Viví 10 años en México.
- ☒ b. He vivido aquí 10 años.

3. A. Imagina que te tocó un viaje de 15 días en una paradisíaca isla caribeña. Escribe cinco cosas que vas a hacer allí.

1. Voy a... nadar en la playa.
2. Voy a mirar los hombres
3. Voy a buscar
4. Voy a descansar
5. Voy a escuchar música

B. Ahora, escribe cinco actividades que vas a realizar durante tu estancia en México.

1. Voy a... nadar en la playa.
2. Voy a bailar
3. Voy a visitar las vilas Ma
4. Voy a salir las noches
5. Voy a Tulum

4. Aquí tienes el diario de viaje de Carmen en Argentina. Subraya sus experiencias (lo que ha hecho) y sus planes (lo que va a hacer). Después, escríbelo en los cuadros.

14	Jueves Thursday Jeudi Donnerstag	15	Viernes Friday Vendredi Freitag	16	Sábado Saturday Samedi Samstag

Jueves 14 de mayo. Buenos Aires. Hace una semana que estamos en Argentina y me siento como en casa. Y no solo por el idioma. ¡La gente es tan agradable! Esta semana comí más carne que en toda mi vida. Hoy probé la cerveza argentina Quilmes; no está mal. Ya vimos lo que debe ver un turista aquí: la Plaza de Mayo, la Casa Rosada, el barrio de San Telmo y el Caminito, en el barrio de La Boca. Esta mañana fui al cementerio de La Chacarita y visité la tumba de Carlos Gardel. Esta noche vamos a ver un espectáculo de tango en una tanguería de San Telmo y dentro de un par de días nos vamos a ir a Ushuaia. ¡Por fin voy a ver el fin del mundo!

Sábado 16 de mayo. Ushuaia. ¡Ya estamos aquí! La naturaleza es fascinante. Tan verde, tan pura... Hicimos una excursión en barco y vimos montones de focas (¡en vivo y en directo!). Como es verano, no hay pingüinos todavía. Esto es tan bonito que vamos a quedarnos un par de días más y después vamos a ir en avión a Río Gallegos para ver el Perito Moreno. De allí vamos a hacer una excursión a Península Valdés para ver las ballenas. Por cierto, recibí un correo electrónico de Cecilia. ¡Está también por aquí de vacaciones! Quedamos de vernos esta noche y nos va a presentar a su novio argentino.

Experiencias	Planes
Comió mucha carne.	

5. Piensa las respuestas a las siguientes preguntas sobre los hábitos y los horarios de tu país y, luego, escribe frases comparándolos con los de México.

1. ¿A qué hora se cena?
2. ¿A qué hora abren y cierran los bancos?
3. ¿A qué hora se acuesta la gente normalmente?
4. ¿A qué hora sale la gente en la noche para divertirse?
5. ¿A qué hora son la primera y la última función de cine?
6. ¿Hasta qué hora se puede cenar en un restaurante?
7. ¿A qué hora cierran los centros comerciales?
8. ¿Hasta qué hora están abiertos los centros nocturnos?
9. ¿Hasta qué hora se puede viajar en transporte público?
10. ¿Hasta qué hora está permitido vender alcohol?

1. En Brasil se cena a las 9 en cambio en México se cena a las 8.

2.

3.

4.

5.

6.

7.

8.

9.

10.

6. Lee esta biografía de la famosa cantante mexicana Julieta Venegas y rellena los espacios conjugando en Pretérito o en Presente Perfecto los verbos que están entre paréntesis.

JULIETA VENEGAS

Julieta Venegas (nacer) nació y (crecer) creció en Tijuana, Baja California. Ya desde pequeña, Julieta (mostrar) mostró mucho interés por la música: (tomar) tomó clases de varios instrumentos musicales (piano, violonchelo, chelo) y (comenzar) empezó a componer sus propios temas. A través de un amigo de preparatoria, (ser) fue invitada a tocar con el grupo Chantaje, en el inicio de la formación de grupos cuyo estilo musical era el ska y el reggae, pero pronto (decidir) decidió empezar una carrera como solista. Antes de cumplir los 22 años de edad, Julieta (emigrar) emigró a la Ciudad de México donde (entrar) entró en contacto con Fratta y Café Tacuba. Posteriormente, (formar) formó el grupo La Milagrosa, que pronto (pasar) pasó a llamarse simplemente Julieta Venegas. En 1997 (publicar) publicó Aquí, el disco que (marcar) marcó su estreno como solista y que la (consagrar) consagró como una de las más originales cantautoras del mundo hispano. Con sus siguientes trabajos, *Bueninvento* (2000) y *Sí* (2003), Julieta (conseguir) consiguió un gran reconocimiento no solo en México sino también a nivel internacional. Desde entonces (recibir) recibió numerosos premios, (realizar) realizó giras por todo el mundo y (componer) compone numerosas canciones para películas y obras de teatro.

7. Imagina que eres el Secretario de Turismo de México. Escribe todas las acciones (un mínimo de diez) que piensas llevar a cabo para impulsar el sector turístico mexicano. Puedes utilizar la estructura **ir + a + Infinitivo** y los verbos que tienes a continuación u otros.

[abrir] [inaugurar] [promocionar] [vigilar] [impulsar] [invertir]
[atraer] [fomentar] [construir] [limpiar] [cuidar]

1. Yo voy a abrir un hotel.
2. Yo voy a inaugurar una bodega.
3. preco: Vamos atraer los turistas con el
4. Voy a construir un parque de actividades
5. Voy a limpiar las playas.

6. Voy a invertir en la riviera Maya.
7. Voy a impulsar los pobres ciudades
8. Voy a cuidar de la Ciudad de M
9. Voy a construir un parque
10. Voy a vigilar las agencias de viagem.

8. Marca las formas adecuadas en cada una de las siguientes oraciones.

1.

Ayer **fuimos**/hemos ido al cine y **vimos**/hemos visto una película muy interesante. A nosotros siempre **nos gustó/nos ha gustado** mucho ir al cine.

2.

Todavía no **he comido**/comí en el restaurante Barra Antigua, pero ya me **contaron**/han contado que es muy bueno.

3.

No **has hecho**/hiciste ejercicio desde hace un mes, y eso es malo para tu salud.

4.

Las vacaciones pasadas **pasamos**/hemos pasado mucho tiempo leyendo y descansando y, por eso, **tuvimos**/hemos tenido la sensación de no haber aprovechado muy bien el tiempo.

5.

En esa época **viajé**/he viajado mucho por Asia y **dediqué**/he dedicado mucho tiempo al estudio del budismo.

6.

Viajé/**He viajado** mucho por Latinoamérica. Por ejemplo, **he estado**/estuve tres veces en Chile.

7.

La última vez que **fui**/he ido de vacaciones a La Habana, he conocido/**conocí** a unos chavos que me mostraron la ciudad.

8.

● Lucía, todavía no empiezan las vacaciones de agosto y tú ya tienes un bronceado espectacular.
○ Sí, lo que pasa es que este año **he ido**/fui mucho a la playa y nadé/**he nadado** en el mar.

9.

Te escribí/**he escrito** varias cartas en los últimos meses, pero todavía no recibí/**he recibido** contestación.

10.

Ayer **fui**/he ido al cine y me **encontré**/he encontrado a varias amigas de la prepa.

11.

El sábado te **llamé**/he llamado varias veces, pero nadie **contestó**/ha contestado.

9. Responde a las siguientes preguntas sobre tu estancia en México hasta ahora.

1 ¿Qué cosas te han gustado más de México?

las cosas que Hector le gustado mas fue Chichinitza y gectshy.

2 ¿Cuáles son las cosas que menos te han gustado?

Hector no le gusta la lluvia.

3 ¿A qué lugares has viajado?

El he viajado a Cancún, PDC, Chichinitza.

4 ¿Qué nuevos amigos has conocido?

He conocido He, Rafa, sophie, Inglish people ...

5 ¿Qué platillos has probado?

he probado, tacos, quesadillas burritos, chile relleno

6 ¿Qué te ha parecido el clima?

re parecido muy diferente que de Inglaterre.

7 ¿Te ha gustado la gente?

8 ¿Has practicado algún deporte?

6. COCINO MUY BIEN

1. Relaciona las dos columnas.

una barra	de vino
una lata	de papas
una docena	de cereal
un frasco	de pan
una botella	de atún
una caja	de mermelada
una bolsa	de huevos

2. ¿Sabes la receta de algún platillo fácil de preparar? Escríbela. Puede ser uno típico de tu país.

Ingredientes:

Modo de preparación:

3. Relaciona las preguntas con las respuestas.

1. ¿Dónde están las naranjas?
2. ¿Cómo prefieres las fresas?
3. ¿Cómo haces la carne?
4. ¿Dónde compras el pollo?
5. ¿Cómo prefieres el salmón?
6. ¿Donde está el jamón?
7. ¿Dónde compras los huevos?
8. ¿Cómo tomas el café?
9. ¡Qué macarrones tan ricos!
10. No encuentro la sal.

a. *Normalmente a la plancha.*
b. *Siempre las como con crema.*
c. *Lo tomo siempre solo.*
d. *Los compro en el supermercado.*
e. *Lo compro en el supermercado.*
f. *Casi siempre lo como al vapor.*
g. *Las puse en el refri.*
h. *Gracias. Los hago con mucho ajo.*
i. *La dejé en la sala.*
j. *Lo metí en el refrigerador.*

1 ...g... 2 ...b... 3 ...a... 4 ...d... 5 ...f... 6 ...j... 7 ...e... 8 ...c... 9 ...h... 10 ...i...

4. Completa estas frases de una forma lógica.

1. Mauro es muy simpático y, además, *me compro una cerveja.*

2. Esta sopa está buena, pero *falta sal.*

3. Hace mucho ejercicio y, además, *es muy guapo.*

4. Vivo en un lugar muy bonito, pero *la vida es muy caro.*

5. Hace un trabajo muy interesante y, además, *es rico.*

5. A. Intenta averiguar a qué alimento se refieren estas descripciones.

1. Es una fruta verde por fuera y amarilla por dentro, muy jugosa. Se usa en bebidas y para condimentar ensaladas:

el Limo

2. Es una cosa blanca que se pone en casi todas las comidas para darles más sabor. Casi siempre está en la mesa junto a la pimienta, el aceite y el vinagre:

la sal

3. Es una bebida alcohólica, amarilla, que se toma fría y que tiene espuma. Se hace con cereales:

la cerveja

4. Es una fruta roja y pequeña. A veces se come con crema. También se usa para hacer mermelada, pasteles y helados:

la fresas

B. Ahora, describe los siguientes alimentos y bebidas.

naranja: Me encanta naranja, son dulce etc...

mayonesa: Es buena con Hamburguesa solamente, es amarillo o blanca.

champaña: Horrible, amarillo o clara, pero son Horrible.

chocolate: Es case siempre cafe, es muy bueno, los de Brasil.

6. ¿Qué celebraciones te gustan más: bodas, cumpleaños, despedidas de soltero/a, quinceañeras...? ¿Cómo se celebran en tu país? Escríbelo.

En mi país... cumpleaños, porque todos tiene para mi casa y brincamos, después anoche conversamos sobre niños bonitos y también de (Truth or Dare), (verdad o Disafio).

7. En este texto se describe cómo Sofía prepara frijoles a la charra, un platillo típico mexicano. Complétalo con el pronombre de Objeto Directo (**lo, la, los, las**) que corresponda en cada caso.

Sofía dispuso todos los ingredientes sobre la mesa, lavó el cilantro, ...lo... secó y ...lo... picó finamente. Luego, lavó los tomates. El tocino, ...lo... cortó en trozos pequeños. Después, picó la cebolla y ...la... revolvió con el tocino. Las salchichas ...las... partió en rodajas. Puso en un sartén el tomate y la cebolla, y ...la... frió junto con el tocino hasta que estuvieron bien dorados. Añadió estos ingredientes a los frijoles, ...los... sazonó todo con sal y después agregó las ramitas de cilantro. Abrió la lata de chiles jalapeños y ...los... agregó a los frijoles, los cuales dejó hervir por quince minutos.

8. Pon en orden los siguientes pasos para obtener una receta. ¿De qué platillo se trata?

[1] Tomas la pasta y la cueces.

[ ] Añades unos trozos de jamón.

[3] Tomas la cebolla.

[ ] Los fríes con la cebolla.

[ ] La pelas, la cortas y la fríes.

[ ] Lo mezclas todo y lo añades a la pasta

[ ] La sirves caliente con queso.

[5] Cortas los tomates.

[ ] La sacas y la pones aparte.

9. A. ¿Quieres conocer a un cocinero muy famoso de la televisión? Lee este pequeño texto.

Karlos Arguiñano es un cocinero muy conocido tanto en España como en Argentina gracias a sus programas de televisión. Nacido en 1948, este cocinero vasco, que tiene su restaurante en Zarautz (Guipúzcoa), lleva en el mundo de la cocina desde los 17 años, aunque su enorme éxito televisivo le ha dado la oportunidad de hacer cosas diferentes, como escribir libros, abrir su propia escuela de cocina o incluso participar como actor en alguna que otra película.

Su gran éxito mediático se debe sin duda al tono desenfadado que ha sabido dar a sus programas y que le ha permitido conquistar tanto a amas como a "amos" de casa. Su fórmula consiste en explicar paso a paso platos sencillos con muchísima simpatía y naturalidad: cuenta chistes, anécdotas, canta... Igual que cualquiera que se encuentra en su casa cocinando tranquilamente.

B. Aquí tienes algunos trucos culinarios de Arguiñano. Complétalos con los pronombres de Objeto Directo (**lo, la, los, las**) que faltan.

▷ La lechuga .... limpia bien y .... mantiene sin aderezar hasta el momento de servirla.

▷ Los champiñones .... prepara con cebolla, ajo y vino tinto.

▷ El atún .... acompaña con mayonesa, cebolla picada y tomate.

▷ Las papas .... lava muy bien, ... envuelve en papel de aluminio y .... deja en el horno 30 minutos.

▷ Los plátanos .... utiliza para preparar licuados, jarabes e incluso licores.

▷ La paella .... cocina con marisco y pollo, y con un caldo muy concentrado.

▷ Las fresas .... guarda en el refri. Así duran de 5 a 6 días.

▷ El café .... guarda en un recipiente de cristal o de porcelana y .... protege de la luz.

▷ Las botellas de vino .... destapa media hora antes de su consumo para ventilarlas un poco.

▷ La pasta .... prepara en una olla sin tapar y .... deja reposar entre 6 y 9 minutos.

10. A. Aquí tienes una entrevista publicada en una revista de cocina. ¿Puedes relacionar cada pregunta con su respuesta?

El mandado de... Alejandra Piedra

Nacida en Mérida, Yucatán, en 1976, esta licenciada en Ingeniería triunfa en la pantalla chica y está a punto de dar el salto al cine. A Alejandra Piedra le gusta saborear cada momento de su vida.

1. ¿Qué plato se te antoja siempre?

2. Con la vida que llevas actualmente, ¿vas al mandado?

3. ¿Dónde compras el mandado?

4. ¿Qué suele haber en tu carrito del supermercado?

5. ¿Qué ingredientes nunca faltan en tu cocina?

6. ¿Te tienta más un pastel o unos tacos de carne asada?

7. Tu alimento secreto en el refrigerador es…

8. ¿"Pecas" a menudo, gastronómicamente hablando?

9. ¿Cómo se relaja Alejandra Piedra?

10. Madre, esposa y profesional. ¿Cómo lo haces?

a) Voy a un supermercado que tengo al lado de casa y también en las tiendas pequeñas de mi barrio.

b) El mole.

c) Prefiero lo salado. Me quedo con los tacos.

d) Pues la verdad es que sí. Todas las semanas.

e) Viendo la tele en el sofá de mi casa.

f) Constantemente, todos los días, soy débil…

g) Absolutamente de todo. Muchas veces no puedo resistirme a comprar todo lo que tiene buena cara.

h) Es muy difícil y estresante. Hago todo lo posible por distribuir equitativamente mi tiempo y cumplir con mis responsabilidades en las tres facetas.

i) No puedo estar sin salsa ni tortillas.

j) Frijoles a la charra.

B. ¿Cómo contestarías tú a las mismas preguntas?

1. ....
2. ....
3. ....
4. ....
5. ....

6. ....
7. ....
8. ....
9. ....
10. ....

11. Tienes que hacer la lista del mandado para comer todo un día y vas al supermercado de la página 50, pero solo tienes 150 pesos. ¿Qué vas a comer? Escribe el menú. ¿Qué vas a comprar? Escribe la lista del mandado.

MI MENÚ DE HOY

MI LISTA DEL MANDADO

7. NOS GUSTÓ MUCHO

1. Este es el diario de Ricardo. Léelo y completa las frases usando **parecer, gustar, encantar...**

MARTES, 6 DE MARZO

Facultad: clase de Historia con Miralles, el profesor nuevo, muy interesante.

Intenté leer un artículo sobre la Bolsa, ¡qué cosa tan aburrida!

Exposición en el Centro de Arte Moderno, fotografías abstractas, un horror.

Al cine con Alberto: "Diarios de motocicleta", dirigida por Walter Salles. Buenísima, la mejor película que he visto este año.

Cena en un restaurante nuevo del centro, el Bogavante. El local es muy bonito y la comida no está mal, pero nada especial. Fuimos Alberto, su novia Azucena y una amiga suya, Margarita... guapa, inteligente, simpática.

Martes 6 de marzo:

Fue a clase de Historia. *Le pareció interesante.*

Intentó leer un artículo de economía. ....

Fue a una exposición de fotografía. ....

Fue al cine a ver *Diarios de motocicleta*. ....

Fue a un restaurante nuevo. ....

Conoció a la amiga de Azucena. ....

2. Relaciona estas frases con su continuación lógica.

1. Ana y Andrés me cayeron muy bien,
2. Los cuadros de la exposición no me gustaron mucho,
3. El restaurante me encantó,
4. La hermana de Calixto me cayó muy bien,
5. El museo no me gustó mucho,
6. No me gustó cómo habló Matilde,

a. *no son especialmente buenos.*
b. *son muy simpáticos.*
c. *es una maleducada.*
d. *es muy divertida.*
e. *no es muy interesante.*
f. *la comida es buena y el ambiente, muy agradable.*

1 .....   2 .....   3 .....   4 .....   5 .....   6 .....

3. Completa estas conversaciones conjugando los verbos en Presente Perfecto o en Pretérito.

1
● Ayer Edith y yo (ir) .... al teatro.
○ ¿Qué (ver) ....?
● Una obra muy divertida de Lope de Vega. Nos (encantar) ....

2
● Andrés, ¿(estar) .... alguna vez en Querétaro?
○ No, nunca. (estar) .... muchas veces en San Miguel de Allende, pero nunca en Querétaro.

3
● ¿Qué tal ayer? ¿Qué les (parecer) .... la exposición? ¿Les (gustar) ....?
○ A mí no (gustar) .... mucho.
■ A mí tampoco (parecer) .... muy buena, la verdad.

4
● El mes pasado mi marido y yo (ir) .... de vacaciones a Argentina.
○ ¿Y qué tal?
● De maravilla. (pasársela) .... muy bien.

5
● ¿Conocen el restaurante Las Tinajas?
○ Yo no, no (estar) .... nunca.
■ Yo sí, (ir) .... hace dos semanas y no (gustar) .... nada. Además, (parecer) .... carísimo.

6
● ¿Y tú, Marcos, (estar) .... alguna vez en el Museo de Antropología e Historia?
○ Sí, (estar) .... por primera vez cuando lo inauguraron y luego (volver) .... hace dos años.

7
● ¿Qué te (parecer) .... el concierto de ayer?
○ Muy malo. No me (gustar) .... nada.

8
● ¿Qué tal el viernes? ¿Adónde (ir, tú) ....?
○ (ir) .... a un bar del centro, El Paquito. ¿Lo conoces?
● Sí, sí. ¿Y qué te (parecer) ....?
○ Me (encantar) .... ¡Es padre!

4. ¿Qué te gustaría hacer...

1. ... hoy?

....
....

2. ... la próxima semana?

....
....

3. ... después de este curso de español?

....
....

4. ... el año que viene?

....
....

5. ... dentro de diez años?

....
....

6. ... después de jubilarte?

....
....

5. Elige el pronombre correcto en cada caso.

1. • Ayer vimos *Mar adentro*. A mí me encantó, pero a Alfredo **la** / **le** / **se** pareció un churro.

2. • El sábado fuimos al parque de diversiones y los niños se **le** / **les** / **la** pasaron de maravilla.
   ○ Pues a mis hijos no **les** / **los** / **le** gusta nada, no sé por qué.

3. • ¿Qué te parece la novia de Óscar?
   ○ Bien, **le** / **la** / **los** he visto solo una vez pero **te** / **me** / **se** pareció muy buena onda.

4. • ¿Qué **te** / **le** / **les** pareció a tu madre el vestido?
   ○ **La** / **lo** / **le** gustó, pero dice que es demasiado atrevido para la ceremonia así que creo que **lo** / **la** / **los** voy a devolver.

5. • ¿Qué tal la cena del sábado?
   ○ Pues no me **lo** / **le** / **la** pasé muy bien, la verdad. Es que vino también Alicia y ya sabes que **la** / **le** / **me** cae muy mal.

6. Tristán, el protagonista de la actividad 8 de la página 63, tiene un hermano gemelo: Feliciano. Sin embargo, Feliciano es alegre, optimista y siempre está de buen humor. Imagina cómo sería un correo suyo contando lo que hizo el sábado pasado.

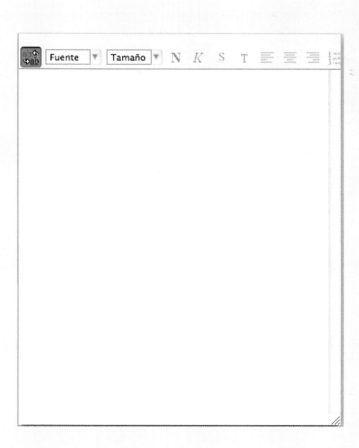

7. ¿Cuál de las cosas de la lista crees que se puede hacer en cada uno de estos lugares? Escríbelo en tu cuaderno. Luego, escribe un pequeño texto explicando y justificando a cuál de los tres lugares te gustaría ir.

> asistir a una charreada y visitar el mercado
> ir a la playa
> comer pescado fresco
> oír a los mariachis en la plaza principal
> contemplar el paisaje
> broncearse
> acampar en las afueras del pueblo
> meterse al mar
> montar a caballo
> visitar museos
> comer en un restaurante típico y probar el mole poblano

[PLAYA DEL CARMEN]

[PUEBLA]

[SAN JUAN DE CHAMULA]

8. Escribe un pequeño texto explicando el último viaje que hiciste. No olvides incluir valoraciones de los lugares que visitaste y de las personas que conociste.

9. A. Fíjate en las expresiones resaltadas en negrita.
¿Qué tipo de información dan? Márcalo en el cuadro.

El nuevo libro de Vargas Llosa (1) cuenta la historia de un hombre que...

La última entrega de *La guerra de las galaxias* se ha convertido en (2) la más taquillera de la saga.

A mi hermano, que es escritor, le gusta escribir (3) novela, pero se considera un apasionado del (4) relato breve.

Este apasionante libro (5) narra las aventuras de tres caballeros y (6) está ambientada en la Francia medieval.

El cortometraje (7) ganador del primer premio en el Festival de Cine de Málaga (8) habla de los problemas de dos jóvenes que...

Esta película ha sido (9) galardonada con el premio especial del jurado en el festival de cine de San Sebastián.

a. reconocimiento público	
b. lugar y tiempo	
c. personaje y argumento central	
d. estilos y géneros	

B. Haz una breve descripción de tu libro y de tu
película favoritos.

LIBRO
Título:
Escritor/a:
Descripción: ....
....
....
....
....

PELÍCULA
Título:
Director/a:
Descripción: ....
....
....
....
....

C. Ahora, intenta describir tus dos discos favoritos.

DISCO
Título:
Autor/a:
Descripción: ....
....
....
....
....

DISCO
Título:
Autor/a:
Descripción: ....
....
....
....
....

8. ESTAMOS MUY BIEN

1. Lee esta carta dirigida al consultorio de la revista *Salud* y escribe una respuesta. ¿Qué le recomiendas al chico que la escribió?

¡Hola!

Soy un chico de 27 años y les escribo para pedirles consejo. El año pasado tuve un accidente de coche y estuve más de dos meses en el hospital. Luego pasé cuatro meses más en casa, sin ir al trabajo, sin salir mucho y... ¡engordé 20 kilos! Ahora estoy bastante recuperado del accidente (solo tengo algunos dolores de espalda), pero 20 kilos de más son muchos kilos. He intentado adelgazar de todas las maneras posibles: compré ese aparato que anuncian en la televisión para hacer gimnasia en casa, tomé unas infusiones adelgazantes a base de hierbas naturales y todos los días, antes del tentempié de las 11 y antes del tentempié de la tarde, tomo uno de esos licuados de fresa que dicen que adelgazan... Pero nada. ¿Qué puedo hacer?

2. Elige la forma adecuada en cada caso.

1. No se encuentra bien, ... la cabeza.

| **a.** tiene dolor de | **b.** le duelen | **c.** le duele |

2. Mónica no se encuentra bien, vino en barco de Cuba y está muy ....

| **a.** mareado | **b.** mareada | **c.** mareo |

3. Ha caminado cinco horas con unos zapatos nuevos. Y, claro, ahora .... los pies.

| **a.** tiene dolor de | **b.** le duelen | **c.** le duele |

4. ¿Tienes una aspirina? .... cabeza.

| **a.** Tengo dolor | **b.** Me duelen | **c.** Me duele la |

5. Han comido mucho y ahora a los dos .... el estómago.

| **a.** tiene dolor de | **b.** les duele | **c.** le duelen |

6. Mario tiene que ir al médico; está muy ....

| **a.** estresante | **b.** estresado | **c.** estrés |

3. Completa las frases con el Presente de **ser** o **estar**.

1. Alicia .... una mujer extraordinaria.

2. No quiero salir. .... muy cansado.

3. ¡La ventana .... abierta! ¿Quién la dejó así?

4. ¿Dónde .... el suéter amarillo? .... el que más me gusta y no lo encuentro.

5. ¿Quién .... esa chica que .... sentada ahí?

6. La casa .... muy desordenada; mis hijos .... un desastre.

7. Mi jefa .... una mujer muy dinámica, pero trabaja demasiado y .... siempre cansada.

8. .... un pueblo muy bonito, pero .... demasiado lejos de la ciudad.

4. Aquí tienes un artículo sobre un deporte tradicional del País Vasco (España). Léelo y relaciona cada una de las cuatro fases con su ilustración correspondiente.

Levantamiento de piedra

El levantamiento de piedra es uno de los deportes tradicionales vascos más espectaculares. Consiste en levantar piedras de diferentes formas y tamaños, y colocarlas sobre los hombros. No es solo una prueba de fuerza, sino también de agilidad, de flexibilidad y de velocidad. El actual récord del mundo está en 327 kg.

El levantamiento se puede dividir en cuatro fases:

1. El levantador agarra la piedra y empieza a levantarla.

2. Seguidamente, coloca la piedra sobre las piernas tocando el estómago. Para mantener el equilibrio, durante estas dos primeras fases, el levantador no está totalmente de pie.

3. En la tercera fase, el levantador agarra la piedra por debajo. El peso de esta pasa de las piernas a los brazos.

4. En la última fase, el deportista sube la piedra hasta el hombro. Primero, la apoya en el pecho y, luego, la empuja hacia el hombro en movimientos cortos.

5. A. Intenta adivinar de qué deporte se habla en cada descripción.

1. Normalmente se practica sentado: ....

2. Se juega en equipo. Para tocar el balón se pueden usar las manos y los pies: ....

3. Se juega individualmente o por parejas. Para lanzar la pelota se usa una cosa de madera o de fibra y son necesarias varias paredes: ....

4. Se juega al aire libre, en grandes extensiones. Para lanzar la pelota se usa un palo y se repite la misma operación en 18 lugares diferentes: ....

5. Se juega en equipo. Se puede jugar en pista cubierta o en la playa. El balón solo se puede tocar con las manos: ....

B. Ahora, crea tú las descripciones de otros cuatro deportes.

Deporte:
Descripción:

Deporte:
Descripción:

Deporte:
Descripción:

Deporte:
Descripción:

6. Escribe en el cuadro de abajo el nombre de las partes del cuerpo señaladas en el dibujo. Puedes utilizar el diccionario.

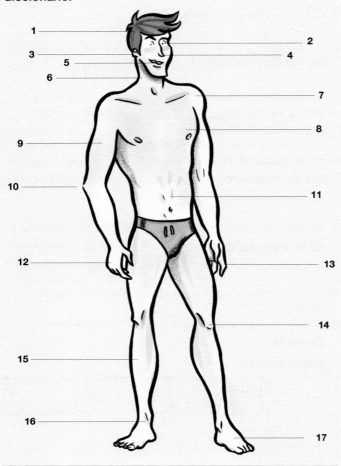

1	
2	
3	
4	
5	
6	
7	
8	
9	
10	
11	
12	
13	
14	
15	
16	
17	

7. A. Ordena los fragmentos de este texto que habla sobre el estrés.

☐ Para combatirlo, un 1% de los afectados, recurre a los medicamentos. Aunque generalmente no lo consideran una medida muy satisfactoria ni eficaz, resulta más cómodo que los otros remedios.

☐ Las personas que nunca han sufrido estrés son una especie en extinción, en México al menos. La mayoría de la población asegura que lo padece o que lo ha padecido en algún momento de su vida.

☐ Pero no son las únicas. Vivir un acontecimiento personal importante, los problemas financieros, el rendimiento escolar o el tráfico son también circunstancias que normalmente generan estrés.

☐ Entre ellos, destacan hacer deporte, cambiar el estilo de vida y la terapia de un especialista.

☐ Problemas laborales, familiares y de salud, por ese orden, son las tres causas principales de este trastorno, según un estudio reciente de la Organización de Consumidores y Usuarios.

B. Ahora, busca en el texto las posibles causas y soluciones de este problema y escríbelas en el espacio correspondiente.

causas   soluciones

8. Escribe cada una de estas preguntas en la conversación correspondiente.

¿Qué tal? ¿Estás mejor?

Tienes mala cara. ¿Estás bien?

¿Qué te pasó?

¿Qué te pasa?

¿Y te duele mucho?

1. ....

- ¿Tú no comes nada? ....
- ○ No, nada, es que estoy cansada, y no tengo hambre.

2. ....

- ¡Uy! ....
- ○ Me caí de la escalera y me rompí un dedo, ya ves…
- ¡Oye! ....

3. ....

- ○ ....
- ○ Sí, un poco, ya no tengo fiebre.
- Bueno, me alegro.

4. ....

- ○ ....
- ○ Sí, no es nada. Es que anoche me la pasé de fiesta y no dormí, así que estoy muerto de sueño.

9. Lee estas curiosidades sobre la famosa deportista mexicana Ana Guevara y marca aquellas cosas que tienen en común.

ANA GUEVARA   VELOCISTA

Nació el 4 de marzo de 1977 en Nogales, Sonora.

FÍSICO
- Mide 1.75 m y pesa 62 kilos.

EL CABELLO
- Actualmente tiene el pelo largo. En 1997 se lo tiñó de verde y en 1998, de rubio.

CICATRICES
- Tiene una en la espalda (la atropelló un carro cuando tenía siete años) y otra en la rodilla por una caída de moto.

UÑAS
- Ahora las trae largas y cuidadas; generalmente las pinta de colores llamativos.

ADORNOS
- Le gustaría ponerse un arete en el ombligo.

JOYAS
- En fiestas de gala sí usa.

CARÁCTER
- Se define como una persona fuerte, independiente, a la que le gustan las cosas claras. Pero también reconoce que es tierna, sensible y detallista.

PASATIEMPOS
- Le encanta la fotografía.
- Se declara aficionada a los libros de autoayuda psicológica, espiritual y emocional. Su libro favorito es *El mundo es tuyo pero tienes que ganártelo*, de Kim Woo-Choong.
- Su ídolo es el ex jugador de baloncesto Michael Jordan.
- Su comida favorita es la carne.
- Su actriz favorita es María Félix.
- Le encanta la música, en especial los boleros, Kenny G y el grupo irlandés U2.

9. ANTES Y AHORA

1. Completa el cuadro con las formas adecuadas del Imperfecto.

	trabajar	hacer	salir
(yo)	trabajaba	....	....
(tú)	....	....	....
(él/ella/usted)	....	hacía	....
(nosotros/as)	....	....	....
(vosotros/as)	....	....	....
(ellos/ellas/ustedes)	....	....	salían

2. Observa estas dos imágenes de Fernando. ¿En qué cosas crees que ha cambiado su vida? Escríbelo.

3. Piensa en alguien de tu familia: tu madre, tu abuelo... Piensa dónde vivía cuando era joven, cómo era su casa, qué cosas hacía para pasarlo bien, cómo era la vida en aquella época... Luego, escribe un texto comparando sus vidas y explicando qué cosas te parecen mejores o peores.

....
....
....
....
....
....
....
....
....
....
....
....
....

4. Aquí tienes un fragmento de la biografía de un personaje muy conocido. ¿Quién es: Pablo Picasso, Antoni Gaudí o Gabriel García Márquez? Escríbelo debajo.

Nació el 25 de octubre de 1881 en Málaga (España). Su familia vivía modestamente y su padre era profesor de dibujo.

No le gustaba la escuela: "Solo me interesaba ver cómo el profesor dibujaba los números en la pizarra. Yo únicamente copiaba las formas, el problema matemático no me importaba."

Era tan mal estudiante que lo castigaban a menudo: lo metían en "el calabozo", un cuarto vacío en el que solo había un banco. "Me gustaba ir allí porque cogía mi cuaderno de dibujo y dibujaba. Allí estaba solo, nadie me molestaba y podía dibujar y dibujar y dibujar."

Se trata de ....

5. ¿Quién es tu personaje famoso favorito? ¿Sabes muchas cosas sobre su vida? Escribe un pequeño texto sobre cómo era su vida antes de ser famoso. Si no dispones de la información necesaria, seguro que en Internet puedes averiguar muchas cosas.

6. Completa estas frases conjugando los siguientes verbos en Imperfecto: **poder, tener, haber, hablar, vivir, escribir, ser, estar** y **durar**. Algunos los tienes que usar más de una vez.

1. Los antiguos egipcios .... una escritura llamada "jeroglífica".

2. Los romanos .... latín.

3. Antes del descubrimiento de América, en Europa no .... papas.

4. Los incas .... en grandes ciudades.

5. A principios del siglo XIX, el Imperio Turco .... enorme.

6. A principios del siglo XX, las mujeres no .... votar en casi ningún país del mundo.

7. En España, durante el franquismo, los partidos políticos .... prohibidos.

8. Antes, la gente .... más hijos que ahora.

9. En los años 50, la mayoría de mexicanos no .... coche.

10. En los años 70, Ibiza .... una isla tranquila.

11. Antes, los viajes entre América y Europa .... semanas.

12. Antes de la aparición de Internet, la gente .... más cartas que ahora.

7. Completa estas frases con tu opinión utilizando **ya no** o **todavía**.

1. Antes, viajar en avión era muy caro. En la actualidad, ...

2. A finales del siglo XX, China era el país más poblado del mundo. Hoy en día, ...

3. A finales del siglo XX, había muchas guerras en diferentes partes del mundo. Actualmente, ...

4. Antes, las mujeres estaban discriminadas en muchos países. En la actualidad, ...

5. Antes, en México se podía fumar en todos los sitios. Ahora, ...

6. Antes, en México el deporte más popular era el futbol. Ahora, ...

8. Completa las frases con información sobre ti.

1. Antes ....

2. Ahora ....

3. Cuando tenía tres años ....

4. De niño ....

5. Cuando tenía 12 años ....

6. Cuando tenía 15 años ....

9. A. ¿A qué situación de su pasado se refieren estas personas? Completa con una información posible.

1. Cuando .... ,
por una parte estaba mejor, porque no tenía que coci-
nar, ni ir al supermercado, ni me preocupaba por los
recibos y, además, tenía la compañía de mi familia;
pero, por otra parte, no tenía tanta libertad, debía
seguir unas normas...

2. Cuando .... ,
me podía hacer un montón de peinados diferentes pero
era muy pesado tener que lavarlo tan a menudo y por
eso me lo corté. Me da un poco de lástima, pero estoy
mucho más cómoda.

3. Cuando .... ,
era más puntual porque no podía avisar dos minutos
antes de la cita de que iba a llegar tarde... En cambio,
ahora, con una llamada para decir que hay un conges-
tionamiento o cualquier otra excusa basta... ¡¡Pero la
otra persona espera igual!!

4. Cuando .... ,
tenía muchos problemas para hacer algunos deportes,
me gastaba mucho dinero porque se me rompían
muchas veces. Ahora, con las lentes de contacto, soy
una persona nueva y, además, me gusta mucho más
mi imagen.

5. Cuando .... ,
tenía que usar siempre el transporte público y luego
caminar un buen rato para llegar al trabajo. ¡Tardaba
casi una hora y media en llegar! Ahora, desde que me
compré el 4x4, llego en veinte minutos.

B. Ahora, escribe un texto hablando de tu propia
experiencia.

Antes, cuando no sabía nada de español, ...
....
....
....
....
....
....
....
....
....

10. Lee las siguientes opiniones sobre estos tres temas.
¿Tú que opinas? ¿Estás de acuerdo? Escribe tu opinión.

Sí, es cierto...
Bueno, eso depende de...
Bueno, sí, pero...
No sé, creo que...
No estoy de acuerdo. Para mí...
Estoy de acuerdo...

1. Leer novelas es una experiencia única. La gente que lee
novelas es más interesante.

....
....
....

2. No puedes ser un verdadero amante de la música si no
te gusta la música clásica.

....
....
....

3. Antes, la gente tenía más hijos. Hoy en día, en cambio,
formar una familia no es tan importante... Pero sin hijos
la vida no tiene tanto sentido.

....
....
....

11. Ana, una mujer mexicana, nos cuenta cosas sobre
su infancia. Completa el texto conjugando en Imperfecto
los siguientes verbos.

ser(2)   vivir   jugar
tener   ir   aprender
estar(2)   conocer

Cuando .... niña, ... en un pueblo cerca de la playa. Mi casa .... junto al río y
.... un pequeño jardín. La vida allí
.... muy sencilla. .... a la escuela,
.... muchas cosas y .... con mis
amigos. En esos años .... de moda los Beatles
en casi todo el mundo pero yo todavía no los
....

12. ¿A qué invento o descubrimiento se refiere cada texto? Escríbelo.

Antes de su invención, necesitábamos ayuda para hacer muchas cosas que hoy hacemos solos: teníamos que pedir ayuda a otra persona para afeitarnos o para maquillarnos, necesitábamos la opinión de otro para saber si un traje nos quedaba bien o para saber si estábamos guapos, etc.

1. ....

Antes de su invención, era mucho más incómodo, por ejemplo, calentar un poco de leche: se tardaba más y se ensuciaba una cacerola. Ahora, en un minuto ya está lista en la misma taza en la que te la tomas.

2. ....

13. A. Lee el testimonio de unas personas acerca de cómo era su ciudad cuando eran jóvenes, a principios del siglo XX. ¿De qué ciudad habla cada uno: de **Granada**, de **Buenos Aires** o de **La Habana**?

A principios de siglo, era una ciudad bastante rica en la que se vivía muy bien. Había muchos cafés y lugares nocturnos donde se cantaban y se bailaban tangos hasta altas horas de la mañana. Los restaurantes estaban llenos y la vida cultural era muy intensa y variada. Había numerosas representaciones de ópera y de teatro y las salas de cine estaban siempre llenas. La ciudad era segura, entretenida y llena de vida. La verdad es que tenía un ambiente muy diferente al que tiene ahora.

A principios de siglo, era una ciudad muy provinciana, muy bonita pero pobre y muy atrasada en muchos aspectos. No había higiene ni buena alimentación y casi todo el mundo pasaba necesidad. Nosotros trabajábamos para el patrón del pueblo. Recibíamos un salario muy bajo que no nos alcanzaba para nada. Como no había vida nocturna, nos íbamos temprano a dormir y nos levantábamos temprano también. Solo nos divertíamos un poco cuando eran las fiestas de la patrona de la ciudad.

Era una ciudad explosiva que vivía principalmente del turismo. Había muchos extranjeros, sobre todo americanos, que venían a la isla a jugar en los casinos y a disfrutar de las noches. Había bandas de son y de salsa que tocaban todas las noches en los locales cercanos al mar. Las diferencias entre ricos y pobres eran muy grandes. Algunas personas vivían en enormes mansiones y otros tenían malas condiciones de vida. Había mucho dinero y se construían edificios muy hermosos. La ciudad es diferente hoy en día.

B. Ahora, elige una de las tres ciudades y escribe un breve texto explicando cómo es en la actualidad. Puedes comentar los aspectos que aparecen en los textos anteriores u otros. Puedes buscar información en Internet.

....
....
....
....
....
....
....
....
....
....

10. MOMENTOS ESPECIALES

1. ¿Cómo eran estas personas o cosas? Descríbelas.

Mi primer/a maestro/a.

Mi primera maestra se llamaba Anne, era muy simpática y nos contaba cuentos...

Un juguete que tenías de pequeño/a.

Un/a amigo/a de la infancia.

Una prenda de vestir que te gustaba mucho de pequeño/a.

2. Elige la mejor opción.

1. La última vez que vi a Carla **tenía/tuvo** muy buen aspecto.

2. Cuando conocí a Lucy, **traía/trajo** un vestido de fiesta precioso.

3. **Pasaba/Pasé** dos años en Londres; fueron los años más felices de mi vida.

4. El otro día vino Marco a casa; quería tomar café, pero no **teníamos/tuvimos**.

5. Compré un vino muy caro, lo guardé en el armario y el día de mi cumpleaños lo **abría/abrí** para tomarlo con mis amigos.

6. Ana tenía una casa preciosa en el centro, pero **era/fue** muy vieja y no tenía calefacción. Al final, se mudó.

7. Antes **venía/vine** mucho a este bar, pero luego me fui a vivir a otro barrio y dejé de venir.

8. Llegué tarde al aeropuerto porque **perdía/perdí** el autobús de las 16:00.

9. Ramón jugaba futbol en un equipo profesional, pero un día **tenía/tuvo** un accidente, se rompió una pierna y tuvo que dejarlo.

10. Miguel nunca salía de casa pero, en enero del año pasado, **conocía/conoció** a una chica por Internet y su vida cambió totalmente.

11. Lupe no sabía nada del trabajo de Pepe. Por eso, cuando aquel día lo **veía/vio** con el uniforme de bombero, se sorprendió mucho.

12. A los 12 años descubrieron que Marquitos **era/fue** miope; y le pusieron lentes, claro.

3. El siguiente texto es el principio de un relato de misterio. Tenemos los hechos (por eso todos los verbos están en Pretérito), pero ahora tienes que describir las circunstancias que se indican utilizando el Imperfecto. Luego, escribe el texto completo y continúa la historia.

Aquel día Arturo salió de casa a las 6 de la mañana. Pasó al lado del puesto de periódicos de prensa y fue a la central de autobuses. Compró un boleto, se sentó y esperó la llegada del autobús. A las 6:20 llegó el autobús, subió, pero no se pudo sentar. Bajó en la oficina. A la salida se encontró con una mujer alta que le dio un paquete. De allí, Arturo se dirigió hacia una parada de taxis. Llegó un taxi a las 7:30 y lo tomó...

Describe:
1. el tiempo que hacía aquel día a las 6 de la mañana;
2. el puesto de periódicos (estaba abierto, cerrado...);
3. el ambiente de la central de autobuses en ese momento;
4. por qué Arturo no se pudo sentar en el autobús;
5. el aspecto y el contenido del paquete.

4. Completa estos cuadros con las formas adecuadas del Pretérito.

REGULARES

	pensar	sentarse	correr	compartir
(yo)	pens**é**	me sent**é**	....	....
(tú)	....	....	corr**iste**	....
(él/ella/usted)	....	....	....	compart**ió**
(nosotros/as)	....	....	....	....
(vosotros/as)	....	....	....	....
(ellos/ellas/ustedes)	pens**aron**	....	....	....

	llegar	levantarse	comer	vivir
(yo)	....	....	....	....
(tú)	....	....	....	....
(él/ella/usted)	....	....	....	....
(nosotros/as)	....	....	....	....
(vosotros/as)	....	....	....	....
(ellos/ellas/ustedes)	....	....	....	....

IRREGULARES

	conducir	ir	producir
(yo)	condu**je**	....	....
(tú)	....	....	....
(él/ella/usted)	....	....	....
(nosotros/as)	....	....	....
(vosotros/as)	....	**fuisteis**	....
(ellos/ellas/ustedes)	....	....	....

5. Marca la forma adecuada en estas frases.

1. Fui a visitar a Patricia al hospital, pero no pude verla, porque en ese momento **estaba/estuvo** descansando.

2. En los Alpes **estuvimos/estábamos** tres días sin salir de casa por el mal tiempo.

3. **Estuvo/Estaba** viviendo unos meses en Alemania, pero no aprendió ni una palabra de alemán.

4. Llegué muy tarde al restaurante y mis amigos ya **estuvieron/estaban** tomando el café.

5. Me llamó por teléfono, pero no lo oí porque **estuve/estaba** escuchando música en mi cuarto.

6. Me la pasé de maravilla en la fiesta; **estuve/estaba** bailando todo el tiempo.

6. Continúa estas frases.

1. El otro día estaba en mi casa y, de repente, ...

2. El sábado por la noche quería ir a bailar, pero al final ....

3. Le compré un regalo a Enrique porque era su cumpleaños, pero ....

4. Estaba escuchando música en casa y, de pronto, ...

5. Cuando mis amigos estaban en clase, yo ....

6. Iba en el autobús a la escuela y, de repente, ...

7. Era de noche y no había nadie en la calle, un coche se paró a mi lado y entonces ....

8. Cuando vivía allí no tenía muchos amigos porque, en aquella época, ...

9. Estaba sentado en una banca de la plaza. No había nadie, pero entonces ....

10. Al principio, las clases de cocina no me gustaban nada, pero luego ....

7. Imagina que te pasó algo sorprendente. Escribe en tu cuaderno un texto explicándolo. Aquí tienes una serie de elementos, pero si lo necesitas puedes modificarlos, usar otros que tú quieras o cambiar las personas. Utiliza también los marcadores temporales necesarios.

CIRCUNSTANCIAS
Llovía/Hacía sol
No tenía dinero
Era muy guapo/a, feo/a, raro/a...
Tenía mucha hambre
Yo estaba enamorado/a de...
Nadie de mi familia lo sabía
Estaba enfermo
Me sentía mal
Tenía mucho sueño
Quería ir/volver a...

ACONTECIMIENTOS
Llegué tarde a...
El teléfono sonó
Alguien llamó a la puerta
No me desperté
Apareció un...
Tuve que...
Me encontré una cartera/un perro...
Me dormí en un autobús/tren/metro...
Me caí en...
Alguien me...

8. Elige uno de los siguientes titulares y escribe la noticia correspondiente en tu cuaderno.

México se proclama campeón del mundo de futbol

El príncipe heredero de Fastundia se casa con Margarita de Flambes

Familia de gorilas se escapa del zoo municipal

Dimite el presidente del Gobierno por las acusaciones de corrupción

9. Aquí tienes los principales acontecimientos de la historia de Cuba. Conjuga los verbos en Pretérito.

> En 1492, Colón (descubrir) .... la isla de Cuba.

> En 1560, la isla (convertirse) .... en un punto comercial estratégico.

> En 1850, (producirse) .... enfrentamientos entre el ejército español y los independentistas cubanos.

> En 1895, (empezar) .... la guerra entre España y Cuba.

> En 1898, Estados Unidos (entrar) .... en la guerra.

> En 1899, Estados Unidos (asumir) .... el gobierno de Cuba durante cuatro años.

> En 1940, (aprobarse) .... una nueva Constitución.

> En 1952, Fulgencio Batista (dar) ...... un golpe de Estado.

> En 1956, un grupo de jóvenes liderados por Fidel Castro (internarse) .... en la Sierra Maestra y (formar) .... el núcleo del ejército rebelde.

> En 1959, tras derrotar a las fuerzas de Batista, el ejército rebelde (entrar) .... en La Habana.

> En 1962, Kennedy (ordenar) .... el bloqueo a Cuba.

> En 1980, el gobierno cubano (autorizar) .... la emigración hacia Estados Unidos.

> En 1991, la URSS (poner) .... fin a su alianza política, militar y económica con Cuba.

10. Ordena los fragmentos de este texto.

A. A la salida del parque los detuvo la policía porque vio que iban en un coche en muy mal estado.

B. La señora se asustó mucho y decidió subir rápidamente la ventanilla del coche, pero al hacerlo atrapó la trompa del elefante.

C. Uno de los policías fue a buscar uno de esos aparatitos para hacer controles de alcoholemia.

D. El animal se la comió, pero quería más. Y hábilmente introdujo la trompa en el interior del coche para servirse él mismo.

E. El hombre, que todavía estaba muy nervioso, se tomó dos copas de coñac para calmarse y, después de un rato, decidieron volver a casa.

F. Una pareja fue a pasar la tarde a un Safari Park, un parque donde los animales están en libertad y los visitantes los ven desde sus vehículos.

G. El hombre sopló confiado, pero dio positivo porque se había tomado dos coñacs.

H. Llegaron a la zona de los elefantes y pararon para observarlos de cerca. Uno de esos animales se acercó a ellos y la mujer, en un acto de afecto e ignorando el enorme cartel que decía "prohibido dar de comer a los animales", le ofreció una manzana desde el coche.

I. Le pusieron una hermosa multa y le retiraron la licencia de conducir.

J. Este, enojado, empezó a dar golpes al coche y a zarandearlo asustando a los ocupantes y dejando el vehículo bastante deteriorado.

K. Como compensación por el susto, decidió acompañarlos hasta el bar del parque y allí hablar con ellos tranquilamente.

L. En ese momento, apareció un guarda del parque en un jeep y consiguió calmar y rescatar a la pareja.

F	_	_	_	_	_	_	_	_	_	_	_
1	2	3	4	5	6	7	8	9	10	11	12

11. Esta es una biografía de Celia Cruz. Conjuga los verbos entre paréntesis en Pretérito o en Imperfecto.

la Reina de la Salsa

"La Reina de la Salsa" (nacer) .... en el barrio Santo Suárez de La Habana un 21 de octubre. Durante toda su vida, la cantante (negarse) .... a decir qué edad (tener) .... pero, según varias de sus biografías, se cree que (nacer) .... en el año 1924 en el seno de una familia humilde. Durante su adolescencia y sus primeros años de juventud, Celia (compaginar) .... sus dos grandes pasiones: la música y la docencia: (estudiar) .... teoría de voz y música en el Conservatorio de Música, (dar) .... clases de literatura y (trabajar) .... en la radio.

En esa misma época, su tía (soler) .... llevarla a los locales nocturnos en los que las compañías discográficas (buscar) .... nuevos talentos. En 1947, cuando todavía (ser) .... muy joven, Celia (ganar) .... un concurso de jóvenes cantantes que le (abrir) .... las puertas para incorporarse, unos años después, al mítico grupo La Sonora Matancera.

A consecuencia de sus diferencias políticas con Fidel Castro, en julio de 1960 (abandonar) .... Cuba y (instalarse) .... en los Estados Unidos, desde donde (ayudar) .... económicamente a su familia. Debido a sus críticas al gobierno cubano, este le (impedir) ...., como represalia, la entrada a la isla para asistir al funeral de su padre.

Su vida en los Estados Unidos no (ser) .... fácil en un primer momento. Los ejecutivos de la industria musical no (estar) .... seguros de que una mujer pudiera vender discos, pero los músicos de la Sonora (creer) .... en todo momento en esta joven con talento, sentimiento y swing. En realidad, (ser) .... gracias a ella y a la orquesta que (nacer) .... el ritmo musical que hoy se conoce como "salsa".

Celia Cruz (estar) .... con La Sonora Matancera hasta 1965. Al año siguiente (unirse) .... a la orquesta de Tito Puente, con quien (actuar) .... en numerosas ocasiones y (grabar) .... ocho discos. Luego de esta temporada con el rey de los timbales, Celia (firmar) .... un contrato con el sello Vaya, subsidiario de Fania Records. (correr) .... el año 1973 y los latinos que (vivir) .... en los Estados Unidos (buscar) .... iconos que reafirmaran su identidad y sus raíces. En este contexto, Celia Cruz (irrumpir) .... con fuerza y (convertirse) .... en un ídolo para toda una generación.

Durante su larga trayectoria, Celia Cruz (grabar) .... más de 70 álbumes y (ganar) .... más de 100 premios. También (participar) .... en numerosas películas y en varias telenovelas mexicanas. La "Reina de la Salsa" (fallecer) .... el 16 de julio de 2003, a los 78 años de edad, en su hogar de Nueva Jersey.

11. BUSQUE Y COMPARE...

1. Todas estas palabras están relacionadas con la publicidad. Colócalas en el cuadro que les corresponda. Piensa si son masculinas o femeninas y añade el artículo correspondiente.

logotipo FEMINIDAD solidaridad *vallas publicitarias*

RADIO **anunciante** ~~folleto~~ ~~imagen~~ libertad

~~eslogan~~ CONSUMIDOR MODERNIDAD **marca** CARTEL

SEGURIDAD publicista *REBELDÍA* ~~televisión~~

Elementos de un anuncio:

El eslogan o ~~un anuncio~~
la Marca.
anunciante

Personas:

El consumidor

Soporte:

El cartel
El folleto
televison

Connotaciones o valores:

La libertad

2. Relaciona las dos columnas.

fregar — las papeleras
lavar — la aspiradora
colgar — la ropa
dar de comer — los platos
recoger — el teléfono
regar — al perro
apagar — las luces
vaciar — las plantas
pasar — la mesa

3. Observa este anuncio y completa la ficha.

1. ¿Qué anuncia? Camiñones
2. ¿A quién se dirige? cofe
3. ¿Entiendes el eslogan? No

4. ¿Te parece un buen anuncio? ¿Por qué?
Si No, porque no intiendo mucho bien.

4. ¿Con qué productos asocias las palabras o expresiones de los recuadros? Escríbelo.

más económico/a	elegantísimo/a
sin alcohol	más seguro/a
más sencillo/a	tecnológicamente perfecto/a
más ecológico/a	más rápido/a
con menos aditivos	más pequeño/a

Gasolina:	menos aditivos
Un coche:	Mas económico,mas seguro
Una crema facial:	sin alcohol
Un reloj:	elegantísmo
Una loción para el pelo:	Mas ecologicaysinalco
Una computadora:	Mas rápido
Un celular:	Mas pequeño, elegante
Una televisión:	elegante,
Una compañía aérea:	Mas rápido,

Mas seguro, elegante

5. Completa con las formas del Imperativo afirmativo.

	ir	hacer	venir
(tú)	....	....	....
(usted)	....	....	....
(ustedes)	....	....	....

6. Completa con las formas del Imperativo negativo.

	lavar	beber	consumir
(tú)	no laves	no bebas	no consumas
(usted)	no lave	no bea	no consuma
(ustedes)	no ben	no beban	no consuman

	estar	entender	salir
(tú)	no estés	entidas	sabas
(usted)	No este	entenda	saba
(ustedes)	esten	entenen	saban

7. Completa estos eslóganes con la forma adecuada del Imperativo de los verbos que aparecen entre paréntesis.

1. "Este fin de semana ......haz...... (hacer, tú) historia."

2. "......Busque...... (buscar, usted), ...compare...... (comparar, usted) y si encuentra algo mejor, ...cómprelo...... (comprarlo, usted)."

3. "......Descubra...... (descubrir-usted) el equilibrio. Viña Albati; un vino para descubrir."

4. "......Renuévate...... (renovarse, tú) con Telestar y ......consigue...... (conseguir, tú) un celular de última generación."

5. "No ......pierdas...... (perder, tú) esta oportunidad, ...ven...... (venir, tú) a conocernos."

6. "......Créetelo...... (creérselo, tú), Los Angeles desde 38 pesos"

7. " No ......dude...... (dudarlo, usted), ...vuele...... (volar, usted) con Cheap Air."

8. "......desconecta...... (desconectar, tú), ...descubre...... (descubrir, tú), ...desahógate...... (desahogarse, tú), ...despreocúpate...... (despreocuparse, tú). Hay otra forma de tomarse la vida. Con Raimaza descafeinado."

8. Escribe dos recomendaciones que puedan servir de eslogan publicitario para estos productos o servicios.

Producto/servicio	Imperativo afirmativo	Imperativo negativo
Un gimnasio	Haz deporte, muévete.	No te quedes en casa.
Un refresco	Ve a Hang-Dot	No te quedes parado.
Una impresora	Imprime ahora	No pierdas tiempo.
Una tina de baño	Limpia tu cuerpo.	No seas un puerco.
Un café	Ve a star-bucks	No pierde tiempo.
Una maestría virtual	Educate	No seas menos educada.
Un disco	Utilize la música.	No vivas en silencio.
Un destino turístico	Ve a Tocantins.	No vayas a otra playa.
Un microondas portátil	Seas inteligente llame ja 123456789.	No seas tonto. No te lo pierdas

9. La escuela donde estudias español va a lanzar una campaña de publicidad personalizada y planea enviar miles de cartas y correos electrónicos para promocionar el español. Escribe el texto que se utilizará para informar y animar a los posibles futuros estudiantes.

¿Quieres aprender español?

10. Elige uno de los siguientes temas y prepara una descripción utilizando el Imperfecto. Fíjate en el modelo.

➡ La imagen más impactante que has visto en una película.
➡ El comercial de televisión que más te ha gustado.
➡ El paisaje más bello que anunciaba un viaje.
➡ La más hermosa escena de amor del cine que recuerdes.
➡ La peor campaña de publicidad que has visto.

La imagen más impactante que he visto fue en la película "El exorcista". En esta escena, estaba el exorcista y luego aparecía Linda Blair y...

11. Completa estas frases con los pronombres de Objeto Directo o Indirecto que correspondan: **me, te, la, lo, le, nos, os, les…**

1. La bolsa, si no te gusta, no .... compres.
   No seas tonto.

2. ¿Qué .... vas a regalar a tu novio el día de San Valentín?

3. Para no tener más problemas con el coche, tienes que revisar............ de vez en cuando.

4. Mi lavadora nueva .... están reparando. Se descompuso hace una semana.

5. ● ¿Sabes que Felipe renunció?
   ○ No, no .... sabía.
   ● Creo que quería decírte............ el lunes por la mañana, pero no encontró el momento.

6. La casa, ... que voy a comprarme, está lejos del centro.

7. Por favor, no .... digas a Luis que .... renté el local a su primo.

12. Fíjate en los dibujos. ¿A quién debe regalarle cada cosa Pilar? Dale consejos utilizando el Imperativo y los pronombres que correspondan, como en el ejemplo.

❯ Su padre. Le encanta la literatura.
❯ Su hermano. Le gusta mucho la ropa deportiva.
❯ Su amiga Ana. Siempre dice que no tiene ropa de verano.
❯ Su abuela. Es muy mayor y vive sola.
❯ Su vecina. Siempre pone la música muy alta.
❯ Su sobrino. Tiene 7 años.

1. *El bikini, regálaselo a...*
2. ....
3. ....
4. ....
5. ....
6. ....
7. ....
8. ....
9. ....
10. ....
11. ....

13. A. Lee este artículo sobre técnicas de mercadeo y decide en qué puntos del texto colocarías las siguientes frases.

1 Si se pretende dar una imagen popular, se colocan los productos en montones y desordenados.

2 Sin embargo, las que escogen una música tecno y estridente incitan a comprar deprisa.

3 Ellas son las responsables de que bajemos al supermercado por leche y volvamos con dos bolsas llenas de otras cosas.

4 Otras tiendas han establecido un punto de entrada y otro de salida con un recorrido obligatorio por toda la tienda.

Ese cliente, ¡que no se escape!

Nada es casualidad en una tienda, ni los colores, ni la música, ni la luz, ni el olor. Desde que entra en un establecimiento comercial, sobre todo en las grandes superficies, el cliente puede ser víctima de la guerra de las marcas que se esfuerzan para conseguir que compre algo que no estaba en sus planes o algo en el último momento. Es lo que se llama "compra por impulso", un tipo de comportamiento provocado por el marketing y sus técnicas perfectamente medidas y estudiadas. En el argot profesional se denomina publicidad en el punto de venta e influye en casi el 30% las ventas.

Todo empieza por los escaparates, diseñados cuidadosamente para influir en el cliente e incitarlo a comprar. Las tiendas caras, selectas y exclusivas optan muchas veces por colocar un solo objeto en un entorno lujoso e iluminado por varios focos. Dentro de la tienda, hay sitios donde se vende más, son las zonas calientes, que suelen situarse en la entrada, en los extremos de los pasillos y al lado de la cola de la caja de salida. La altura a la que se colocan los productos también está negociada. Se sabe que se vende más lo que queda a la altura de los ojos; un poco menos lo que queda cerca de las manos y muy poco lo que tenemos a nuestros pies. Se supone que, por tendencia natural, miramos más a la derecha, así que se colocan a ese lado los productos más nuevos o especiales. Un cambio de ubicación puede hacer subir las ventas de un producto en casi un 80%.

El recorrido del cliente también está estudiado. Es frecuente encontrar los objetos básicos o de primera necesidad al fondo. De esta forma, se obliga al cliente a atravesar toda la tienda para llegar a ellos y el cliente puede caer en alguna tentación por el camino. Las tiendas que apuestan por un hilo musical suave y relajante y por una decoración color pastel están invitando a permanecer allí durante un buen rato, a comprar tranquilamente. Una curiosidad: un experimento realizado en un hipermercado demostró que la música italiana elevaba las ventas de pasta.

B. Relaciona los elementos de las dos columnas y obtendrás cuatro consejos para no hacer compras innecesarias. Luego, intenta escribir alguno tú en el cuadro de la derecha.

No vayas de compras	con una lista	**Tus consejos:**
Ve al supermercado	con el estómago vacío	
No compres alimentos	si estás triste o enfadado	
Evita ir de compras	el día que cobres	

14. A. Una estudiante británica ha inventado un producto nuevo para niños. Lee la información y piensa un posible nombre comercial.

• Nombre del producto	....
• Problema que existe	Los niños de las sociedades industrializadas llevan una vida cada vez más sedentaria, juegan menos y hacen menos ejercicio. Su entretenimiento favorito es la televisión. El porcentaje de niños obesos es muy alto. Se estima que el 50% de los niños que son obesos a los seis años van a serlo también de adultos.
• Descripción del producto	Unos zapatos con un dispositivo que registra la cantidad de ejercicio que realiza el niño a lo largo del día y lo transforma en tiempo de televisión al que tiene derecho.
• Funcionamiento	Los zapatos tienen un botón en la base que cuenta los pasos dados. Esta información es retransmitida mediante señales de radio a un aparato conectado al televisor. El dispositivo acumula un saldo de tiempo ganado y cuando este tiempo se acaba se apaga automáticamente la televisión. Para ganar 15 minutos de tele, por ejemplo, es necesario caminar 1500 pasos.

B. Ahora, en tu cuaderno, prepara los textos de dos anuncios de este producto, uno dirigido a los padres y otro dirigido a los niños.

12. MAÑANA

1. Conjuga los siguientes verbos en Futuro Simple.

	mantener	deshacer	contradecir
(yo)	....	....	....
(tú)	....	....	....
(él/ella/usted)	....	....	....
(nosotros/as)	....	....	....
(vosotros/as)	....	....	....
(ellos/ellas/ustedes)	....	....	....

2. Completa las frases con la forma del Futuro Simple del verbo correspondiente.

poder   haber   llegar   aprobar   terminar

subir   acostarse   poner   ir   hablar

1. Se calcula que en el año 2075 en la India .... unos 1,600 millones de habitantes.

2. Estoy cansado de trabajar tantas horas. Mañana creo que .... con el jefe.

3. Mira, Juan, solamente .... el examen si estudias.

4. ● ¿Todavía no han llegado?
   ○ No. Acaban de llamar. Estaban saliendo de la autopista, así que .... enseguida.

5. ● ¿Ya sabes qué vas a hacer estas vacaciones?
   ○ Pues seguramente .... a Suiza a ver a unos amigos.

6. Si compramos la casa este año, no .... ir de vacaciones.

7. Creo que .... los estudios dentro de dos años.

8. Esta noche supongo que ....… temprano. Estoy muy cansado.

9. El año que viene el ayuntamiento .... en marcha un plan para solucionar los problemas de tráfico.

10. Muy probablemente, las temperaturas .... en el norte del país en las próximas horas.

3. Responde a estas preguntas.

1.
● ¿Qué vas a hacer este verano?
○ Si ....,
....

2.
● ¿Qué vas a regalarle a tu novio/a por su cumpleaños?
○ Si ....,
....

3.
● No estás muy contento con tu trabajo, ¿no?
○ No, no mucho. Creo que si ....,
....

4.
● ¿Qué harás si no encuentras trabajo?
○ ....
....

5.
● ¿Qué vas a cenar esta noche?
○ Si ....,
....

6.
● ¿Vas a salir este fin de semana?
○ Depende. Si ....,
....

4. ¿Cómo crees que será tu vida dentro de dos años? Escribe, por lo menos, cinco frases.

1. ....
....

2. ....
....

3. ....
....

4. ....
....

5. ....
....

5. Escribe el verbo correspondiente a los siguientes sustantivos.

1. el aumento: *aumentar*
2. la predicción: ....
3. la amenaza: ....
4. la explosión: ....
5. el crecimiento: ....
6. la contaminación: ....
7. la reducción: ....

8. la venta: ....
9. la solución: ....
10. el descubrimiento: ....
11. la disminución: ....
12. la supresión: ....
13. la eliminación: ....
14. el cambio: ....

6. Imagina cómo será el mundo dentro de 50 años. Escribe frases relacionadas con los siguientes aspectos.

1. La familia:

El concepto de "pareja" será muy distinto. La sociedad aceptará otras opciones.

6. El trabajo:

2. Los coches:

7. La moda:

3. Las casas:

8. La ecología:

4. El transporte:

9. La educación:

5. Los pasatiempos:

10. La política:

7. Escribe frases sobre tu futuro usando los siguientes elementos. Recuerda que puedes usar el Presente, **ir a** + Infinitivo y el Futuro.

1. Al terminar este ejercicio, ...
....

2. Pasado mañana, ...
....

3. El sábado por la noche, ...
....

4. El domingo por la mañana, ...
....

5. Al terminar el curso, ...
....

6. La próxima Navidad, ...
....

7. Dentro de diez años, ...
....

8. Relaciona las dos columnas para formar predicciones sobre el futuro.

1. Si no cuidamos nuestros hábitos alimenticios,

2. Si en Europa no nacen más niños,

3. Si se produce un excesivo calentamiento de la Tierra,

4. Si los científicos no desarrollan una vacuna contra el SIDA,

5. Si el dólar no se fortalece,

6. Si no se combate el terrorismo,

a. el euro se convertirá en la moneda universal.

b. tendrán un problema de envejecimiento de la población.

c. morirán millones de personas.

d. tendremos problemas de salud.

e. la inseguridad será el problema más grave de este siglo.

f. se producirá un desequilibrio climático.

1		3		5	
2		4		6	

9. Imagina que estas son las predicciones de tu horóscopo para la semana que viene. Léelo. ¿Crees que se cumplirán? Escríbelo en tu cuaderno.

HORÓSCOPO

Salud: En general, no tendrás problemas de salud importantes, solo un poco de dolor de estómago a principios de semana, probablemente debido a algún alimento en mal estado y un ligero dolor de cabeza el domingo.

Amor: Será una semana muy importante en relación con el amor porque conocerás a una persona muy especial con la que vivirás momentos muy intensos. El sábado pasarán todo el día juntos. Será un día perfecto.

Trabajo: Tendrás una reunión de trabajo inesperada que cambiará tu posición en la empresa. Posiblemente te plantearán la posibilidad de un traslado.

Dinero: Ganarás una pequeña suma de dinero en un juego de azar.

Amistad: En general, te mostrarás más abierto y dialogante que de costumbre. Tendrás ganas de estar con gente, especialmente con tus amigos.

10. Marilú está nerviosa y preocupada porque dentro de una semana tiene que viajar a Nueva York para participar en un congreso. Imagina que te escribe este correo electrónico ¿Qué le dices para animarla y tranquilizarla? Escribe tu respuesta en tu cuaderno.

¡Hola!

¿Qué tal todo? Bien, espero. ¿Yo? ¡Nerviosísima! Ya solo quedan tres días para el viaje a Nueva York. ¡Aaaaahhhhhh!

Ya lo tengo todo preparado: la conferencia, el visado, el boleto… Pero tengo la impresión de que algo saldrá mal aquí en el aeropuerto, o al llegar a Nueva York… No sé… Y como mi inglés, no es muy bueno, seguro que no entiendo a nadie, ni me entienden a mí. Además, nunca he estado en una ciudad tan grande, y nunca he participado en un congreso. Seguro que me pondré nerviosísima y que me equivocaré en algo, o que me faltará un papel o un dato, o algo…

Bueno, lo único bueno que veo es que después de mi conferencia tengo dos días para disfrutar un poco, ver la ciudad y estar tranquila. Ya te contaré.

Besos,

Marilú

MÁS
GRAMÁTICA

MÁS GRAMÁTICA

GRUPO NOMINAL

► El grupo nominal se compone del nombre o sustantivo y de sus determinantes y calificativos: artículos, demostrativos, posesivos, adjetivos calificativos, frases subordinadas adjetivas, etc. Las partes del grupo nominal concuerdan en género y en número con el sustantivo.

GÉNERO Y NÚMERO

GÉNERO

► En español, solo hay dos géneros: masculino y femenino. En general, son masculinos los sustantivos que terminan en **-o**, **-aje**, **-ón** y **-r** , y son femeninos los terminados en **-a**, **-ción**, **-sión**, **-dad**, **-tad** y **-ez**. Sin embargo, hay muchas excepciones: **el mapa**, **la mano**... Los sustantivos que terminan en **-e** o en otras consonantes pueden ser masculinos o femeninos: **la llave**, **el norte**, **el** o **la paciente**, **el control**, **la paz**, etc.

► Los sustantivos de origen griego terminados en **-ema** y **-oma** son masculinos: **el problema**, **el cromosoma**. Las palabras de género femenino que comienzan por **a** o **ha** tónica llevan el artículo **el** en singular, pero el adjetivo va en femenino: **el agua limpia**, **el hada buena**. En plural, funcionan de forma normal: **las aguas limpias**, **las hadas buenas**.

► El femenino de los adjetivos se forma, en general, cambiando la **-o** final por una **-a** o añadiendo una **-a** a la terminación **-or**: **alto**, **alta**; **trabajador**, **trabajadora**, etc. Los adjetivos que terminan en **-e**, **-ista** o en consonantes distintas de **r** tienen la misma forma en masculino y en femenino: **doble**, **realista**, **veloz**, **lateral**.

NÚMERO

► El plural de sustantivos y de adjetivos se forma agregando **-s** a los terminados en vocal (**calle** ➡ **calles**) y **-es** a los terminados en consonante (**portal** ➡ **portales**). Si la palabra termina en **-z**, el plural se escribe con **c**: **vez** ➡ **veces**.

► Los sustantivos y los adjetivos que, en singular, terminan en **-s** hacen el plural dependiendo de la acentuación. Si se acentúan en la última sílaba, agregan **-es**: **el autobús** ➡ **los autobuses**. Si no se acentúan en la última sílaba, no cambian en plural: **la dosis** ➡ **las dosis**.

► Los sustantivos y los adjetivos terminados en **-í** o **-ú** acentuadas forman el plural con **-s** o con **-es**: **marroquí** ➡ **marroquís/marroquíes**.

ARTÍCULO

Existen dos tipos de artículos en español: los determinados y los indeterminados.

ARTÍCULO INDETERMINADO

► Usamos los artículos indeterminados (**un**, **una**, **unos**, **unas**) para mencionar algo por primera vez, cuando no sabemos si existe o para referirnos a un ejemplar de una categoría.

- *Marcos rentó **una** casa en Cancún.*

► No usamos los artículos indeterminados para informar sobre la profesión de alguien.

- *Soy médico.* ~~Soy un médico.~~

► Pero sí los usamos cuando identificamos a alguien por su profesión o cuando lo valoramos.

- *Tenemos **un** profesor de Matemáticas muy bueno.*

► Los artículos indeterminados no se combinan con **otro**, **otra**, **otros**, **otras**, **medio**, **media**, **cien(to)** o **mil**.

- *¿Me das otra hoja?* ~~una otra hoja~~
- *Si no tienes hambre, come media ración.* ~~una media~~

ARTÍCULO DETERMINADO

► Los artículos determinados (**el**, **la**, **los**, **las**) se utilizan cuando hablamos de algo que sabemos que existe, que es único o que ya se ha mencionado.

- *La casa de Cancún de Marcos es preciosa.*
- *Vivían en **el** centro de Guadalajara.*

► En general, no se usan con nombres de personas, de continentes, de países y de ciudades, excepto cuando el artículo es parte del nombre: **La Habana**, **El Cairo**, **La Haya**, **El Salvador**. Con algunos países, el uso es opcional: (**La**) **India**, (**El**) **Brasil**, (**El**) **Perú**, etc.

► También los usamos cuando nos referimos a un aspecto o a una parte de un país o de una región: **la Sevilla actual**, **el Egipto antiguo**.

► Con las formas de tratamiento y con los títulos, usamos los artículos en todos los casos excepto para dirigirnos a nuestro interlocutor.

- *La señora González vive cerca de aquí, ¿no?*
- *Señora González, ¿dónde vive usted?*

Recuerda

Cuando hablamos de una categoría o de sustantivos no contables, no usamos el artículo.

- *¿Tienes computadora?*
- *Necesito leche para el postre.*

La presencia del artículo determinado indica que ya se había hablado antes de algo.

- *Voy a comprar leche y huevos.*
  (= informo de qué tipo de cosas voy a comprar)
- *Compré **la** leche y **los** huevos.*
  (= ya dije antes que era necesario comprar esas cosas)

EL ARTÍCULO NEUTRO **LO**

Aunque en español solo hay dos géneros, masculino y femenino, existe la forma neutra **lo** en las estructuras **lo** + adjetivo o **lo que** + verbo.

***Lo** bueno* (= las cosas que son buenas)
***Lo** difícil* (= las cosas que son difíciles)
***Lo** bello* (= las cosas que son bellas)
***Lo** que pienso* (= las cosas que pienso)

DEMOSTRATIVOS

➤ Sirven para referirse a algo indicando su cercanía o su lejanía respecto a la persona que habla.

cerca de quien habla	cerca de quien escucha	lejos de ambos
este	ese	aquel
esta	esa	aquella
estos	esos	aquellos
estas	esas	aquellas

- ***Este** avión es bastante nuevo, pero **aquel** del otro día era viejísimo.*

➤ Además de las formas de masculino y de femenino, existen formas neutras (**esto**, **eso**, **aquello**) que sirven para referirse a algo desconocido o que no queremos o no podemos identificar con un sustantivo.

- *¿Qué es **esto** que está encima de mi mesa? No entiendo nada.*
- *¿**Eso**? Es la traducción del informe anual.*

➤ Los demostrativos están en relación con los adverbios de lugar **aquí**, **ahí** y **allí**.

AQUÍ/ACÁ	AHÍ	ALLÍ/ALLÁ
este chico	**ese** chico	**aquel** chico
esta chica	**esa** chica	**aquella** chica
estos amigos	**esos** amigos	**aquellos** amigos
estas amigas	**esas** amigas	**aquellas** amigas
esto	**eso**	**aquello**

POSESIVOS

➤ Los posesivos que van antes del sustantivo se utilizan para identificar algo o a alguien refiriéndose a su poseedor y varían según este (**yo** ➡ **mi casa**, **tú** ➡ **tu casa**...). Además, concuerdan en género y en número con la cosa poseída (**nuestra casa**, **sus libros**, etc.).

(yo)	**mi** libro/casa	**mis** libros/casas
(tú)	**tu** libro/casa	**tus** libros/casas
(él/ella/usted)	**su** libro/casa	**sus** libros/casas
(nosotros/as)	**nuestro** libro	**nuestros** libros
	nuestra casa	**nuestras** casas
(vosotros/as)	**vuestro** libro	**vuestros** libros
	vuestra casa	**vuestras** casas
(ellos/as, ustedes)	**su** libro/casa	**sus** libros/casas

➤ No usamos los posesivos cuando nos referimos a partes del propio cuerpo.

- ***Me** duele **la** cabeza. ~~Me duele mi cabeza.~~*
- ***Me** quiero cortar **el** pelo. ~~Quiero cortar mi pelo.~~*

➤ Tampoco los usamos para hablar de objetos de los que se supone que poseemos solo una unidad o cuando, por el contexto, está muy claro quién es el propietario.

- *¿Dónde estacionaste **el** carro?*
- *¿Tienes **el** pasaporte? Lo vas a necesitar.*

➤ Existe otra serie de posesivos.

mío	mía	míos	mías
tuyo	tuya	tuyos	tuyas
suyo	suya	suyos	suyas
nuestro	nuestra	nuestros	nuestras
vuestro	vuestra	vuestros	vuestras
suyo	suya	suyos	suyas

- Estos posesivos se usan para dar y para pedir información sobre a quién pertenece algo.

- *¡Qué lío! ¿Esta bolsa es **tuya** o es **mía**?*

- Aparecen detrás del sustantivo, que va acompañado del artículo indeterminado o de otros determinantes.

  • *Me encanta ese pintor; tengo **dos** obras **suyas**.*

- Con artículos determinados, sustituyendo a un sustantivo ya mencionado o conocido por el interlocutor.

  • *Estos no son mis zapatos. ¡Son los **tuyos**!*

PRONOMBRES PERSONALES

La forma de los pronombres personales cambia según el lugar que ocupan en la oración y su función.

EN FUNCIÓN DE SUJETO

1ª pers. singular	**yo**	• **Yo** *tengo frío, ¿y tú?*
2ª pers. singular	**tú** **usted**	• **Tú** *tienes la culpa, no yo.*
3ª pers. singular	**él, ella**	• **Él** *es músico y **ella**, cantante.*
1ª pers. plural	**nosotros, nosotras**	• **Nosotras** *llegamos a las 17:00 y los chicos, a las 18:00.*
2ª pers. plural	**vosotros, vosotras ustedes**	• ¿**Ustedes** *viven en Mérida?*
3ª pers. plural	**ellos, ellas**	• **Ellos** *tienen más experiencia, pero se esfuerzan menos.*

▶ Los pronombres sujeto se utilizan cuando queremos resaltar la persona por oposición a otras o cuando su ausencia puede llevar a confusión, por ejemplo, en la tercera persona.

  • **Ustedes** *trabajan en un banco, ¿verdad?*
  ○ **Yo** *sí, pero **ella** no.*

▶ **Usted** y **ustedes** son, respectivamente, las formas de tratamiento de respeto en singular y en plural. Se usan en relaciones jerárquicas, con desconocidos de una cierta edad o con personas mayores en general. Hay grandes variaciones de uso según el contexto social o geográfico. Se trata de formas de segunda persona, pero tanto el verbo como los pronombres van en tercera persona.

▶ En Latinoamérica, no se usa nunca **vosotros**: la forma de segunda persona del plural es **ustedes**.

▶ En algunas zonas de Latinoamérica (Argentina, Uruguay y regiones de Paraguay, Colombia y Centroamérica), en lugar de **tú**, se usa **vos**.

▶ Las formas femeninas del plural (**nosotras**, **vosotras**, **ellas**) solo se usan cuando todos los componentes son mujeres. Si hay al menos un hombre, se usan las formas masculinas.

CON PREPOSICIÓN

1ª pers. singular	**mí***	• ¿*Hay algún mensaje **para mí**?*
2ª pers. singular	**ti*** **usted**	• *Estos días, he pensado mucho **en ti**.*
3ª pers. singular	**él, ella**	• *Habla **con ella**: sabe mucho de ese tema.*
1ª pers. plural	**nosotros, nosotras**	• *El niño es muy pequeño, todavía no viaja **sin nosotros**.*
2ª pers. plural	**vosotros, vosotras ustedes**	• *Mi novia me habló muy bien **de ustedes**.*
3ª pers. plural	**ellos, ellas**	• *Siempre critica a sus hermanas.* ○ *Sí, es verdad. Siempre está **contra ellas**.*

* Con la preposición **con**: **conmigo** y **contigo**.

¡Atención!

Hay algunas excepciones: las preposiciones **entre**, **excepto**, **hasta**, **incluso**, **salvo** y **según**.

Entre tú y yo ya no hay secretos.
*Todos entregaron las tareas **excepto tú**.*
Según tú, *¿quién es el culpable?*

Recuerda

Con **como** y **menos** se usan las formas **yo** y **tú**.

  • *Tú eres **como yo**, te encanta bailar.*

REFLEXIVOS

1ª pers. singular	**me** baño
2ª pers. singular	**te** bañas / **se** baña
3ª pers. singular	**se** baña
1ª pers. plural	**nos** bañamos
2ª pers. plural	**se** bañan / **os** bañáis
3ª pers. plural	**se** bañan

EN FUNCIÓN DE COMPLEMENTO DE OBJETO DIRECTO (COD)

1ª pers. singular	**me**	• ¿**Me** ves bien?
2ª pers. singular	**te** **lo*, la**	• **Te** odio. Eres insoportable. • ¿**La** acompaño, señora Lara?
3ª pers. singular	**lo*, la**	• Mi cumpleaños siempre **lo** celebro con mis amigos.
1ª pers. plural	**nos**	• **Nos** tuvieron tres horas en la sala de espera.
2ª pers. plural	**os** **los, las**	• **Los** espero abajo, señores Blanco.
3ª pers. plural	**los, las**	• A las niñas no **las** veo desde el año pasado.

* Cuando el Complemento de Objeto Directo (COD) hace referencia a una persona singular de género masculino, se admite también el uso de la forma **le**: **A Luis lo/le veo todos los días.**

➤ La forma **lo** es, además de un pronombre masculino, un pronombre de OD neutro que puede sustituir a una parte del texto.

    • ¿A qué hora llega Mateo?
    ○ No **lo** sé. ¿Por qué no se **lo** preguntas a su esposa?

EN FUNCIÓN DE COMPLEMENTO DE OBJETO INDIRECTO (COI)

- Los pronombres de COI solo se diferencian de los de COD en las formas de la tercera persona.

- Los pronombres de COI **le** y **les** se convierten en **se** cuando van acompañados de los pronombres de COD **lo**, **la**, **los**, **las**: **Le lo** pregunto. / **Se lo** pregunto.

1ª pers. singular	**me**	• No **me** dijiste la verdad. Eres un mentiroso.
2ª pers. singular	**te** **le (se)**	• ¿**Te** puedo contar una cosa? • **Le** mando el cheque mañana, señor Ruiz.
3ª pers. singular	**le (se)**	• ¿Quién **le** tomó esta foto a Montse? Es preciosa...
1ª pers. plural	**nos**	• Lupita **nos** enseñó la ciudad.
2ª pers. plural	**os** **les (se)**	• A ustedes **les** llegará el paquete por correo.
3ª pers. plural	**les (se)**	• A los chicos no **les** gustó nada la película.

POSICIÓN DEL PRONOMBRE

➤ El orden de los pronombres es: COI + COD + verbo. Los pronombres se colocan siempre delante del verbo conjugado (excepto en Imperativo afirmativo).

    • **Te** perdono si **me** das un beso.
    • ¿**Se les** antoja un té?

    • ¿Cómo **te** devuelvo el libro que **me** prestaste?
    ○ Si **se lo** das a Pablo, él **me lo** puede llevar al trabajo.

➤ Con el Infinitivo, el Gerundio y la forma afirmativa del Imperativo, los pronombres se colocan después del verbo y forman una sola palabra.

    • Es imposible bañar**se**, el agua está helada.
    • Siént**ate** aquí y cuénta**melo** todo.

➤ Con perífrasis y con estructuras como **poder/querer/ir a** + Infinitivo, los pronombres pueden ir delante del verbo conjugado o detrás del Infinitivo, pero nunca entre ambos.

    • Tienes que hacer**me** un favor.
    • **Me** tienes que hacer un favor.
    ~~Tienes que **me** hacer un favor.~~

    • Quiero pedir**le** el carro a Jaime.
    • **Le** quiero pedir el carro a Jaime.
    ~~Quiero **le** pedir el carro a Jaime.~~

    • ¿Vas a llevar**te** el carro?
    • ¿**Te** vas a llevar el carro?
    ~~¿Vas a **te** llevar el carro?~~

PREPOSICIONES Y LOCUCIONES PREPOSICIONALES

POSICIÓN Y MOVIMIENTO

a dirección, distancia	• *Vamos **a** La Habana.* • *Tepic está **a** 55 kilómetros de aquí.*
en ubicación, medio de transporte	• *Zapopan está **en** Jalisco.* • *Vamos **en** carro.*
de procedencia, **lejos/cerca**... de	• *Venimos **de** la Universidad.* • *Caracas está lejos **de** Lima.*
desde punto de partida	• *Vine a pie **desde** el centro.*
entre ubicación en medio de dos o más cosas	• *Barcelona está situada **entre** el mar y la montaña.* • *Encontré esta postal **entre** mis libros.*
hasta punto de llegada	• *Podemos ir en metro **hasta** el centro.*
por movimiento dentro o a través de un espacio	• *Me gusta pasear **por** la playa.* • *El ladrón entró **por** la ventana.*
sobre ubicación superior	• *Extienda la masa **sobre** una superficie fría.*

debajo de	encima de	detrás de	delante de
a la derecha de	a la izquierda de	al lado de	en el centro de

¡Atención!

Podemos usar las locuciones anteriores sin la preposición **de** cuando no mencionamos el elemento que sirve de referencia.

• *¿Dónde ponemos el cuadro: a la derecha del sofá o **a la izquierda**?*

TIEMPO

a + hora	• *Me levanto **a** las 8:00.*
por/en + parte del día	• *No trabajo **por/en** la mañana.*
de + **día/noche**	• *Prefiero estudiar **de** noche.*
desde + punto en el tiempo	• *No veo a Juan **desde** 1998.*
en + mes/estación/año	• *Mi cumpleaños es **en** abril.*
antes/después de	• *Hago ejercicio **antes de** cenar.*
de + inicio **a** + fin	• *Trabajamos **de** las 9:00 **a** las 18:00.* • *Estaremos aquí **del** 2 **al*** 7 de abril.*
hasta + punto en el tiempo	• *Te esperé **hasta** las cinco.*

* Recuerda que **a** + **el** = **al**; **de** + **el** = **del**.

OTROS USOS

A
modo: **a la plancha**, **al horno**
COD (persona): **Vimos a Pablo en el centro.**

DE
material: **de lana**
partitivo, con sustantivos no contables: **un poco de pan, 200 gramos de queso**

POR/PARA
por + causa: **Viaja mucho por su trabajo.**
para + finalidad: **Necesito dinero para pagar el teléfono.**
para + destinatario: **Estos libros son para tu hermana.**

CON
compañía: **¿Fuiste al cine con Patricia?**
acompañamiento: **pollo con papas**
instrumento: **Corté el papel con unas tijeras.**
composición: **una casa con muchas ventanas**

SEGÚN
opinión: **Según tú, ¿quién tiene la razón, ella o yo?**

SIN
ausencia: **Yo prefiero tomar el café sin azúcar.**

SOBRE
tema: **Tengo que escribir un texto sobre el cine de mi país.**

INTERROGATIVOS

Los pronombres y los adverbios interrogativos reemplazan al elemento desconocido en preguntas de respuesta abierta.

QUÉ, CUÁL/CUÁLES

► En preguntas abiertas sin referencia a ningún sustantivo, usamos **qué** para preguntar por cosas.

- ● ¿**Qué** hicieron durante las vacaciones?

► Cuando preguntamos por una cosa o por una persona dentro de un conjunto, usamos **qué** o **cuál/cuáles** dependiendo de si aparece o no el sustantivo.

- ● ¿**Qué** _museos_ visitaron?

- ● Nos encantó el Museo de Arte Contemporáneo.
- ○ ¿**Cuál**? ¿El de Monterrey o el de Ciudad de México?

OTROS INTERROGATIVOS

Para preguntar por...		
personas	**quién/es**	● ¿**Quién** trajo estas flores?
cantidad	**cuánto/a/os/as**	● ¿**Cuántas** veces has estado en España?
un lugar	**dónde**	● ¿**Dónde** tienes el celular?
un momento en el tiempo	**cuándo**	● ¿**Cuándo** llegaste a Alemania?
el modo	**cómo**	● ¿**Cómo** fuiste? ¿En avión?
el motivo	**por qué**	● ¿**Por qué** te ríes?
la finalidad	**para qué**	● ¿**Para qué** me llamaste?

➡ **Recuerda**

- Todos los interrogativos llevan tilde.
- Cuando el verbo va acompañado de preposición, esta se coloca antes del interrogativo.

- ● ¿**Con quién** estuviste hoy?
- ○ **Con** Edu.

- ● ¿**Desde dónde** llamas?
- ○ **Desde** una cabina.

- ● ¿**Sobre qué** trató la conferencia?
- ○ **Sobre** reciclaje.

- ● ¿**Hasta cuándo** te quedas?
- ○ **Hasta** el martes.

- ● ¿**Para cuántas** personas es esta mesa?
- ○ **Para** ocho como máximo.

- Las preguntas de respuesta cerrada (respuesta **sí** o **no**) pueden formarse igual que las frases enunciativas; simplemente cambia la entonación.

- ● _Edu va mucho a los Estados Unidos._
- ● _¿Edu va mucho a los Estados Unidos?_

MARCADORES TEMPORALES

PARA EXPRESAR FRECUENCIA

siempre	+
casi siempre / generalmente / por lo general / normalmente	
a menudo / con frecuencia / muchas veces	
a veces	⬇
de vez en cuando	
raramente / muy pocas veces	
casi nunca	
nunca	
jamás	-

los lunes/los martes…
todos los lunes/los días/los meses/los veranos…
todas las mañanas/las tardes/las noches…
cada día/semana/mes/primavera/año…

- ● **Casi siempre** ceno en casa.
- ● Yo voy al cine **muy pocas veces**.
- ● Deberías caminar un poco **todos los días**.

! ¡Atención!
Con **todos los días**, hablamos de algo común a todos los días, algo que se repite. Con **cada día** nos referimos a los días como unidades independientes.

- ● Como fuera **todos los días**, pero **cada día** en un lugar diferente.

PARA ESPECIFICAR EL NÚMERO DE VECES QUE SE HA REALIZADO ALGO

muchas veces
dos/tres… veces
alguna vez
una vez
casi nunca
nunca
jamás

- ● ¿Han estado **alguna vez** en México?
- ○ Yo estuve **una vez** hace muchos años.
- ■ Yo he estado **muchas veces**.
- ◻ Pues yo no he estado **nunca**.

MÁS GRAMÁTICA

PARA SITUAR EN EL PRESENTE

ahora
actualmente
en este momento
hoy
hoy en día

- *Alejandro Sanz, que **actualmente** vive en Miami, está pasando unos días en España.*
- ***Hoy en día** es difícil encontrar un buen trabajo.*

PARA SITUAR EN UN PASADO VINCULADO AL PRESENTE

este mes/año/verano...
esta semana...
esta mañana/ tarde/noche
hace poco
hace un rato / hace cinco minutos
hoy

- ***Este mes** he tenido mucho trabajo.*

- *¿Alguien ha visto **últimamente** a Marcos?*
- ○ *Yo lo vi en la cafetería **hace cinco minutos**.*

PARA SITUAR EN UN PASADO NO VINCULADO AL PRESENTE

ayer
anteayer
un día
el otro día
una vez
el 15 de enero de 2003
en enero
en 2003
el jueves (pasado)
la semana pasada
el verano/año/mes pasado
hace tres meses
de niño...

- *¿Sabes? **El otro día** me leyeron el futuro en el café.*
- ○ *¿Sí? A mí **una vez**, **hace** años, me lo hicieron, pero no acertaron en nada.*

RELACIONAR ACCIONES: ANTERIORIDAD Y POSTERIORIDAD

antes (de)
luego
después (de)
más tarde
unos minutos / un rato / unos días **después**
unos minutos / un rato / unas horas **más tarde**

- ***Antes** tenía el pelo largo, pero me lo corté porque era incómodo.*
- *Fui a la Universidad, pero **antes** pasé por casa de Julia a buscar unas cosas.*
- ***Antes de** casarme pasé un tiempo en Colombia.*
- *Tómese una pastilla **antes de** cada comida.*
- *Yo llegué a las cinco y Alberto **un rato después**.*

REFERIRNOS A UN MOMENTO YA MENCIONADO

entonces
en aquella época
en aquellos tiempos
en ese momento

- *Yo vivía en un pueblo. **Entonces** no había televisión y jugábamos siempre en la calle.*
- *Me metí a la regadera y **entonces** llegó él.*
- *Mi abuela nació a mediados del siglo XX. **En aquella época**, no había electricidad en su pueblo.*

REFERIRNOS A UN MOMENTO FUTURO

mañana
pasado mañana
dentro de un rato/dos semanas/tres meses...
la semana/el mes... que viene
la semana/el mes próxima/o
el lunes (que viene/próximo)...
este lunes/verano/año...
el uno de enero de 2025
el día 25...

- ***Mañana** voy a ir a la playa. ¿Quieres venir?*
- *Dijeron en la tele que **la semana que viene** lloverá.*
- ***Este año** voy a intentar cuidarme más.*
- *Llegaremos al aeropuerto de Madrid **dentro de** diez minutos.*

PARA HABLAR DE LA DURACIÓN

➤ **Hace** relaciona el momento en el que hablamos con el momento en el que ocurrió algo poniendo el énfasis en la cantidad de tiempo transcurrido.

- *Terminé mis estudios **hace** diez años.*

➤ **Desde** hace referencia al momento en el que se inicia algo.

- *Trabajo en esta empresa **desde** 1998.*

➤ **Hasta** hace referencia al límite temporal de una acción.

- *Me quedaré **hasta** las 22:00.*
- *Vivió en París **hasta** 2001.*

► **Desde hace** expresa el tiempo transcurrido desde el comienzo de una acción que continúa en el presente.

- *Trabajo en esta empresa **desde hace** siete años.*

MARCADORES ESPACIALES

aquí / acá*
ahí
allí / allá
cerca (de) / lejos (de)
dentro (de) / fuera (de)
arriba / abajo

* **Aquí** no se usa en algunas variantes americanas, especialmente en la del Río de la Plata, donde se prefiere la forma **acá**.

COMPARAR

SUPERIORIDAD

Con nombres.

- *Guadalajara tiene **más** parques **que** Monterrey.*

Con adjetivos.

- *Guadalajara es **más** grande **que** Querétaro.*

Con verbos.

- *Antes comía **más que** ahora.*

Formas especiales:

más bueno/a	➡	mejor
más malo/a	➡	peor
más grande	➡	mayor

¡Atención!

Mayor (que) suele usarse, sobre todo, para indicar "mayor edad" o en comparaciones abstractas.

- *Antonio es **mayor que** Andrés.*
- *Este producto tiene **mayor** aceptación entre los jóvenes.*

IGUALDAD

Con nombres

- *En nuestra casa hay* **tanto** espacio / **tanta** luz / **tantos** balcones / **tantas** habitaciones *como aquí.*

- *Carlos y yo tenemos* **el mismo** carro. / **la misma** edad. / **los mismos** pasatiempos. / **las mismas** aficiones.

¡Atención!

*Ana y yo comemos **lo mismo** puede significar dos cosas:*
"Ana y yo comemos las mismas cosas"
"Ana come tanto como yo" (la misma cantidad)

Con adjetivos

- *Aquí las casas son **tan** caras **como** en mi ciudad.*

Con verbos

- *Aquí la gente sale **tanto como** en mi país.*

INFERIORIDAD

Con nombres

- *Prefiero dormir en esta habitación porque hay **menos** ruido **que** en la otra.*

- *En nuestra casa **no** hay* **tanto** espacio / **tanta** luz / **tantos** balcones / **tantas** habitaciones *como aquí.*

Con adjetivos

- *La segunda parte de la novela es mucho **menos** entretenida **que** la primera.*
- *Aquí los trenes **no** son **tan** caros **como** en mi país.*

Con verbos

- *Desde que tuvimos el niño dormimos **menos que** antes.*
- *Ahora **no** como **tanto como** antes.*

VERBOS

CONJUGACIONES

► En español existen tres conjugaciones, que se distinguen por las terminaciones: **-ar** (primera conjugación), **-er** (segunda) e **-ir** (tercera). Las formas de los verbos de la segunda y de la tercera conjugación son muy similares. La mayoría de las irregularidades se dan en estos dos grupos.

► En el verbo se pueden distinguir dos elementos: la raíz y la terminación. La raíz se obtiene al quitar al Infinitivo la terminación (-**ar**, -**er**, -**ir**). La terminación nos proporciona la información referente al modo, al tiempo, a la persona y al número.

► Las irregularidades afectan solo a la raíz del verbo. Solo se encuentran terminaciones irregulares en el Pretérito.

VERBOS REFLEXIVOS

► Son verbos que se conjugan con los pronombres reflexivos **me**, **te**, **se**, **nos**, **os**, **se**: **llamarse**, **levantarse**, **bañarse**...

- *(Yo)* **me** *llamo Abel.* *(llamar***se***)*

► Hay verbos que, como **acordar**, **ir** o **quedar**, cambian de significado con el pronombre reflexivo.

- *¿Qué **acordaron** en la reunión?*
- *¿**Te acuerdas** de Pablo?*

- ***Vamos** al cine.*
- ***Nos vamos** de aquí.*

- *¿**Quedamos** a las cinco?*
- *¿Vienes o **te quedas**?*

► Otros verbos pueden convertirse en reflexivos cuando la acción recae en el propio sujeto.

- *Marcela lava la ropa.*
- *Marcela **se** lava.*
- *Marcela **se** lava las manos.*

VERBOS QUE FUNCIONAN COMO GUSTAR

► Existe un grupo de verbos (**gustar**, **encantar**, **apetecer**, **interesar**, etc.) que se conjugan casi siempre en tercera persona (del singular si van seguidos de un nombre en singular o de un Infinitivo; y del plural si van seguidos de un sustantivo en plural). Estos verbos van acompañados siempre de los pronombres de COI **me**, **te**, **le**, **nos**, **os**, **les** y expresan sentimientos y opiniones respecto a cosas, personas o actividades.

(A mí)	**me**	
(A ti)	**te**	
(A él/ella/usted)	**le**	**gusta** el cine (NOMBRES EN SINGULAR)
		ir al cine (VERBOS)
(A nosotros/as)	**nos**	**gustan** las películas de acción
(A vosotros/as)	**os**	(NOMBRES EN PLURAL)
(A ellos/ellas/ustedes)	**les**	

- *Me cuesta mucho pronunciar las erres.*
- *A Sara le encanta Maná.*
- *¿Qué les parece este cuadro?*
- *Me duelen mucho los pies.*
- *¿Les cayó bien el novio de Lidia?*

► En estos verbos, se usa **a** + pronombre tónico (**a mí**, **a ti**, **a él/ella/usted**, **a nosotros/as**, **a vosotros/as**, **a ellos/ellas/ustedes**) cuando queremos contrastar diferentes personas.

- *¿Y a ustedes qué les pareció la película?*
- *A mí me encantó.*
- *Pues a mí me pareció muy aburrida.*

PRESENTE DE INDICATIVO

	hablar	**comer**	**escribir**
(yo)	habl**o**	com**o**	escrib**o**
(tú)	habl**as**	com**es**	escrib**es**
(él/ella/usted)	habl**a**	com**e**	escrib**e**
(nosotros/as)	habl**amos**	com**emos**	escrib**imos**
(vosotros/as)	habl**áis**	com**éis**	escrib**ís**
(ellos/ellas/ustedes)	habl**an**	com**en**	escrib**en**

- La terminación de la primera persona del singular es igual en las tres conjugaciones.

- Las terminaciones de la tercera conjugación son iguales que las de la segunda excepto en las formas de **nosotros/as** y **vosotros/as**.

► Usamos el Presente de Indicativo para:

- hacer afirmaciones atemporales: **Una semana tiene siete días.**

- hablar de hechos que se producen con una cierta frecuencia o regularidad: **Como en casa todos los días.**

- hablar del presente cronológico: **Hace muy buen tiempo.**

- pedir cosas y acciones en preguntas: **¿Me prestas una pluma?**

- hablar de intenciones firmes: **Mañana te devuelvo el libro.**

- relatar en presente histórico: **Pío Baroja nace en San Sebastián en 1872.**

- formular hipótesis: **Si me toca la lotería, dejo de trabajar.**

- dar instrucciones: **Sigues todo derecho y das vuelta a la izquierda.**

IRREGULARIDADES EN PRESENTE

Diptongación: e > ie, o > ue

► Muchos verbos de las tres conjugaciones tienen esta irregularidad en Presente. Este fenómeno no afecta a las formas de **nosotros/as** y **vosotros/as**.

	pensar	**poder**
(yo)	p**ie**nso	p**ue**do
(tú)	p**ie**nsas	p**ue**des
(él/ella/usted)	p**ie**nsa	p**ue**de
(nosotros/nosotras)	pensamos	podemos
(vosotros/vosotras)	pensáis	podéis
(ellos/ellas/ustedes)	p**ie**nsan	p**ue**den

Cierre vocálico: e > i

► El cambio de **e** por **i** se produce en muchos verbos de la tercera conjugación en los que la última vocal de la raíz es **e**, como **seguir**, **pedir**, **decir** o **freír**.

	seguir
(yo)	s**i**go
(tú)	s**i**gues
(él/ella/usted)	s**i**gue
(nosotros/as)	seguimos
(vosotros/as)	seguís
(ellos/ellas/ustedes)	s**i**guen

G en la primera persona del singular

► Existe un grupo de verbos que intercalan una **g** en la primera persona del singular.

salir ➡ sal**g**o   poner ➡ pon**g**o   valer ➡ val**g**o   hacer ➡ ha**g**o

► Esta irregularidad puede aparecer sola, como en **salir** o en **poner**, o en combinación con diptongación en las otras personas, como en **tener** o en **venir**.

	tener	**venir**
(yo)	ten**g**o	ven**g**o
(tú)	t**ie**nes	v**ie**nes
(él/ella/usted)	t**ie**ne	v**ie**ne
(nosotros/as)	tenemos	venimos
(vosotros/as)	tenéis	venís
(ellos/ellas/ustedes)	t**ie**nen	v**ie**nen

ZC en la primera persona del singular

► Los verbos terminados en **-acer**, **-ecer**, **-ocer** y **-ucir** también son irregulares en la primera persona del singular.

con**ocer** ➡ cono**zc**o   prod**ucir** ➡ produ**zc**o
obed**ecer** ➡ obede**zc**o   n**acer** ➡ na**zc**o

Cambios ortográficos

► Atención a las terminaciones en **-ger**, **-gir** y **-guir**. Debemos tener en cuenta las reglas ortográficas al conjugarlos.

esco**ger** ➡ esco**j**o   ele**gir** ➡ eli**j**o   se**guir** ➡ si**g**o

PRESENTE PERFECTO

	Presente de **haber**	+ Participio
(yo)	**he**	
(tú)	**has**	
(él/ella/usted)	**ha**	habl**ado**
(nosotros/as)	**hemos**	com**ido**
(vosotros/as)	**habéis**	viv**ido**
(ellos/ellas/ustedes)	**han**	

► El Presente Perfecto se forma con el Presente del auxiliar **haber** y el Participio pasado (**cantado**, **leído**, **vivido**).

► El Participio pasado es invariable. El auxiliar y el Participio son una unidad, no se puede colocar nada entre ellos. Los pronombres se colocan siempre delante del auxiliar.

- Las **hemos llamado** varias veces esta semana.
  ~~Las hemos llamadas varias veces esta semana.~~

- **Todavía no** hemos ido al mercado de artesanías.
  ~~Hemos todavía no ido al mercado de artesanías.~~

► Usamos el Presente Perfecto para situar hechos pasados sin hacer referencia a cuándo empezaron. En estos casos, solemos usar expresiones como **siempre**, **nunca**, **alguna vez**, **varias veces**, **últimamente**, **en los últimos días**, **todavía no**, **hasta ahora**... También se usa para indicar la duración de un estado o de una situación que sigue vigente en la actualidad.

- Nunca **he ido** a México, pero me gustaría conocerlo.
- Pues yo **he estado** varias veces. Es un país fascinante.

- ¿Cuánto tiempo **has vivido** en Chiapas?
- 10 años ya.

► También lo usamos para situar un hecho pasado señalando que todavía hay posibilidad de realizar una acción o de volver a realizarla en el espacio de tiempo indicado. En estos casos, solemos utilizar marcadores temporales relacionados con el presente: **hoy**, **esta mañana**, **esta semana**, **este mes**...

- Este mes no **he salido** con mis amigos; **he tenido** mucho trabajo.
- ¡Tú te lo **has perdido**! Cada fin de semana se **han divertido** mucho.

MÁS GRAMÁTICA

PRETÉRITO

	hablar	beber	escribir
(yo)	hablé	bebí	escribí
(tú)	hablaste	bebiste	escribiste
(él/ella/usted)	habló	bebió	escribió
(nosotros/as)	hablamos	bebimos	escribimos
(vosotros/as)	hablasteis	bebisteis	escribisteis
(ellos/ellas/ustedes)	hablaron	bebieron	escribieron

► El Pretérito se usa para relatar acciones ocurridas en un pasado concreto, no relacionado con el presente, que se presentan como concluidas. Se acompaña de marcadores como:

- fechas (**en 1990, en 2003, el 8 de septiembre, en enero**...)
- **ayer, anoche, anteayer**
- **el lunes, el martes**...
- **el mes pasado, la semana pasada**, etc.

  • *Anoche **cené** con unos amigos.*
  • *El mes pasado **descubrí** un restaurante muy bueno.*

IRREGULARIDADES EN EL PRETÉRITO
Cierre vocálico: e > i, o > u

► El cambio de **e** por **i** se produce en muchos verbos de la tercera conjugación en los que la última vocal de la raíz es **e**, como **pedir**. La **e** se convierte en **i** en las terceras personas del singular y del plural. Sucede lo mismo con los verbos de la tercera conjugación en los que la última vocal de la raíz es **o**, como **dormir**. En estos casos, la **o** se convierte en **u** en las terceras personas del singular y del plural.

	pedir	dormir
(yo)	pedí	dormí
(tú)	pediste	dormiste
(él/ella/usted)	pidió	durmió
(nosotros/as)	pedimos	dormimos
(vosotros/as)	pedisteis	dormisteis
(ellos/ellas/ustedes)	pidieron	durmieron

Ruptura del triptongo

► Cuando la raíz de un verbo en **-er/-ir** termina en vocal, en las terceras personas la **i** se convierte en **y**.

caer ➡ cayó/cayeron
huir ➡ huyó/huyeron
construir ➡ construyó/construyeron

Cambios ortográficos

Atención a los verbos que terminan en **-car**, **-gar**, **-guar** y **-zar**. Hay que tener en cuenta las reglas ortográficas al conjugarlos.

acercar ➡ acerqué
llegar ➡ llegué
averiguar ➡ averigüé
almorzar ➡ almorcé

Verbos con terminaciones irregulares

► Todos los siguientes verbos presentan irregularidades propias en la raíz y tienen unas terminaciones especiales independientemente de la conjugación a la que pertenezcan.

andar	➡ **anduv-**	poder	➡ **pud-**		-e
conducir*	➡ **conduj-**	poner	➡ **pus-**		-iste
decir*	➡ **dij-**	querer	➡ **quis-**	+	-o
traer*	➡ **traj-**	saber	➡ **sup-**		-imos
estar	➡ **estuv-**	tener	➡ **tuv-**		-isteis
hacer	➡ **hic-/hiz-**	venir	➡ **vin-**		-ieron

* En la tercera persona del plural, la **i** desaparece (**condujeron, dijeron, trajeron**). Se conjugan así todos los verbos terminados en **-ucir**.

¡Atención!
En la primera y en la tercera personas del singular de los verbos regulares, la última sílaba es tónica; en los irregulares, en cambio, la sílaba tónica es la penúltima.

Verbos ir y ser

► Los verbos **ir** y **ser** tienen la misma forma en Pretérito.

	ir/ser
(yo)	fui
(tú)	fuiste
(él/ella/usted)	fue
(nosotros/as)	fuimos
(vosotros/as)	fuisteis
(ellos/ellas/ustedes)	fueron

IMPERFECTO

	hablar	beber	vivir
(yo)	hablaba	bebía	vivía
(tú)	hablabas	bebías	vivías
(él/ella/usted)	hablaba	bebía	vivía
(nosotros/nosotras)	hablábamos	bebíamos	vivíamos
(vosotros/vosotras)	hablabais	bebíais	vivíais
(ellos/ellas/ustedes)	hablaban	bebían	vivían

► Casi no hay irregularidades en el Imperfecto, a excepción de los verbos **ir, ser,** y **ver**.

	ir	ser	ver
(yo)	iba	era	veía
(tú)	ibas	eras	veías
(él/ella/usted)	iba	era	veía
(nosotros/nosotras)	íbamos	éramos	veíamos
(vosotros/vosotras)	ibais	erais	veíais
(ellos/ellas/ustedes)	iban	eran	veían

► Usamos el Imperfecto para describir las circunstancias que rodean a un acontecimiento pasado.

- • *Como **estábamos** cansados, nos quedamos en casa.*
- • *Ayer no **tenía** ganas de estar en casa y me fui al cine.*

► También lo usamos para realizar descripciones en pasado.

- • *Ayer vi a Marta. **Estaba** guapísima.*
- • *La casa de mis abuelos **era** enorme y **tenía** muchas habitaciones.*

► Lo empleamos, asimismo, para hablar de costumbres en el pasado.

- • *De niño, siempre **iba** a visitar a mis abuelos al campo.*
- • *En mi época de estudiante, **dormía** muy poco.*

RELATAR EN PASADO

► Un relato es una sucesión de hechos que contamos utilizando el Pretérito o el Presente Perfecto. Hacemos avanzar la historia con cada nuevo hecho que presentamos.

- • *Aquel día Juan no **oyó** el despertador y **se despertó** media hora tarde. **Salió** de casa sin desayunar y **tomó** un taxi. Por suerte, **consiguió** llegar a tiempo al aeropuerto.*

► En cada hecho podemos "detener la acción" y "mirar" las circunstancias que lo rodean. Para ello, usamos el Imperfecto.

- • *Aquel día Juan **estaba** muy cansado y no oyó el despertador, así que se despertó media hora tarde. Como no **tenía** tiempo, salió de casa sin desayunar y tomó un taxi. Por suerte, no **había** mucho tráfico y consiguió llegar al aeropuerto a tiempo.*

► La elección que hacemos entre Presente Perfecto/Pretérito e Imperfecto no depende de la duración de las acciones, sino de la manera en la que queremos presentarlas y de su función en el relato.

- • *Ayer, como **estaba lloviendo**, no **salí**.* (no interesa el fin de la lluvia; la presentamos como una circunstancia de "no salir")

- • *Ayer, **estuvo lloviendo** todo el día y no **salí**.* (informo de la duración de la lluvia y del hecho de "no salir")

FUTURO SIMPLE

► El Futuro se forma añadiendo al Infinitivo las terminaciones -**é**, -**ás**, -**á**, -**emos**, -**éis** y -**án**.

	hablar	beber	vivir
(yo)	hablaré	beberé	viviré
(tú)	hablarás	beberás	vivirás
(él/ella/usted)	hablará	beberá	vivirá
(nosotros/as)	hablaremos	beberemos	viviremos
(vosotros/as)	hablaréis	beberéis	viviréis
(ellos/ellas/ustedes)	hablarán	beberán	vivirán

► Hay muy pocos verbos irregulares. Estos presentan un cambio en la raíz, pero tienen las mismas terminaciones que los verbos regulares.

tener ➡ **tendr-**	hacer ➡ **har-**		-é
salir ➡ **saldr-**	decir ➡ **dir-**		-ás
haber ➡ **habr-**	querer ➡ **querr-**		-á
poner ➡ **pondr-**	saber ➡ **sabr-**	+	-emos
poder ➡ **podr-**	caber ➡ **cabr-**		-éis
venir ➡ **vendr-**			-án

► Usamos el Futuro para referirnos al futuro cronológico de una manera neutra. Lo utilizamos para hacer predicciones o para expresar que algo ocurrirá inexorablemente.

- • *Mañana **hará** sol en todo el país.*
- • *Las cartas dicen que **tendrás** muchos hijos.*
- • ***Aterrizaremos** en cinco minutos.*
- • *El sol **saldrá** mañana a las 6:42.*

► También usamos este tiempo para formular hipótesis sobre el futuro, normalmente acompañado por marcadores como **seguramente**, **probablemente**, **posiblemente**, **seguro que**, **creo que**, etc.

- • *¿Qué vas a hacer esta noche?*
- ○ *Pues **seguramente me quedaré** en casa. ¿Y tú?*
- • *Yo **creo que saldré** a cenar.*

IMPERATIVO

IMPERATIVO AFIRMATIVO

El Imperativo afirmativo tiene tres formas: **tú** (más informal), **usted** (más formal) y **ustedes**.

	pensar	comer	dormir
(tú)	piensa	come	duerme
(usted)	piense	coma	duerma
(ustedes)	piensen	coman	duerman

► La forma para **tú** se obtiene eliminando la -**s** final de la forma correspondiente del Presente:

estudias ➡ **estudia**
comes ➡ **come**
cierras ➡ **cierra**

¡Atención!

Algunos verbos irregulares no siguen esta regla.

poner ➡ **pon**   hacer ➡ **haz**   venir ➡ **ven**
salir ➡ **sal**   tener ➡ **ten**   decir ➡ **di**

► Las formas para **usted** y **ustedes** se obtienen cambiando la vocal temática de la forma correspondiente del Presente:

estudi**a** ➡ estudi**e**
estudi**an** ➡ estudi**en**

com**e** ➡ com**a**
com**en** ➡ com**an**

cierr**a** ➡ cierr**e**
cierr**an** ➡ cierr**en**

¡Atención!

Los verbos que son irregulares en la primera persona del Presente tienen en Imperativo una raíz irregular.

pongo ➡ **ponga/n**   hago ➡ **haga/n**
salgo ➡ **salga/n**   tengo ➡ **tenga/n**
vengo ➡ **venga/n**   digo ➡ **diga/n**
traigo ➡ **traiga/n**   conozco ➡ **conozca/n**

► Los verbos **ser** e **ir** presentan formas especiales.

	ser	ir
(tú)	**sé**	**ve**
(usted)	**sea**	**vaya**
(ustedes)	**sean**	**vayan**

► Recuerda que, con el Imperativo afirmativo, los pronombres van después del verbo y forman una sola palabra.

  • *Devuélve**me** las llaves y ve**te**.*

IMPERATIVO NEGATIVO

	pensar	**comer**	**dormir**
(tú)	no piens**es**	no com**as**	no duerm**as**
(usted)	no piens**e**	no com**a**	no duerm**a**
(ustedes)	no piens**en**	no com**an**	no duerm**an**

► Fíjate en que las formas para **usted** y **ustedes** son las mismas que las del Imperativo afirmativo.

► Para los verbos en -**ar**, el Imperativo negativo se obtiene sustituyendo la **a** de las terminaciones del Presente de Indicativo por una **e**.

Presente   Imperativo
habl**as**   ➡ **no hables**
habl**a**   ➡ **no hable**
habl**an**   ➡ **no hablen**

► Para los verbos en -**er**/-**ir**, el Imperativo negativo se obtiene sustituyendo la **e** de las terminaciones del Presente de Indicativo por una **a** (excepto para la forma **vosotros** de los verbos en -**ir**: -**ís** ➡ -**áis**).

Presente	Imperativo		Presente	Imperativo
com**es** ➡	**no comas**		viv**es** ➡	**no vivas**
com**e** ➡	**no coma**		viv**e** ➡	**no viva**
com**e** ➡	**no coma**		viv**en** ➡	**no vivan**

¡Atención!

Los verbos que son irregulares en la primera persona del Presente tienen en Imperativo negativo una raíz irregular para todas las personas.

                    no pongas
pongo ➡ **no ponga**
                    no pongan

► Presentan formas especiales los verbos **ser**, **estar** e **ir**.

ser   ➡ **no seas, no sea, no sean**
estar ➡ **no estés, no esté, no estén**
ir   ➡ **no vayas, no vaya, no vayan**

► Recuerda que, con el Imperativo negativo, los pronombres van delante del verbo.

  • *¡No **me digas** lo que tengo que hacer!*

➤ Usamos el Imperativo para dar instrucciones.

- • **Retire** el plástico protector y **coloque** el aparato sobre una superficie estable.

➤ Para conceder permiso.

- • ¿Puedo entrar un momento?
- ○ Sí, claro. **Pasa, pasa.**

➤ Para ofrecer algo.

- • **Toma, prueba** estas galletas. Están buenísimas.

➤ Para aconsejar.

- • No sé qué hacer. Esta noche tengo una cena de trabajo y no sé qué ponerme.
- ○ **Ponte** el vestido azul, ¿no? Te queda muy bien.

¡Atención!

A veces usamos el Imperativo para dar órdenes o pedir acciones, pero solo en situaciones muy jerarquizadas o de mucha confianza. Solemos suavizar este uso con elementos como **por favor**, **anda**, **¿te importa?**, etc., o justificando la petición.

- • **Por favor**, Gutiérrez, **sáqueme** diez copias de estos documentos.
- • **Ven** conmigo a comprar, **anda**, que yo no puedo con todas las bolsas.

PARTICIPIO

➤ El Participio pasado se forma agregando las terminaciones **-ado** en los verbos de la primera conjugación e **-ido** en los verbos de la segunda y de la tercera conjugación.

cantar ➡ cant**ado**	beber ➡ beb**ido**
	vivir ➡ viv**ido**

➤ Hay algunos participios irregulares.

abrir* ➡ **abierto**	decir ➡ **dicho**	ver ➡ **visto**
escribir ➡ **escrito**	hacer ➡ **hecho**	volver ➡ **vuelto**
morir ➡ **muerto**	poner ➡ **puesto**	romper ➡ **roto**

* Todos los verbos terminados en **-brir** tienen un Participio irregular acabado en **-bierto**.

➤ El Participio tiene dos funciones. Como verbo, acompaña al auxiliar **haber** en los tiempos verbales compuestos y es invariable. Como adjetivo, concuerda con el sustantivo en género y en número y se refiere a situaciones o estados derivados de la acción del verbo. Por eso, en estos casos, se utiliza muchas veces con el verbo **estar**.

Marcos se **sorprendió**. ➡ Marcos está **sorprendido**.
Pintaron las paredes. ➡ Las paredes están **pintadas**.
Encendieron la luz. ➡ La luz está **encendida**.

GERUNDIO

➤ El Gerundio se forma añadiendo la terminación **-ando** a los verbos en **-ar** y la terminación **-iendo** a los verbos en **-er**/**-ir**.

cantar ➡ cant**ando**	beber ➡ beb**iendo**
	vivir ➡ viv**iendo**

➤ Son irregulares los gerundios de los verbos en **-ir** cuya última vocal de la raíz es **e** u **o** (**pedir**, **sentir**, **seguir**, **decir**, **reír**, **freír**, **mentir**, etc.; **dormir**, **morir**).

pedir ➡ p**i**diendo	dormir ➡ d**u**rmiendo

➤ Cuando la raíz de los verbos en **-er** o en **-ir** acaba en vocal, la terminación del Gerundio es **-yendo**.

traer ➡ tra**yendo**	construir ➡ constru**yendo**

Recuerda

Con el Gerundio, los pronombres se colocan después del verbo, formando una sola palabra.

- • Puedes mejorar tu español **relacionándote con nativos**.

➤ El Gerundio puede formar perífrasis con verbos como **estar**, **llevar**, **seguir**, **continuar**, etc.

- • Estos días **estoy trabajando** demasiado. Necesito un descanso.
- • ¿Cuánto tiempo **llevas viviendo** en el barrio?

- • ¿Y cómo va todo? ¿**Sigues trabajando** en la misma empresa?
- ○ Sí, yo como siempre y Marta también **continúa dando** clases.

➤ También usamos el Gerundio para explicar de qué manera se realiza una acción.

- • ¿Sabes qué le pasa a Paco? Salió **llorando** de clase.

- • ¿Y cómo consigues estar tan joven?
- ○ Pues **haciendo** ejercicio todos los días, **comiendo** sano y **durmiendo** ocho horas al día.

¡Atención!

En este tipo de frases, para expresar la ausencia de una acción, usamos **sin** + Infinitivo en lugar de **no** + Gerundio.

- • ¿Qué le pasa a Antonio? Salió corriendo **sin decir** nada.

ESTAR + GERUNDIO

► Usamos **estar** + Gerundio cuando presentamos una acción o una situación presente como algo temporal o no definitivo.

(yo)	**estoy**	
(tú)	**estás**	
(él/ella/usted)	**está**	+ Gerundio
(nosotros/as)	**estamos**	
(vosotros/as)	**estáis**	
(ellos/ellas/ustedes)	**están**	

- *¿**Estás viviendo** en Londres? ¡No lo sabía!*

► A veces, podemos expresar lo mismo en Presente con un marcador temporal: **últimamente**, **desde hace algún tiempo**…

- *Desde hace algunos meses, **voy** a clases de yoga.*

► Cuando queremos especificar que la acción se está desarrollando en el momento preciso en el que estamos hablando, solo podemos usar **estar** + Gerundio.

- *No te puede oír, **está escuchando** música en su cuarto.*
- ~~No te puede oír, escucha música en su cuarto.~~

► Usamos **estar** en Presente Perfecto, Pretérito o Imperfecto + Gerundio para presentar las acciones en su desarrollo.

PRESENTE PERFECTO

- Toda la tarde **hemos estado probando** la tele nueva.
- Estos días **han estado arreglando** el elevador.
- Juan **ha estado** un año **preparando** la defensa de su tesis.

PRETÉRITO

- Ayer **estuvimos probando** la tele nueva.
- El otro día **estuvieron arreglando** el elevador.
- Juan **estuvo** un año **preparando** la defensa de su tesis.

IMPERFECTO

- Esta tarde **estábamos probando** la tele nueva y, de repente, se ha ido la luz.
- El otro día, cuando llegué con las bolsas de la compra, **estaban arreglando** el elevador y tuve que subir a pie los cinco pisos.
- Cuando conocí a Juan, **estaba preparando** la defensa de su tesis.

> **!** **¡Atención!**
> Si queremos expresar la ausencia total de una acción durante un periodo de tiempo, podemos usar **estar sin** + Infinitivo.
>
> - *Paco **ha estado** dos días **sin hablar** con nadie. ¿Tú crees que le pasa algo?*

IMPERSONALIDAD

► En español, podemos expresar la impersonalidad de varias maneras. Una de ellas es con la construcción **se** + verbo en tercera persona.

- *El gazpacho **se hace** con tomate, pimiento, cebolla, ajo...*

► Otra manera de expresar impersonalidad, cuando no podemos o no nos interesa especificar quién realiza una acción, es usar la tercera persona del plural.

- *¿Sabes si ya **arreglaron** la calefacción?*
- *¿Te enteraste? **Descubrieron** un nuevo planeta.*

SER/ESTAR/HABER

► Para ubicar algo en el espacio, usamos el verbo **estar**.

- *El ayuntamiento **está** bastante lejos del centro.*

► Pero si informamos acerca de la existencia, usamos **hay** (del verbo **haber**). Es una forma única para el presente, y solo existe en tercera persona. Se utiliza para hablar tanto de objetos en singular como en plural.

- *Cerca de mi casa **hay** un parque enorme.*
- *En la fiesta **hubo** momentos muy divertidos.*
- *¿**Había** mucha gente en el concierto?*
- *En el futuro **habrá** problemas de suministro de agua.*

► Para informar sobre la ubicación de un evento ya mencionado en el tiempo y en el espacio, usamos **ser**.

- *La reunión **es** en mi casa.*

► Con adjetivos, usamos **ser** para hablar de las características esenciales del sustantivo y **estar** para expresar una condición o un estado especial en un momento determinado.

- *Lucas **es** ingeniero.*   - *Lucas **está** enojado.*
- *Este coche **es** nuevo.*   - *El coche **está** descompuesto.*

► También usamos **ser** cuando identificamos algo o a alguien o cuando hablamos de las características inherentes de algo.

- *Alba **es** una amiga mía.*
- ~~Alba está una amiga mía.~~

► Con los adverbios **bien/mal**, usamos únicamente **estar**.

- *Este libro **está** muy bien.*
- ~~Este libro es muy bien.~~

MÁS INFORMACIÓN

 Argentina

Población: 36,223,947
Código telefónico: 54
Web turística: www.turismo.gov.ar

MEDIOS DE COMUNICACIÓN
Principales cadenas de televisión
América TV (Canal 2)
ATC
Canal 9 (Libertad)
Canal 13 *(propiedad del grupo Clarín)*
Telefé (Canal 11)

Principales periódicos
Ámbito Financiero *(Diario de tendencia neoliberalista dura)*
www.ambitofinanciero.com
Clarín *(El principal diario argentino y el de mayor circulación en América Latina)* www.clarin.com
Cronista Comercial *(Dedicado al sector financiero)* www.cronista.com
El Popular *(Diario de tendencia populista)* www.diarioelpopular.com.ar
La Nación *(Diario de tendencia conservadora)* www.lanacion.com.ar/
Página 12 www.pagina12.com.ar/

Principales radios
Radio Continental
www.continental.com.ar/
Radio Mitre www.radiomitre.com.ar/
Radio Nacional
www.radionacional.gov.ar/
Radio Rivadavia
www.rivadavia.com.ar/

MEDIOS DE TRANSPORTE
Avión:
Aerolíneas Argentinas
www.aerolineas.com.ar/
LAFSA (Líneas Aéreas Federales)
Southern Winds
www.sw.com.ar/es/home.jsp

TE SUGERIMOS...
Un libro: *Ficciones*, de Jorge Luis Borges
Una película: *El sur*, de Fernando Solanas
Un disco: *De Ushuaia a La Quiaca*, de León Gieco

 Bolivia

Población: 8,586,443
Código telefónico: 591
Web turística: www.bolivia.com/turismo

MEDIOS DE COMUNICACIÓN
Principales cadenas de televisión
ATB (Canal 9) www.atb.com.bo
Bolivisión
www.bolivisiontv.com/index.cfm
PAT www.red-pat.com
Red Uno (Canal 2)
www.reduno.com.bo

Televisión Nacional de Bolivia
Principales periódicos
El Diario www.eldiario.net/
La Prensa www.laprensa.com.bo
La Razón www.la-razon.com/
Principales radios
Radio Activa
www.919radioactiva.com
Radio Cadena Coral
www.coralbolivia.com
Radio Estrella www.radioestrella.com
Radio Panamericana
www.panamericana-bolivia.com

MEDIOS DE TRANSPORTE
Avión:
Aerosur www.aerosur.com
LAB (Lloyd Aéreo Boliviano)
www.labairlines.com
SAVE

TE SUGERIMOS...
Un libro: *Juan de la Rosa*, de Nataniel Aguirre
Una película: *La nación clandestina*, de Jorge Sanjinés
Un disco: *Hoja de coca*, de Rumillatja

 Chile

Población: 15,665,216
Código telefónico: 56
Web turística: www.sernatur.cl

MEDIOS DE COMUNICACIÓN
Principales cadenas de televisión
Canal 13 www.canal13.cl
Chilevisión www.chilevision.cl
Megavisión www.portal.mega.cl
TV Chile www.tvchile.cl
TVN (Televisión Nacional de Chile)
www.tvn.cl

Principales periódicos
El Mercurio www.diario.elmercurio.com
La Segunda www.lasegunda.com
La Tercera www.tercera.cl
Las Últimas Noticias www.lun.com

Principales radios
Radio agricultura
Radio chilena www.radiochilena.cl
Radio cooperativa www.cooperativa.cl

MEDIOS DE TRANSPORTE
Autobús:
Alsa Chile www.alsa.cl
Sky airline www.skyairline.cl
Turbus www.turbus.cl

Avión: Lan Chile www.lanchile.com
Tren: Ferrocarriles del estado
www.efe.cl

TE SUGERIMOS...
Un libro: *Veinte poemas de amor y una canción desesperada*, de Pablo Neruda
Una película: *El chacal de Nahueltoro*, de Miguel Littín
Un disco: *Alturas de Macchu Picchu*, de Los Jaivas

 Colombia

Población: 33,109,840
Código telefónico: 57
Web turística: www.presidencia.gov.co

MEDIOS DE COMUNICACIÓN
Principales cadenas de televisión
Canal U www.canalu.com.co/
Caracol Televisión
www.canalcaracol.com
Colombiana de Televisión
www.coltevision.com

Principales periódicos
El Colombiano
www.elcolombiano.com/
El Espectador www.elespectador.com/
El Tiempo www.eltiempo.com/hoy/
Vanguardia Liberal
www.vanguardia.com/

Principales radios
Caracol Colombia www.caracol.com.co
RCN Radio www.rcn.com.co
Todelar Cadena Nacional
www.todelar.com.co

MEDIOS DE TRANSPORTE
Avión:
ACES
Aerorepública
www.aerorepublica.com.co
Aires www.aires.com.co
Avianca www.avianca.com.co

TE SUGERIMOS...
Un libro: *Cien años de soledad*, de Gabriel García Márquez
Una película: *La estrategia del caracol*, de Sergio Cabrera
Un disco: *Un día normal*, de Juanes

 Costa Rica

Población: 3,925,000
Código telefónico: 506
Web turística:
www.costarica.tourism.co.cr

MEDIOS DE COMUNICACIÓN
Principales cadenas de televisión
Repretel www.repretel.com
Teletica (Canal 7) www.teletica.com

Principales periódicos
Al día www.aldia.co.cr
El Heraldo www.elheraldo.net
La Nación www.nacion.co.cr
La República www.larepublica.co.cr

Principales radios
979 Conexión www.979conexion.com
Monumental www.monumental.co.cr
Radio Juvenil www.911juvenil.com

MEDIOS DE TRANSPORTE
Autobús:
Ticabus www.ticabus.com
Avión:
Nature Air www.natureair.com
Sansa www.flysansa.com

TE SUGERIMOS...
Un libro: *En este mundo redondo y plano*, de Carmen Naranjo
Una película: *Caribe*, de Esteban Ramírez
Un disco: *Década uno*, de Editus

 Cuba

Población: 11,093,152
Código telefónico: 53
Web turística: www.cubatravel.cu

MEDIOS DE COMUNICACIÓN
Principales cadenas de televisión
Cubavisión www.cubavision.cubaweb.cu/
Tele Rebelde

Principales periódicos
Cuba Ahora www.cubahora.co.cu
Granma *(periódico oficial del Partido Comunista)* www.granma.cu
La Nueva Cuba www.lanuevacuba.com

Principales radios
Radio Musical Nacional
www.cmbfjazz.cu/
Radio Progreso www.radioprogreso.cu/
Radio Rebelde
www.radiorebelde.co.cu
Radio Reloj www.radioreloj.cu/

MEDIOS DE TRANSPORTE
Avión: Cubana de Aviación
www.cubana.cu
Tren: Ferrocuba

TE SUGERIMOS...
Un libro: *Los pasos perdidos*, de Alejo Carpentier
Una película: *Fresa y chocolate*, de Tomás Gutiérrez Alea
Un disco: *Buena Vista Social Club*, VV.AA.

Ecuador

Población: 11,781,613
Código telefónico: 593
Web turística: www.vivecuador.com

MEDIOS DE COMUNICACIÓN
Principales cadenas de televisión
Ecuavisa www.ecuavisa.com
ETV Telerama www.etvtelerama.com
Gamavisión www.gamavision.com
Teleamazonas www.teleamazonas.com

Principales periódicos
El Comercio www.elcomercio.com
El Universo www.eluniverso.com
Hoy www.hoy.com.ec

Principales radios
Alfa Super Stereo www.alfa.com.ec/
JC Radio La Bruja www.jcradio.com.ec
Radio Centro www.radiocentro.com.ec/
Radio CRE www.cre.com.ec/
Radio Sucre www.radiosucre.com.ec/

MEDIOS DE TRANSPORTE
Avión:
Aerogal www.aerogal.com.ec
Ecuatoriana de Aviación
TAME www.tame.com.ec

TE SUGERIMOS...
Un libro: *El éxodo de Yangana*, de Ángel Felicísimo Rojas
Una película: *Ratas, ratones ratero*, de Juan Sebastián Cordero
Un disco: *El legado*, de Julio Jaramillo

El Salvador

Población: 5,828,987
Código telefónico: 503
Web turística:
www.elsalvadorturismo.gob.sv/

MEDIOS DE COMUNICACIÓN
Principales cadenas de televisión
Canal 12 www.canal12.com.sv/
Canal 21 www.canal21tv.com.sv/
TCS *(Telecorporación salvadoreña que incluye los canales 2, 4 y 6)*

Principales periódicos
El Diario de Hoy
www.eldiariodehoy.com/
El Faro www.elfaro.net/
El Mundo www.elmundo.com.sv/
La Prensa Gráfica
www.laprensa.com.sv/portada/default.asp

Principales radios
La femenina
Laser
Qué buena www.quebuena.com

MEDIOS DE TRANSPORTE
Avión: Taca

Tren: FENADESAL, Ferrocarriles nacionales de El Salvador
www.cepa.gob.sv/ferro.htm

TE SUGERIMOS...
Un libro: *Un día en la vida*, de Manlio Argueta
Una película: *Los peces fuera del agua*, de José David Calderón
Un disco: *El último romántico*, de Álvaro Torres

Guatemala

Población: 11,237,196
Código telefónico: 502
Web turística: www.guatemala.gob.gt/

MEDIOS DE COMUNICACIÓN
Principales cadenas de televisión
Canal 3 (El Super Canal)
www.canal3.com.gt
Canal 7 (Televisiete) www.canal7.com.gt
Canal 11 (Teleonce)

Principales periódicos
El Periódico www.elperiodico.com.gt
La Hora www.lahora.com.gt
Prensa libre www.prensalibre.com/
Siglo XXI www.sigloxxi.com/

Principales radios
Emisoras unidas
www.emisorasunidas.com
Radio activa *(variedad)*
www.guate.net/alius/activa.html
Red deportiva *(deportes y noticias)*
www.lared.com.gt
Sonora *(noticias y política)*
www.sonora.com.gt

MEDIOS DE TRANSPORTE
Avión
Aviateca www.aviateca.aereo
Tical Jets www.ticaljets.com

TE SUGERIMOS...
Un libro: *El señor Presidente*, de M. Á. Asturias
Una película: *El silencio de Neto*, de L. Argueta
Un disco: *Historias*, de Ricardo Arjona

Honduras

Población: 6,669,789
Código telefónico: 504
Web turística: www.letsgohonduras.com

MEDIOS DE COMUNICACIÓN
Principales cadenas de televisión
Televicentro www.televicentro.hn/
Vica Televisión www.vicatv.hn/

Principales periódicos
La Prensa www.laprensahn.com
La Tribuna www.latribunahon.com/
Tiempo www.tiempo.hn/

Principales radios
HRN www.radiohrn.hn/
Radio América www.radioamerica.hn/

MEDIOS DE TRANSPORTE
Avión:
Aerolíneas Sosa
www.aerolineassosa.com
Isleña (grupo TACA) www.flyislena.com/
Rollins Air

TE SUGERIMOS...
Un libro: *Una función con móbiles y tentetiesos*, de Marcos Carías Zapata
Una película: *Anita, la cazadora de insectos*, de Hispano Durón
Un disco: *Sopa de caracol*, de Banda Blanca

México

Población: 104,907,991
Código telefónico: 52
Web turística: www.mexicoturismo.org

MEDIOS DE COMUNICACIÓN
Principales cadenas de televisión
Televisa *(El grupo Televisa es la compañía de medios de comunicación más grande en el mundo de habla hispana)* www.esmas.com/televisa
TV azteca www.tvazteca.com.mx

Principales periódicos
El Sol de México
www.elsoldemexico.com.mx/
Excelsior www.excelsior.com.mx/
La Jornada *(Cuenta con los periódicos La Jornada de Oriente, La Jornada Morelos y La Jornada Michoacán)* www.jornada.unam.mx

Milenio *(Tiene a su cargo los periódicos: Milenio Diario, Milenio Monterrey, Público Milenio, Diario de Tampico, La Opinión Milenio, Milenio Veracruz, Milenio Tabasco, Milenio Hidalgo)* www.milenio.com/

Reforma www.reforma.com/

Principales radios
Grupo Acir *(La corporación radiofónica más importante y de mayor cobertura del país.)*
www.grupoacir.com.mx/rednacional.html

Grupo Radio Centro *(Tiene a su cargo estaciones como Red FM, Alfa Radio, Universal Stereo, Stereo Joya, 97 7, La Z, La 69, Formato 21, Radio Centro, Red AM y el Fonógrafo)*
www.radiocentro.com/

Instituto Mexicano de la Radio (IMER)
(Agrupa a distintas frecuencias como XEQK, La "B" Grande de México, XEMP, XEHIMR, Orbita, Opus 94.5, Edusat y Radio México Internacional.)
www.imer.com.mx/

Núcleo Radio Mil *(Constituido por las emisoras Radio Mil, Sinfonola, Morena, Oye 89.7, Sabrosita, Stereo Cien y Enfoque.)*
www.nrm.com.mx/

MEDIOS DE TRANSPORTE
Autobús:
ADO www.ado.com.mx/
Flecha amarilla
www.flecha-amarilla.com/
Grupo Senda www.gruposenda.com/
Ómnibus de México
www.omnibusdemexico.com.mx/

Avión:
Aerocaribe www.aerocaribe.com.mx
Aerolíneas Azteca
www.aazteca.com.mx/
Aeroméxico www.aeromexico.com
Aviacsa www.aviacsa.com/
Mexicana www.mexicana.com/

Barco:
Grupo Sematur de California
www.ferrysematur.com.mx/

Tren:
Ferromex www.ferromex.com.mx
Siteur www.siteur.jalisco.gob.mx/org.htm

TE SUGERIMOS...
Un libro: *Como agua para chocolate*, de Laura Esquivel
Una película: *Voces inocentes*, de Luis Mandoki
Un disco: *¿Dónde jugarán los niños?*, de Maná

Nicaragua

Población: 5,128,517
Código telefónico: 505
Web turística: www.intur.gob.ni

MEDIOS DE COMUNICACIÓN
Principales cadenas de televisión
Canal 2 (Televicentro de Nicaragua)
www.canal2.com.ni/
Canal 8 (Telenica)
www.telenica.com.ni/

Principales periódicos
El Nuevo Diario
www.elnuevodiario.com.ni/
La prensa www.laprensa.com.ni/

Principales radios
Nueva Radio Ya
www.nuevaya.com.ni/
Radio 1 www.radio1.com.ni/
Radio Nicaragua
www.radionicaragua.com.ni/

MEDIOS DE TRANSPORTE
Autobús:
Ticabus www.ticabus.com/
Transnica www.transnica.com/

Avión:
Atlantic Airlines
www.atlanticairlines.com.ni
La Costeña (grupo TACA)
www.tacaregional.com/costena/

TE SUGERIMOS...
Un libro: *El canto errante*, de Rubén Darío
Una película: *Verdades ocultas*, de Rossana Lacayo
Un disco: *Un trago de horizonte*, de Dúo Guardabarranca

 ## Panamá

Población: 2,960,784
Código telefónico: 507
Web turística: www.ipat.gob.pa

MEDIOS DE COMUNICACIÓN
Principales cadenas de televisión

WHITBY
Between the
Wars

Colin Wilkinson

AMBERLEY

For Gavin, Amanda and Melanie

First published 2016

Amberley Publishing
The Hill, Stroud
Gloucestershire, GL5 4EP

www.amberley-books.com

Copyright © Colin Wilkinson, 2016

The right of Colin Wilkinson to be identified
as the Author of this work has been asserted in
accordance with the Copyrights, Designs and
Patents Act 1988.

ISBN 978 1 4456 6272 5 (print)
ISBN 978 1 4456 6273 2 (ebook)

British Library Cataloguing in Publication Data.
A catalogue record for this book is available from
the British Library.

Typesetting by Amberley Publishing.
Printed in the UK.

Contents

Introduction

Whitby is an ancient coastal town in North Yorkshire, built around the mouth of the River Esk. Today it is a popular holiday resort attracting visitors wanting to sample the beach, fish and chips, steam trains, Goth festivals, coastal or moorland walks, regattas and the town's heritage, be it that of seafaring, exploration, religion or the quaint streets and yards of the old town. Between 1919 and 1939, sandwiched between two terrible wars, was a fascinating period in Whitby's story and helped shape much of what is seen in the resort today.

By 1920, like many other places in the north, Whitby's traditional industries had shrunk or even disappeared. The port that had produced such prosperity was no longer competitive; there were other harbours around the country able to provide deeper water capable of accommodating the large modern ships that were being used. Shipbuilding had almost ceased, and Whitby shipbuilders could no longer compete with those yards situated close to equipment manufacturers and materials. Shipowners based in the town had moved away to the commercial centres, and those who still kept a base in the town would use other ports to find cargoes and service their ships. A section of this book will look at the fate of industry in the town.

So it would seem that the story of Whitby in these years could be predicted to have followed the pattern of so many other towns and be a tale of decline, poverty and unemployment. However, this is a much more complicated period, and despite everything there was an opportunity for progress that came from the growing number of people going on holiday. This presents a paradox: how could the holiday market be buoyant in a time associated with economic depression, the General Strike, the Wall Street Crash and the Jarrow March? Surely holidays would be have to be sacrificed. This book looks at the reasons for the growth in holiday-making and how the townsfolk of Whitby responded to the challenge of attracting tourists. This involved providing new hotels, theatres, cinemas, parks, lidos and ballrooms, but there were other demands on the town's resources and energies.

There was the problem of poor housing to be confronted. Whitby had its share of slum properties, but there had developed a conflict between the need to be rid of the old, decaying tenements and the need to preserve the beauty that these red-roofed houses, clustered around the cliff sides, produced. How this dispute raged is retold together with the efforts to find a solution.

The decline in much of Whitby's industry brought unemployment. Those out of work faced the stigma of the Poor Law, the possibility of the workhouse and then in the 1930s the hated means test. The reaction to this and the efforts to provide work for those desperate to earn a living are recounted.

This history starts at the end of the First World War. The full horror of war had been brought to Whitby in December 1914 when German battleships bombarded the town. The ancient abbey and houses were damaged, and shells fell as far away as the inland villages of Ruswarp and Sleights. Two men were killed: a coastguard and a railway worker. Robert Miller, a boy scout, was also hit; he survived, but had to have a leg amputated. Robert, aged fifteen, was rewarded by Baden-Powell, the founder of the Scout movement, who sent him a gift of a cigarette case (how times have changed), now on display in the Whitby Museum. King George was prompted to send a message to the town expressing his deep sympathy for 'the bereaved families in their distress'.

1914 bomb damage in Esk Terrace.

Today the garden walls in Esk Terrace show no sign of the damage.

Two months earlier, the townsfolk had also witnessed the tragedy of war when the hospital ship, *Rohilla*, which had been on its way to Dunkirk to rescue wounded soldiers, was wrecked. A storm drove the ship ashore near Whitby. The lifeboat crew were called out, and it took three days for the rescue to be completed, by which time over eighty lives were lost, including some medical staff.

Throughout the war years, families were devastated by loss, and a plaque in St Mary's Church remembers those who lost their lives. However, there was a feeling that there was a need to provide a memorial that would be a lasting benefit to the town, so fundraising was started, and in 1925 the Memorial Hospital was opened.

At the end of the war, there was a desire to return to normality and even to look forward with optimism. Thomas Woodwark, a local councillor and solicitor, had experienced loss; his great-nephew had joined the RAF and was killed in 1917 when he was only seventeen years old. However, Thomas was still able to look forward when he gave a speech in 1919. He told the local audience that the Whitby he would like to see was a town 'rivalling Scarborough as a health resort, rivalling Grimsby as a fishing port and rivalling Sunderland as a shipbuilding centre'. While this is an understandably ambitious and worthy goal, it would not become reality.

This memorial to those lost on the *Rohilla* was erected in Whitby Cemetery.

Above and below: The War Memorial Hospital and all that remains of it outside the entrance to the modern hospital that has replaced it.

1

A Port to Rival Grimsby and a Shipyard to Rival Sunderland

The speech by Councillor Woodwark does look back to the days when the town supported a shipbuilding industry, a significant trading port and a fishing harbour. Despite the hope portrayed in his speech, the prosperity that once was provided by the port was not to return in the early twentieth century.

A number of shipbuilders had been working in the town; however, Turnbulls, operating from the Whitehall Shipyard, was the last significant firm. In 1871, Turnbulls had reacted to the decline in the demand for wooden sailing ships and refitted the yard so that iron steamships could be built. However, it was difficult to compete with yards, for example, in Sunderland and Middlesbrough, which were close to supplies of iron and coal and had boiler manufactures and foundries nearby. Whitby was at a disadvantage, having to pay the additional transport cost of bringing supplies into the yard. The harbour also presented a problem as it; often silted up, and the sandbar at the entrance made navigation difficult. The last ship built by Turnbulls, the *Broomfield*, was launched in 1902. With no more orders, only a few employees were retained in the yard in the hope of keeping it ready for any repair work that could be attracted. By 1918, Turnbulls had sold the yard.

The optimism in the future that was shown in the immediate post-war years resurfaced when dramatic plans for the harbour were put forward by the new manager of the yard. The harbour would be made deeper and extended, dock gates erected to reduce the reliance on the tide for deep water, moorings would be provided for 300 or 400 modern trawlers and shipbuilding could start again in the upper harbour. No source of funding was discussed for this scheme, which was estimated to cost £250,000, and even if the money could be found, there was little hope of this becoming a reality. By late 1920, the post-war boom, during which shipyards had been busy with orders to rebuild fleets, had ended. Shipyards that already had a greater capacity than that proposed for Whitby suffered from the declining world demand and emptying order books. There was overcapacity and no justification for any new facilities. The situation did not improve; by 1931, nationally 52 per cent of shipbuilders insured under the National Insurance Scheme were unemployed. In these conditions, it is not surprising that the Whitehall yard did not prosper. Some repair work on barges was carried out during the 1920s, but 1932 saw the end of the yard when it was dismantled.

Turnbulls' activities were not limited to shipbuilding, and they also owned and operated ships, some of which had been built in the Whitehall yard. However, even they had to place orders for new vessels elsewhere. In 1906, their ship, the *Helredale*, which had been built in Middlesbrough, was launched. Gradually Turnbulls moved away from Whitby, the shipbuilding business had gone, and they found better opportunities to develop their shipping business in London and Cardiff.

Other shipowners remained in the town. Rowland & Marwood had offices in Flowergate, but there was little opportunity for their ships to trade from the home port. It was no longer competitive and had limited facilities, and this, coupled with the restrictions associated with the sandbar and silting of the harbour, meant that other ports had overtaken Whitby. Consequently, owners were forced to operate elsewhere, and the revenue brought by handling cargoes, providing fuel and supplies benefited these ports.

Cardiff became the main base for Rowland & Marwood's ships, and from there, they traded around the world. One port often visited was Rosario, an inland port on the River Paraná in Argentina, where grain was the cargo. One voyage of a Rowland steamer, the SS *Scoresby*, left Cardiff on 7 January 1934, arrived at Rosario on 9 February and, after discharging and loading, which took some time in those days before containerisation, returned to Cardiff on 17 April via Madeira and Hull. While Rosario was an important destination, trading was not limited to South America and their ships were seen in Hamburg, Genoa, Naples and Belfast. In Durban, on board the SS *Glaisdale* in 1930 were two Whitby men, Maurice Briggs and Norman Foster, who had to be left in Durban suffering from malaria.

Rowland & Marwood's crew lists show that their ships were often manned by Whitby men, some having taken to the sea when employment in the shipyard dried up. Joseph Purvis worked in the Whitehall yard, but by 1925, he was aboard the SS *Larpool*. One Whitby sailor explained a little about his life. On a voyage, he was paid £9 per month, and his wife would receive £7, leaving him to pay his rail fare to Cardiff, his National Insurance stamp and to spend 2s (10p) on a 'good meal' before joining the ship.

In 1921, Whitby seafarers who did have jobs had to fight for their livelihoods, as the National Union of Seamen had introduced a restriction designed to ease the distress of local unemployment by allowing only Cardiff sailors to sign on to ships from that port. This could have meant disaster for the Whitby men, but the union was persuaded to ease the restriction and accepted that Whitby ships could be manned by Whitby sailors. Rowland & Marwood continued to operate until the 1980s.

Whitby's port did not flourish. Only forty-six steamers entered during 1921; in 1923, there was little improvement with just sixty-nine recorded, and not all of these would bring cargoes into the harbour, some just took shelter in bad weather.

The *Barnby* was one of Rowland & Marwood's ship's operated in the 1940s.

By 1931, the Medical Officer of Health's annual report commented that 'there is only a small amount of mercantile shipping entering the port'.

Fishing has always been associated with the town; whaling had flourished in the early part of the nineteenth century, but overfishing brought the hunting to an end. The abundance of herring attracted the fishing fleets to the north-east coast. These visiting boats would dock in Whitby to land the catch, but again, by the inter-war years, other ports offered better facilities. The large motor-powered trawlers were better serviced in other harbours such as Scarborough or Grimsby. In 1921, it was noted that 'the condition of the harbour has become so bad that deep draft trawlers have ceased their visits'.

There had been little incentive to improve the harbour with shipbuilding disappearing and shipowners trading from other ports, and by the end of the First World War there was also a problem with silting as no resources had been available during the war years to allow dredging work. The government did provide a loan towards remedying this, but difficulties in finding a useable dredger and keeping the harbour clear rumbled on through the years.

Inshore fishing did provide work for local fishermen in their mules and cobbles (flat-bottomed boats), but these were small, family operations, and there was no investment in the trawlers that were being used to bring in the big hauls. In 1928, the Whitby fleet was listed as having only thirteen motor mules and nine motor cobbles; during the summer months, fishermen would find it more rewarding to offer sea trips to visitors. The value of fish landed varied over the years, but remained relatively low; in 1921, it was worth £12,000 and by 1928, it had risen to £18,000, the boost in this year coming from improved lobster and salmon catches.

Jewellery worked from jet had provided employment; in 1885, it was noted that there were 300 people working in this industry, but by 1921, there were only thirty, and some of these worked on a part-time basis. This decline was a consequence of changing fashions, and the bulky items that were produced from this black gemstone fell out of favour. There was also competition from Spain and the development of vulcanite that provided a cheap alternative, although with exposure to light the black surface became discoloured.

The town did retain its market to support the local villages in the North Yorkshire Moors. This was in the old part of the town on the east side, set among the crowded streets and yards. On market days, farmers would lead their cattle along Church Street to slaughterhouses around the marketplace.

The decline of the traditional industries resulted in considerable unemployment. As would be expected, the winter months were the worst when the seasonal work ended. The problem was made worse when unemployed people were attracted into the town and to the old tenements that were found in some parts that could be rented cheaply.

Nationally there was a movement to reform the provision for those who became unemployed. In 1911, a National Insurance Scheme was introduced to provide some groups of workers with unemployment benefit. By 1921, most employments were covered by the scheme; only agricultural workers, domestic staff and the self-employed were excluded. The benefit was payable for fifteen weeks, although this gradually increased, but was dependent on the number of contributions made. The idea was that the scheme would be financed by contributions from employers, employees and some limited subsidy from government funds. One aim was to remove the stigma that had developed around the existing Poor Law relief with the threat of having to enter the workhouse.

The Poor Law Unions had been responsible for helping those in need, and the poor could experience the harsh regime in the workhouse or, more often, give assistance known as outdoor relief. In many towns, the level of unemployment that developed in the 1920s started to overwhelm the Poor Law authorities, as their funding was not geared to assist so many.

There was hardship in the town, and in August 1921 the Whitby Union reported a weekly payment to 413 people amounting to £98 12s 5d, compared with 206 payments during the same week in the previous year. When a deputation of the unemployed from the town met with the Poor Law Guardians to ask for help in finding work, the response from the Guardians included a reminder that their responsibility was to help cases of absolute need and not to make payments simply because a person was unemployed. There still endured an attitude that poverty resulted from idleness, and those not earning a living were feckless and wasters. This was seen in a comment by one unsympathetic Whitby Guardian, who warned that some may have been seeking a 'good gift to enable them to live as retired

Whitby's workhouse. It became the Public Assistance Institution in 1930 and then a hospital. It is now a business centre.

gentlemen'. The deputation asked whether the Guardians could make work available. The reaction was to explain that they had found a previous initiative when men were paid to break stones expensive, as the crushed stones had been difficult to sell, and the project had cost more than paying 'doles'. The Guardians felt that the local council should seek opportunities to provide work.

By 1930, the Poor Law Unions had ceased to operate, and Assistance Committees took over much of their role. Then in 1934 the administration changed again when the Unemployment Assistance Board arranged payments for the unemployed who had exhausted their benefit entitlement from the National Insurance Scheme and to those who would previously have relied on poor relief.

The financial crisis of the early 1930s, triggered by the crash of the American stock market in 1929, produced a depression that reverberated around the world. This brought more unemployment and saw the government taking action to reduce its spending deficit. One initiative was the introduction of the means test to assess the household income and circumstances of those whose benefits under the insurance scheme had been exhausted, and brought with it the embarrassment of having an official pry into a family's finances.

One letter in the *Whitby Gazette* from a contributor signing as 'means test' wrote about the situation of the unemployed: 'Many have practically given up all hope of ever getting work and with the coming winter, we cannot even send our children to school without their feet getting wet for lack of a pair of boots.'

The Government did introduce measures to alleviate unemployment by encouraging public works. In December 1920 the Unemployment Grants Committee (UGC) was set up to provide financial help by providing loans or assistance with wages for work-creation projects undertaken by local authorities. In Whitby, a group of the unemployed confronted councillors with a demand that they apply for grants to provide work. This prompted a council committee to draw up a list of proposals, and these included road widening, cliff drainage, building bowling greens, dredging the harbour and pier repairs.

The scheme chosen by the group was to widen St Hilda's Terrace, but this was opposed by some residents who felt there were more useful works that could be carried out, including making improvements to the harbour. An inspector from the Ministry of Health advised that the application should be considered at a public enquiry conducted by Ministry officials, the result of which was the approval of the St Hilda's scheme. The justification for the selection was that it provided the greatest employment for the lowest cost.

A separate initiative was operated by the Department of Transport regarding funding for new major roads. Whitby benefited from this with the construction of the road to Sandsend, a quiet coastal village a few miles north of the town.

St Hilda's Terrace was widened in the 1920s.

More followed, but there was always caution about the use of the UGC facility, as the townsfolk still had to pay for much of the work through their rates, either by direct funding or by loan repayments. Steel gas pipes were laid, and the rebuilding of the sewage system was started in 1924, including the extension of the outfalls out to sea.

In the early 1930s, the cliff lift was built with the help of the UGC, although this was another disputed initiative. Some thought it was an unnecessary luxury, as the crowds of visitors on the beach in the summer proved there was no need for a lift. They suggested the money would be better spent on the silted-up harbour or tackling the housing problem. The council members favoured the lift as there would be no drain on finances; the charges for using the lift would cover the operating costs and loan repayments. The lift is still working, taking visitors to and from the beach in the summer months.

Another scheme that received funding in the 1930s was the development of the Happy Valley estate on the edge of town, where funds were provided for the road into the estate. This development came when the national economy was starting to improve, and building work had provided a significant contribution to this. In Whitby, the construction work on the estate brought new houses as well as facilities for holidaymakers.

Looking back to Thomas Woodwark's speech and the hope that the harbour and its industry would flourish again, we can see that in reality the port offered little opportunity. Much of the traditional industry had declined, and unemployment was affecting many in the town. Only one of the three activities that Woodwark had talked about in his 1919 speech could be exploited – the resort.

The tunnel leading from the beach to the cliff lift.

2

Holidays

The years between the wars are associated with economic depression, and as a consequence of this, some areas saw considerable unemployment. The expectation would be that the holiday resorts would suffer from this downturn and become another casualty in this period of austerity. However, paradoxically, this was not the case, and the years between the wars became a golden age for British holidays. While there was much hardship, many were able to remain in work and could look forward to an annual holiday. Joseph Priestley toured the country in 1933 and wrote about his experiences as he travelled from town to town. In Jarrow, he saw men hanging around street corners – 'not scores but hundreds and thousands'. In contrast, he found Coventry to be 'one of the towns that have often changed their trades and it had managed to come out on top'. Here he was talking about the new industries that had developed and was providing employment, including manufacture of motor cars and electrical goods. There was also an increase in the activity of government, and this added to the number of civil servants being employed. More and more of those in employment were benefiting from paid holidays, and over the inter-war period, this gradually became an expectation. In 1938, the Holiday with Pay Act was introduced to encourage voluntary arrangements for paid holidays in advance of legislation that would determine holiday entitlement.

There was a growing aspiration to take a holiday, and one author writing nearer the time in 1947, explained how holidays had become a significant part of the year, 'saved and planned for during the rest of the year, and enjoyed in retrospect when they are over'. Even those who could not afford a week away still sought a change from everyday life and would swell the numbers at resorts on day trips. Holidays had become an established part of life.

Many towns benefited from the opportunity provided by the holiday trade, although much depended on the policymakers' attitude towards encouraging visitors. This ranged from an all-out drive for growth taken by the local authority towards expanding facilities for holidaymakers to shunning any attempt at development. Whitby's neighbour, Scarborough, saw councillors taking the decision to spend in order to provide more attractions in the resort. A different view was seen in Sidmouth in Devon, where the authority fought to keep the resort exclusive and stopped any attempt to increase the number of visitors.

There was an opportunity here, and how successful the townsfolk of Whitby were in exploiting this was an important part of the story in the years after the First World War. Holidaymakers expected facilities in a modern resort to provide them with entertainment, amusement, sport and relaxation, and so Whitby had to react – it could not rely on standing still.

In the nineteenth century, the town had developed as a holiday centre and had become well versed in catering to the needs of visitors. The arrival of the railway brought with it the interest of George Hudson, who led the development of the West Cliff Estate that turned the town into an attractive resort. Hudson was a leading figure in the growth of the railways and became known as the Railway King, but he fell from grace when his improper practices with the railway company's finances were exposed. However, the part he played in the development of Whitby as a resort is not forgotten, and a street still bears his name.

The literary and artistic set were attracted to Whitby; there is evidence that Charles Dickens visited and Bram Stoker, the author of *Dracula*, took inspiration from the town. Visitors were accommodated in the new hotels on the West Cliff and would stay for weeks in the summer, visiting the abbey, amusing their children on the beach and taking trips to the many attractions in the local countryside.

However, the resort did not continue to be in vogue, and whereas visitors had once been attracted from all parts of the country, the inter-war years saw some narrowing of its appeal. In 1909, Yorkshire and the nearby counties of Durham and Northumberland accounted for 48 per cent of visitors; by 1946, this had risen to 70 per cent, while those coming from the south-east and London dropped from 23 per cent to 6 per cent.

No matter where the visitors lived, before the holiday could start they had to arrange travel and make a booking with a hotel or boarding house. Whitby was well served by the railways, and there were two stations and lines branching out in four directions.

The station near the harbour was opened in 1847, although there had been an earlier facility to serve the Whitby and Pickering Railway that had opened in 1836. The West Cliff station followed in 1883 when the Whitby, Redcar and Middlesbrough Union railway line reached the town.

HUDSON STREET

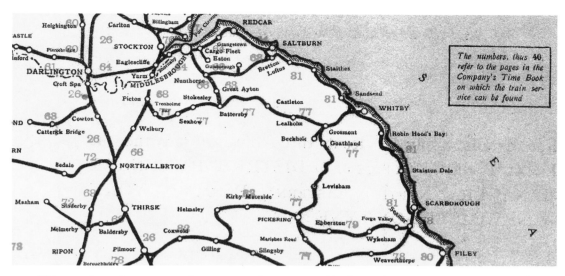

This map from the 1922 North Eastern Railway's timetable shows the extensive network around Whitby in the inter-war years.

Whitby town station in the 1930s.

The town's stations were busy, particularly when the summer timetables operated and holiday excursions were running. However, connecting between the two stations was a problem. Whereas the West Cliff station saw trains from the Middlesbrough and Saltburn area and then onwards to Scarborough, Whitby town station was served by the lines from York via Malton and Pickering and along the Esk Valley. During the summer months, up to fifteen trains ran each day connecting the two stations, and this included steam autocars, making the 6-minute journey.

The Whitby stations did not just provide passenger services, and both had goods yards and sidings to handle freight, but today most of it is gone; the West Cliff station was closed in 1961 and was converted into housing.

Whitby also had to compete with other local resorts; the visitors from the south could arrive at Scarborough before Whitby, and those travelling from the north-east were tempted by the reduced cost of travelling to nearby seaside towns. As an example, Sunday excursions were operating from Darlington in 1936, and tickets to Whitby cost 4s, but fares to the closer seaside towns of Redcar at 1s 3d and Saltburn at 1s 6d could have attracted many. It is interesting to note that the excursion fare from Darlington to Whitby in 1924 was 6s 2d, the increasing competition from buses perhaps forcing the reduction.

A train service was advertised from London throughout these years; in 1923 the London and North Eastern Railway (LNER) summer timetable showed six trains a day. The service was still operating in the 1930s but the timetables indicate a long journey. The 11.50 a.m. from King's Cross eventually arrived at Whitby West Cliff station at 5.23 p.m., but this was after passengers changed trains at

An autocar at Whitby in the 1930s.

West Cliff station was closed in 1961 and converted to housing.

LNER engine at Whitby.

The remains of Whitby town station. The sidings are now covered by a supermarket, but the engine shed, no longer used for engines, still stands.

Scarborough. An alternative was the 1.40 p.m. from London that had a through coach to Whitby. This coach was uncoupled at Pickering and became part of the service leaving at 7.05 p.m. that arrived at Whitby at 8.10 p.m.

The LNER was the railway company operating on the east coast after the rail amalgamations of 1923 and the company actively promoted its services to the holiday resorts it served. Much of its advertising for Whitby focused on the heritage and charm of the town.

Although the railways were used by the majority of holidaymakers, motor vehicles started to present a serious alternative. Gradually the number of bus services grew, and this was helped by the limited regulation on operators at the time. In 1928, the Cleveland Motor Bus Co. had services to Whitby from Stockton and Middlesbrough, Thwaites ran from York, the Scarborough and District operator had a service to and from Scarborough, and Pioneer Buses ran local trips, as did Robin Hood Bay and Whitby Motors.

In the late 1920s, the United Automobile Service started to increase its services and offered connections from Leeds, York, Darlington, Newcastle and Durham. In 1928, by which time all of its vehicles had pneumatic tyres, the company felt confident enough to raise the speed limit on its buses from 12 mph to 28 mph. The importance of the town to the United Service is seen in 1938, when it started the construction of a garage in Whitby to service its buses.

WHITBY

DESIGNED BY NATURE
FOR IDEAL HOLIDAYS.

LOVELY SEASIDE RESORT

with a background of

MOORS, WOODS and RIVERS.

GLORIOUS
SANDS,   GOLF.   BATHING,
FISHING.

Municipal Orchestra.

Illustrated Guide post free from Town Clerk, WHITBY, or any L.N.E.R. Enquiry Office.

The attraction of nearby beauty spots was also promoted, and visitors would write home that they 'had got a few snaps of the district round about'.

Above and below: A picturesque view of the town promoted by this London and North Eastern Railway advertising poster. The hint that there could be swimming in the upper harbour may have been optomistic.

WHITBY

IT'S QUICKER BY RAIL

ILLUSTRATED GUIDE FREE FROM DEPT· A THE SPA, WHITBY OR ANY L·N·E·R AGENCY

More and more motor cars were bought, mainly by the growing middle class, and while the daily drive into work had not become established, the car was a great tool to be used to enjoy leisure time. Whitby was a fine base for motorists to explore the local moors and coast.

The growth of car ownership also changed the way some organised their holidays; by 1935, the town's publicity committee recognised a trend for a 'flying visit for a day or so and then onto the next place'.

Parking became a problem; in 1938, reports of a bank holiday invasion by motorists declared that 'car parks were taxed beyond capacity'. Congestion on the town's roads is not new, and to ease the flow in 1936 it was necessary to start to consider the use of 'traffic circuses' (roundabouts) at the top of Chubb Hill, White Point Road and the crossroads at Four Lane Ends. The reports of motorists being prosecuted show that the town still attracted visitors from all over the country, and errant motorists from Edinburgh, London, Surrey, Newcastle, Sheffield, Pontypool and Westcliff-on-Sea in Essex were all fined. Parking fines are also not new; in 1936,

a visitor was prosecuted for leaving his car in a 'position likely to cause danger to other persons'.

In the 1920s, motorcycles became popular, being a less expensive alternative to cars but still giving the freedom to travel around the country. Inevitably there was an adverse reaction, and the local newspaper commented on motorcyclist who was seen speeding around the West Cliff 'with a flapper on the rear seat'.

Whatever travel plans were made, the next step would be to select accommodation. There was a plenty of choice, from the hotels of the Victorian development on the West Cliff to the newly built hotels and guest houses or the more basic rooms in the old inns.

The Royal Hotel had been built in the Victorian era, but the hotels built along the North Promenade during the 1920s and 1930s provided more modest accommodation.

In 1936, the Marvic Hotel was opened in the Happy Valley development towards the northern edge of the town.

The Sea Haven's rates were from 9s 6d per day. On the North Promenade, tariffs at the Deneholm Hotel ranged between 10s 6d and 13s 6d according to the season. At the other end of the scale, a room in a boarding house in Church Street could be had for 2s a day.

Camping also grew in popularity and farmers on the east cliff opened fields to provide sites for the growing number who took the opportunity to use holiday time to take to the outdoors, walking or cycling in pursuit of an active, healthy break.

In 1934, a Youth Hostel was opened in converted stables near the abbey to cater for anyone wanting an inexpensive holiday, perhaps those on a hiking trip through the countryside.

Wherever they were staying, once settled into their rooms, visitors could start to enjoy their holiday and seek out the entertainment in the resort.

The NER timetable in 1922 had some suggestions, but the Royal Hotel was the most prestigious and by 1927 was able to boast 'luxurious public rooms, garage with private lock ups, self-contained suites, with bathrooms and telephones'.

The Royal Hotel.

The Marvic Hotel.

THE LOUNGE AT "THE MARVIC"

THE HOTEL TO SATISFY EVERYONE

30 Bedrooms. 3 Bathrooms. Lounge. Dining Room. Lounge Hall. Central Heating. Hot and Cold Water in all Bedrooms. Sea View from all Front Rooms. Vi-Spring Mattresses on all Beds.   GARAGE

This extract from the Marvic's 1939 brochure tells of central heating and three bathrooms to serve the guests in the thirty bedrooms.

The Marvic is now a care home.

The Beach Hotel's brochure from the late 1930s advertised 'all modern appointments'; this would mean hot and cold water in the rooms and separate dining tables.

SPECIMEN MENU

THESE VARY ACCORDING TO SEASON

BREAKFAST

Grape Fruit or Prunes.   Porridge or Force.
Fried Fillet of Fish or Bacon and Sausage
or Bacon and Eggs.
Tomatoes.
Tea.   Coffee.

LUNCH

Lamb, Beef or Tongue.
Potatoes and Vegetables in Season.
Salad.   Puddings (various).
Compote of Fruit.   Custard or Cream.
Cheese and Biscuits.

DINNER

Soup or Fish.   Roast Beef, Lamb or Pork.
Yorkshire Pudding.
Baked and Boiled Potatoes and Vegetables in Season.
Vanilla Cream.   Jelly.   Trifle.
Fruit Tarts.   Cheese and Biscuits.
Coffee.

Those enquiring about the Sea Haven Hotel would be sent a brochure that included a specimen menu.

SEA
HAVEN

ESPLANADE
WEST CLIFF
WHITBY
Yorks.

Proprietor: L. E. COWLEY　　　　**Telephone 334**

No longer a hotel – the Sea Haven in 2016.

The 1930s hotel dining room in Whitby.

Holiday fun in 1937.

3

A Resort to Rival Scarborough

As we will see, during the 1920s and 1930s the resort was developed to provide the facilities that were expected in a modern holiday centre. However, the expansion was modest and did not destroy the charm of the town. As one correspondent noted in a letter to the *Sports Gazette*, 'Whitby is not to everyone's taste … to those who want the endless round of gaiety of Blackpool or the Isle of Man, Whitby will be dull and pointless. You must go with the spirit of the artist in searching of the picturesque and quaint.' *The Times* captured the essence of the town 'ancient Whitby, Holy Whitby, sandy Whitby, tarry Whitby'.

One attraction that was developed to provide entertainment was the Spa Complex. The Spa, located just above the beach, reached the height of its popularity in the 1920s and 1930s. It had been purchased by the local authority during the First World War and included a theatre, which was renovated for the 1920 summer season to provide additional seating and an enlarged stage. Afterwards, work started on the pavilion, which provided a fine facility for dancing, concerts and even roller-skating.

The complex had entertainment available throughout the day with putting greens, tennis courts, two daily concerts, afternoon tea dances and shows in the theatre, as well as evening concerts and dancing. Music was provided by the Municipal Orchestra or Eric Thompson's Cires Orchestra and sometimes by a band led by a Walt Disney! One reminiscence of the evening dances recalls the agony felt by a young man 'as to whether she would accept your clumsy invitation to the last waltz'. Later, there was 'the revolving crystal ball which scattered jewels across the darkened theatre whilst you summoned up courage to ask if you could walk her home'.

The theatre provided popular entertainment; in 1921, Larry Tatter, the 'famous comedian', appeared with Ellerslie Pyre, who provided studies from famous plays. Friday night was advertised as 'crazy night' dancing until 10 p.m. and featured entertainment on the stage that, on occasion, included 'Harry Short swinging across the stage on greenery encrusted ropes emitting Tarzan calls'.

Try this at the Whitby Skating Rink

The first stage of the pavilion development.

In 1933, the whole of the pavilion was given a glass roof.

Frank Gomez was the leader of the municipal orchestra for much of the period. He first appeared with his musicians in 1923 when council records noted that this group of twelve 'first class musicians were employed for the season at £64/10/- a week' (for the twelve). Frank and his musicians became a popular attraction and were back at the Spa every year until 1938. The fame of the orchestra was enhanced when the developing BBC radio service started to set up equipment and make regular broadcasts of the orchestra's performances from Whitby.

There were also celebrity concerts held at the Spa, and the stars 'known from the radio or 78 rpm records on the wind up gramophone' appeared. In July 1935, Jack Payne and his orchestra with Garland Wilson, the 'famous American broadcasting star', played to a packed pavilion.

Out of season, the local amateur dramatic society would produce shows in the theatre; in November 1935, they performed *The High Road* with profits going to the Red Cross Ambulance fund.

There were other theatres in the town, namely the Coliseum, in what had been the Temperance Hall, and the Pedlars Costume Party appeared during the season with 'matinees on wet days'. The Coliseum also doubled as a cinema. Like the Spa, the Coliseum was used in the winter months for local productions; in January 1921, the Sleights Choral Society staged *Merry England*.

Across the way from the Coliseum was the Empire Theatre, although this was used mainly as a cinema.

FRANK GOMEZ and the WHITBY MUNICIPAL ORCHESTRA 1936

The Spa ballroom in the 1930s.

COMING EVENTS

SUNDAY, JULY 5th, at 8.15 p.m.
GRAND CONCERT.
*Suite, "London Every Day" (Eric Coates); *"The Snow Waltz" from the "Robber Symphony" (Feher); Overture, "Rienzi" (Wagner).

MONDAY, JULY 6th, at 12.30 p.m.
SECOND BROADCAST CONCERT.
Serenade from "Les Millions d'Arlequin" (Drigo)—Solo 'cello, M. Bartlett. "If my thoughts were winged" (Hahn)—Solo violin, Tom Jenkins.

MONDAY, JULY 6th, at 8 p.m.
LIGHT CONCERT.
Second Selection from "Lilac Time" (Schubert-Clutsam); Overture, "The Merry Wives of Windsor" (Nicolai); "A Musical Jig-Saw" (arr. Ashton).

EVERY WEDNESDAY AND SATURDAY throughout the season.
GRAND CARNIVAL DANCE in the SPA BALLROOM, 9 p.m.
Dance Host—H. BUCHANAN, U.K.A.
THE CIRES RHYTHMIC FOUR, with Eric Thomson at the Piano.

AFTERNOON TEA DANCES DAILY IN THE PAVILION CAFE.

Attractions at the Spa.

NEW EMPIRE

Tel. 64.

Evenings 6-15 & 8-30. Matinees Daily at 2-30

TO-DAY AND SATURDAY
DAVID COPPERFIELD."

ALL NEXT WEEK—Com. Monday, Aug. 26th.
COLOSSAL ATTRACTION
IRENE DUNNE, FRED ASTAIRE, GINGER ROGERS
in

ROBERTA

Golden—Irene Dunne's Silver Voice
Lyrical—Jerome Kern's Glorious Music
Marvellous—Ginger Rogers' and Fred Astaire's
Terrific Dancing.

RESERVE YOUR SEATS NOW."

John Dalton at the Console will present "Hit the Deck."

Coffees, Ices, Refreshments, etc., served in the Empire Cafe Lounge before or after each performance.

COLISEUM

Evenings 6.15 & 8.30. Matinees Daily at 2.30

TO-DAY AND SATURDAY
Dick Powell, Ruby Keeler in "FLIRTATION WALK."

ALL NEXT WEEK—Com. Monday, Aug. 26th.
The Greatest British Film of all time

SANDERS OF THE RIVER

Featuring
PAUL ROBESON.
LESLIE BANKS.
NINA MAE McKINNEY.

Based on Edgar Wallace's greatest book. Produced with great sincerity. Paul Robeson and Leslie Banks positively superb in this triumph of British films."

BOOK YOUR SEATS AT ONCE.

The Coliseum is still used as a theatre as well as a business centre and café.

The Empire is now a Boyes store.

There was also the Waterloo Cinema, later renamed the Ritz, and this had been converted from a theatre in Waterloo Place, a yard off Flowergate. Like cinemas in many seaside resorts, the Waterloo changed the programme of films midweek to attract holidaymakers twice during their stay.

Some films shown in the town's cinemas were particularly relevant to Whitby. In 1931, *Dracula* was released, starring Bela Lugosi, and some of the film had been shot in Whitby in 1930. There are stories of holidaymakers being startled by Lugosi, who would sit on a bench near the harbour in full costume during breaks in filming. Another film shown in local cinemas in 1935 was *Turn of the Tide*; this was based on Leo Walmsley's books about life in Whitby and Robin Hood's Bay, and again film crews had been in the town. When it was shown at the Empire, it was advertised as 'Whitby's own film'.

While the theatres and cinemas provided entertainment, holidaymakers also wanted to enjoy the outdoors and pursue the fashion of the time of a healthy lifestyle embracing fresh air, exercise and sunshine.

Sunbathing had become fashionable, perhaps to emulate those who could take holidays to the French Riviera and returned with a healthy tan. Covering up to preserve a white skin was no longer the normal practice, and bathing costumes shrank.

The beach attracted those who wanted to swim or play games, and there were also other attractions, donkey rides, Punch and Judy shows and, in the early years, beach concert parties.

WATERLOO CINEMA (Week commencing Aug. 26th)

MONDAY, TUESDAY and WEDNESDAY.   THURSDAY, FRIDAY and SATURDAY,

ENE GERRARD and HELEN CHANDLER in   EDMUND GWENN and ZELMA O'NEAL in

IT'S A BET   SPRING IN THE AIR

Waterloo Place in 2016; the cinema has now been replaced by houses.

The deck chairs are out!

Concert party on the beach.

Newspapers sponsored sandcastle-building competitions and treasure hunts. There was a competition for circulation between the newspapers, and holidaymakers were targeted and encouraged to buy the *Daily Mirror* and keep it with them to attract the attention of the Guinea Man, who was in the resort handing out money in August 1928. Even soap manufacturers saw this as a marketing tool, and Fairy Soap sponsored competitions on the beach.

The beach below the West Cliff was reached via a path that twisted down the cliff side and was known as the zigzag; by 1933, but the cliff lift was also open to take people down to the beach.

In the popular resorts, mackintosh bathing had become acceptable, and visitors would change into swimming costumes at their hotel or boarding house and walk to the beach covering themselves with their coats.

One extreme result of the freedom felt during the holiday was reported in the local newspaper in 1934 where 'reports of some bathers of both sexes proceed ... to divest themselves entirely of the scanty garments they wear and plunge into the sea absolutely naked ... utterly regardless of the feelings of parents on the beach with children'.

While this was an extreme case, there was always some tension between the need to accept that holidaymakers expected to enjoy themselves and experience some liberty from their workaday lives and the need to maintain what was seen as a respectable town. The changing attitude that was developing did raise concern about Sunday observance, as some saw the erosion of the reservation of Sundays for Church and Sunday school as a problem. The opening of the town's sports

The zigzag.

facilities was debated by the council in 1935, and the two opposing views were aired; one group suggested that closure would appeal to the type of visitors being attracted to the town who appreciated the quaintness and beauty. On the other hand, it was argued that visitors were continuing to be attracted, and opening the miniature golf course on a Sunday afternoon would deter no one.

Away from the beach, the harbour and pier area provided more attractions, and an entertainer called Professor Twigg leased a beach hut for a number of years as a base for his act that included diving into the harbour handcuffed and escaping while underwater. The local fishermen were eager to supplement their income by offering sea trips in their cobbles and mules.

The harbour was the base for the annual Regatta, which was revived in August 1920 with races for rowers, yachtsmen and swimmers and also included a greasy pole challenge and refreshment stalls for the visitors. In that first year, those arriving in the fifty charabancs (pleasure bus) set the authorities a problem of where to find enough parking spaces.

In 1930, an amusement arcade was opened near the West Pier.

The town did not have a park until 1928 when Pannett Park was opened. The land that had been a market garden along with funding for the design and layout of the grounds was all bequeathed by Robert Pannett. As well as making this generous donation, Robert had served the town as a county councillor and had played a significant role in the establishment of Wesleyan Methodist churches in the area.

The park had an art gallery, and this was extended in 1931 when the Literary and Philosophical Society moved its museum from Pier Road.

The Lily Pond – a quiet corner in the park.

The museum in the park.

Whitby was a fine base for exploring the local area and charabancs provided an alternative to the train. These long motor vehicles could take up to thirty passengers, and the years after the First World War saw a boom in their construction as there were plenty of surplus chassis available to use as a base after the war. Charabanc designs were improved: pneumatic tyres, hoods to protect passengers from the weather, cushioned seats and side windows were incorporated and thus the motor coach evolved.

In 1921, Millburn's charabancs offered daily trips for visitors to Danby for 6s 6d, Scarborough 8s and Goathland 6s.

Bus operators emerged and soon were offering trips for holidaymakers; by 1923, Pioneer Buses were running trips to Castle Howard and into the moors in a twenty-nine-seater 'saloon bus with interior filled with electric light, all seats facing forward', and the driver of the 'machine will stop anywhere except on hills by request of the majority of passengers'. The Robin Hood's Bay Motor Company operated to and from Whitby, and bus services were available to Scarborough.

The railway also offered opportunities for a day or afternoon trip along to Scarborough or out to Goathland to explore the moors and waterfalls. Alternatively, visitors could walk along the footpath to Ruswarp, where a boat could be hired and an hour or so spent rowing on the River Esk.

Sunbathing was part of the holiday experience, and while this could be done on the beach, a modern lido or swimming pool combined the opportunity for exercise and sunbathing in a fashionable setting. The spider's web swimming pool was built by a private developer in the Happy Valley development and opened in 1934. It was heralded as 'one of the most up to date on the North East coast'. This open-air pool, perched on a cliff top overlooking the North Sea, could only have been attractive on warm summer days.

Robin Hood's Bay.

Goathland.

Boating at Ruswarp.

There was a plenty of encouragement to visit the local area.

Spider's Web.

The entrance charge of 1s was expensive and was halved in 1936, and to widen its appeal, dances and entertainments were introduced.

In October 1934, not long after it was opened, the pool was offered to the council for £15,000, but although there was little interest, negotiations continued until 1938 when the pool was eventually bought for £1,510.

Some part of the holiday would be spent across the river in the old town. In Grape Lane, visitors would find John Walker's house. Captain Cook had served as an apprentice to John Walker and lived in Walker's house when he was not at sea.

Holidaymakers in the 1920s and 1930s would be able to experience the old yards and buildings; turning right out of Grape Lane, they would come to Tin Ghaut. This was an alleyway with houses on each side leading down to the river. Then came St Michael's church, further along by the side of the river were the old gasworks and the Whitehall shipyard. Boulby Bank and its tiered housing would lead to the Ropery, where ropes for the sailing ships had once been made.

However, visitors were more likely to turn left after crossing the bridge into the old town and head towards the well-counted 199 steps up to the abbey.

In 1920, the abbey was taken into the care of the Ministry of Works. Over the years since the Dissolution of the Monasteries by Henry VIII and the consequent

A summer's day at the Spider's Web.

There is still one reminder of the Spider's Web – this house that included the café and entrance, although modified since the drawing of the pool was made.

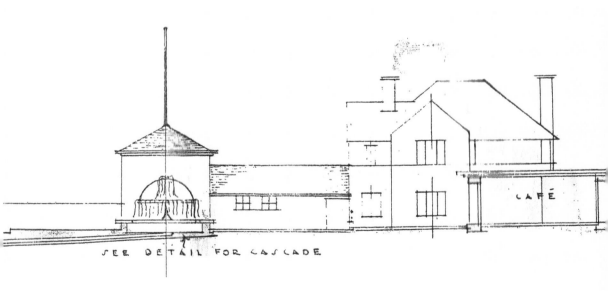

SEE DETAIL FOR CASCADE

CAFÉ

The pool closed in 1980 – this is the site in 2016.

FOOTWEAR
FOR
HOLIDAY
AND
EVERY DAY
AT THE
SHOP FOR SHOES
OF QUALITY
9 SKINNER STREET

KENNETH McNEIL'S Telephone

Advertisements in newspapers and theatre programmes were designed to entice the holidaymakers into the shops to buy gifts or holiday ware (see also pages 59 and 60).

CAPTAIN COOK'S HOUSE.

The house is now the Captain
Cook Memorial Museum.

Tin Ghaut.

Tin Ghaut has gone, but the car park that
now occupies the site still records its name.

Abbey steps.

abandonment in 1539, the abbey had deteriorated. Much of the stonework had been taken to build houses or roads. The German bombardment in 1914 had destroyed more of the remains, and there was a suggestion that this gave an opportunity for more loose masonry to disappear.

The Ministry employed guides to give tours and narrate the history of the site. The abbey had started out as a seventh-century monastery where St Hilda was abbess and Caedmon, a lay monk, is said to have given birth to English literature when he was inspired by a dream to write his poems. The original abbey building was destroyed in the ninth century by Danish invaders; later in 1076, it was re-established. The ruins are the remains of the thirteenth-century redevelopment.

The old houses in the streets that visitors had to pass on the way to and from the abbey were often in poor condition and crammed together in badly ventilated yards. As one visitor noted, 'down the high perilous, stone steps, which prevented two sides [of the yards] hitting each other ... runs un-refreshing open drainage'.

Something had to be done to improve the housing stock.

Close to the abbey is the parish
church with a memorial to
Caedmon among the gravestones.

Leaving the Abbey and returning down the steps to Church Street, the adventurous could look into the yards. Blackburn's Yard is still there to be visited and life in the narrow lanes imagined.

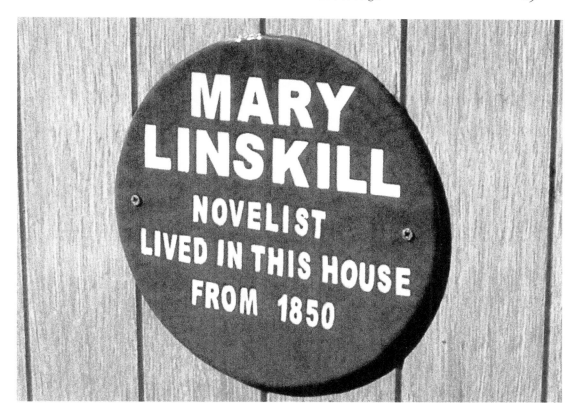

Mary Linskill, the author, was born in Blackburn's Yard. Though the original house has gone, the site is remembered.

4

Housing

The medical examination of military recruits during the First World War brought a realisation that a considerable proportion of the population was in poor health. One contributing factor to this was the conditions in the pockets of poor and overcrowded housing evident throughout the country. Improvements had to be made, and Lloyd George famously commented that there was a need 'to make Britain a fit country for heroes to live in'.

During the 1920s and 1930s, governments acted to overcome the problem and start to provide modern housing, using local authorities as their agents. The difficult economic conditions experienced during much of the period did not make this easily achievable, and, as will be seen, there were local issues and demands in Whitby that also slowed progress.

Like many other towns, Whitby had its share of bad housing. Problem areas were on the east side along Church Road and the yards and lanes leading from it, as well as on the other side of the harbour, around Haggersgate and Baxtergate. These old houses had few facilities, none had baths, sinks were often in living rooms, and toilets had been built in the yards and were shared by a number of households. The houses in these narrow lanes had poor natural light and ventilation. In Brewsters Lane on the east side of town, there was even an abattoir beside houses.

As early as 1919, the town's Medical Officer of Health warned in his annual report that 350 new houses were needed to alleviate overcrowding.

There were numerous examples of the poor conditions endured by many in the town. In 1928, the problem of overcrowding was highlighted in a court case when the owner of a house in Bolton's Buildings applied to repossess part of his house. Colin Brown had let the lower part, consisting of a living room and a bedroom, to a family of ten with children aged from four to twenty-two years. Mr Brown wanted the rooms for his mother, but the order for repossession was refused as there was no other accommodation available for the family (presumably at a rent they could afford).

Houses were generally in a poor state of repair. In the same year that the court refused Mr Brown, the repossession order noted above a house collapsed in Long Steps.

BOULBY BANK. WHITBY.

This picture of the tiered housing of Boulby Bank gives some idea of the housing stock.

Tate Hill was off Church Street.

Another view of Boulby Bank.

In Imperial Yard, the council's surveyor applied to have a house demolished. It was considered to be in a dangerous state. In high winds, bricks blew down into the yard, there was no water or drainage, and it was considered unfit for human habitation; despite this, there was still somebody living there.

The East Side Ratepayers Association was active in demanding that improving housing be a priority. Unfortunately not all of the townsfolk were so set on this; the ratepayers on the west side formed an association, and while accepting that some areas had poor housing, they were also concerned about the impact on their finances of any expenditure that would increase the rate assessment.

The government introduced measures to encourage local authorities to improve housing. Early measures were aimed at stimulating building by providing subsidies to housebuilders although the homes had to be built to stipulated designs. There were also subsidies available to local authorities to help them to start building housing estates. Whitby Urban District Council (WUDC) purchased land at Gallows Close from a Colonel D. Chapman, and in 1924, some 'subsidy houses' were built on this land along Helredale Road on the route out of the town towards Scarborough. The Gallows Close estate is on the east side of town, but the subsidies also encouraged building across the river including at Ruswarp Lane and near the West Cliff station.

The council then started to build houses in Gallows Close, and the estate was officially opened in 1932, with a selection of three-bedroom houses with parlour and two-bedroom non-parlour houses available to rent.

Gallows Close.

In the 1930s, the Government turned its attention to clearing the slums. The Minister of Health, Arthur Greenwood, introduced a Housing Act that started the clearance initiative and introduced subsidies to help local authorities. Clearance was given even more emphasis in 1933 when local authorities were required to submit schedules and details of areas that needed action to remove poor standard accommodation.

The council in Whitby did not react promptly to produce the required listings. The councillors were faced with difficult decisions, and this became a torturous process that found council members trying to balance many pressures. Fishermen wanted to live close to the harbour so they could store and repair their nets beside their boats. Those renting the old inadequate dwellings could find it difficult to pay the increased rents that would be demanded for new properties. There was also a concern that owners could be left without adequate compensation. Nevertheless, the government was expecting action be taken. In May 1935, a letter was sent by the Ministry of Health expressing concern about the lack of progress in Whitby and asked that somebody from the council attend the Ministry to explain what was going on.

By August 1935, the council had acted and agreed on eight areas for clearance: in Elephant and Castle Yard, Muncasters Yard, Pier Lane, Mission Hall Yard, Barrys Square, Carters Yard and two areas in Baxtergate. Council members voted to treat these lanes and yards as clearance areas, but then at a meeting in November they reversed this decision and voted to treat each house individually. There were consequences of this move, and the whole procedure would be delayed as owners could now fight the demolition of their property. An appeal could be made to the County Court; one householder did so and had the demolition order reversed. In the meantime, the council were building more houses at Gallows Close with the danger that no tenants would be ready to move in and pay rent.

Councillors were finding it difficult to know what to do, and they wanted to see improvements, but at the same time, they recognised the need to protect those who owned and lived in the poor houses. Reports from council meetings highlighted the conflicting views that were aired. Councillor Burdon commented on the dilemma, 'he was anxious about people having reasonable, decent accommodation, but did not agree with a law which took a person's property … without giving a reasonable amount of compensation'. Councillor McNeil was trying to have the demolition go ahead, his view was that flattening of the poor areas was the best solution, and he noted that Baxtergate provided an opportunity to have new flats and shops built if the whole area was cleared. The opposite view was given by Councillor Wade who supported the idea of looking at each house individually to ensure that the possibility of refurbishment was considered. It is apt that Loggerheads Yard and Arguments Yard are found in the town.

The yards destined for clearance in the initial list were all on the west side of the harbour. The east side presented another problem against the need for clearance, and this was the preservation of the picturesque view from the harbour up towards the abbey. Letters appeared in *The Times* complaining about the threat to the 'red-roofed houses that have given pleasure to so many generations'.

In an attempt to resolve the conundrum presented on the east side, an architect was appointed to review the condition of the houses and prepare a plan. Ernest C. Bewley, an architect based in Birmingham, produced his report in July 1936. He recognised the difficulty the councillors faced and commented on 'the concentrated beauty of the mass of clustered roofs clinging to the side of the cliff'.

The report went into great detail, listing every street and yard with recommendation for those dwellings that could be refurbished, those to be

WHITBY
URBAN DISTRICT COUNCIL

—

REPORT

on

PRESERVATION
of
OLD WHITBY

together with
**RECOMMENDATIONS FOR
DEALING WITH HOUSING
CONDITIONS IN AREAS
1 TO 11 ON EAST SIDE OF
RIVER**

Prepared by

[signature]

F.R.I.B.A.
83. COLMORE ROW.
BIRMINGHAM 3.

July, 1936

demolished and ideas for replacement. This amounted to eighty-six houses to go, seventy refurbished and thirty-six to be rebuilt in the spaces left by demolition.

The next page has one of the plans from the Bewley Report, showing a section of the town around the marketplace and Church Street. The area marked '7' was used to herd cattle on their way to the slaughterhouse. This is followed by the page from the report that gives Bewley's recommendations for the buildings in this area.

Council members showed enthusiasm for the scheme and started to act based on Bewley's recommendations. These included the purchase of the Wesleyan chapel in Church Street for conversion into flats for fishermen and their families. This prompted the council to contact the Church authorities and start negotiation for the purchase of the chapel.

The Royal National Lifeboat Institution was also involved and started to work with the council to produce a design to upgrade the lifeboat station that would match the improvements to be seen in the rest of the town.

The initial enthusiasm shown by the council for this grand scheme started to wane when the implications were fully absorbed. Some concern was expressed about the lack of housing for fishermen, but it was the cost of the redevelopment that came to be seen as prohibitive and started the reversal. The town's Treasurer set out the cold facts in an internal report to councillors which explained that flats on the east side would cost around £500 to build, and to avoid any increase in the rates, the rent for these properties would have to be set at 7s per week. This contrasted with the two-bedroom houses in Gallows Close that could be built for £344 with rents of 5s 6d per week. This seemed to sum up the concern that was growing in the council chambers about financing the grand scheme. Plans to buy the Wesleyan chapel and to support the improvements to the lifeboat station were abandoned; a letter to the Church authorities regarding the chapel declared that the 'council have decided not to proceed further with the matter'.

Faced with the potentially high level of expenditure, the council changed tack; the Medical Officer of Health reported in November 1937 'that the 138 dwellings on the east side of Whitby, which were contained in the Bewley Report ... are practically of the same type and condition ... it is now considered that the repair and reconditioning of them is impractical owing to their crowded position'. An internal memo originating from the clerk's department of the WUDC in the early part of 1938 commented on the lack of finance from the government to help save the scenic treasure of the town. The memorandum explained that

the Minister of Health is only apparently concerned with the housing aspect of the problem as apart from the preservation of the beauty of the old town. ... It only remains for the Ministry of Health to show that it is interested in the preservation of the beauty of the old towns and villages of England ... and sanction additional expenditure.

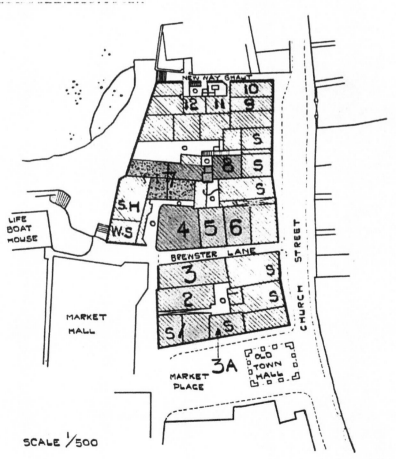

IMPROVEMENT AREA. (*Before Improvement.*)

NEW WAY GHAUT ↤ MARKET PLACE.

REFERENCE MAP B.L.I.

- ▨ DWELLING HOUSE
- ▨ S. DWELLING HOUSE WITH SHOPS ON THE GROUND FLOOR
- ▨ S.H. DWELLING HOUSE WITH LICENSED SLAUGHTER HOUSE ON THE GROUND FLOOR
- ▨ SLAUGHTER HOUSE OUTBUILDINGS
- ▨ W.S DWELLING HOUSE WITH WORKSHOP ON THE GROUND FLOOR
- O OPEN SPACES

4 B

SCALE 1/500

AREA NO. 4. NEW WAY GHAUT, MARKET PLACE.

No.1.	Tenement Houses, beyond repair, structurally unsound. Roofs very prominent	Demolish & re-build.
No.2.	Ditto	Demolish & re-build.
No.3.	Ditto	Demolish & re-build.
No.3A.	Shop and Dwelling House, structurally unsound and insanitary	Demolish & re-build.
No.4.	House with good accommodation. Fair repair but owing to proximity to Slaughter House and Lairs for Animals, undesirable for residence (Unless these are done away with)	Demolish.
No.5.	Tenement Houses, beyond repair, roofs prominent.	Demolish & re-build.
No.6.	Ditto	Demolish & re-build.
No.7.	Lairs for animals before slaughtering much too close to Dwelling Houses.	Demolish.
No.8.	Single house, beyond repair.	Demolish.
No.9.	Single House, fair repair, poor accommodation. Roof prominent.	Recondition.
No.10.	Ditto. originally formed one House with No. 9. and should revert.	Recondition.
No.11.	Single house, fairly good repair.	Recondition.
No.12.	Ditto	Recondition.

NOTE:-   Some of the worst property on this side of the River is in this area and most of it is very prominently situated, and of importance to the view: therefore re-building is desirable in each case where recommended.

4.

The chapel has not survived, but the steps that led to it are still to be found.

This is a drawing from the Bewley Report showing the proposal for an improved lifeboat station.

The lifeboat station in 2016 has much changed but remains in the same place in the harbour.

Peacock & Bewlay,
Chartered Architects.

Partners {
Ernest C. Bewlay. F.R.I.B.A.
Frank Wager. F.R.I.B.A.
E. Berks Norris. A.R.I.B.A.

It seems the council officials were spending time on what would today be called spin, produced to justify the change of mind. A letter to Mr Bewley found another reason for the change:

> There has been a material change in attitude. It is difficult to say to what it can be attributed ... partly to the gradual development of the council's housing estate ... [however] people have realised, particularly the younger ones, that the conditions under which they have to live and the rents they have to pay are intolerable, and for similar rentals ... they can have houses of the type to which they are entitled.

No doubt, these houses were a Gallows Close.

Nevertheless, some action was taken to clear the slums; by 1938, more compulsory purchase orders were being issued, but progress was slow and the Medical Officer of Health's report for 1939 noted that 'so far only 58 houses had been pulled down'. The Second World War halted progress as resources were directed towards the war effort, and it was not until the 1950s that plans were rescheduled and demolition resumed. Fortunately, the need to preserve the beauty of the town, featured so much in the deliberations during the inter-war years, was not forgotten, and the echoes of the Bewley Report were still heard.

Not all traces of the old houses have disappeared, and today it is still possible to explore on both sides of the harbour and gain some understanding of how the houses and cottages were crowded together in the narrow yards and alleyways.

Galleried housing can still be found.

Outlines of demolished houses in plots that are now gardens.

The drive to clear slum property did not preclude builders working on their own initiative. For speculative housebuilders, the inter-war period can be roughly divided into two phases. During the first period, the 1920s, building was slow and reflected the generally depressed economy. Then as the 1930s progressed, Britain built itself out of depression. The cost of building materials had fallen, interest rates dropped, and building societies expanded and began to offer mortgages with as little as 5 per cent deposit, which all helped to encourage the construction of new houses.

This pattern can be seen in Whitby; in the 1920s, builders such as A. Palfram and Brecon Builders were making slow progress along Upgang Lane and Stakesby Road. The changing architectural designs are seen along these roads, and houses built in the mock-Tudor style became fashionable. It is suggested that this type of housing became popular as it harked back too earlier times, perceived as being stable, without the closeness of war and depression.

It was the 1930s that brought an explosion of housebuilding along Love Lane, Stakesby Road, and in the closes built between Upgang Lane and the Saltburn to Whitby railway line. Much of this was ribbon development along or close to existing roads where services could be connected into easily. An analysis of the

It was not only housing that followed the trend for mock-Tudor facades. The Station Inn was rebuilt in 1932 with an exterior in this style.

The 1920s houses in Upgang Lane.

The 1930s Mock Tudor houses in Upgang Lane.

The design of houses was also influenced by the Arts and Crafts movement, as is seen in this house built in 1932, which included a panoramic sun trap looking over the sea.

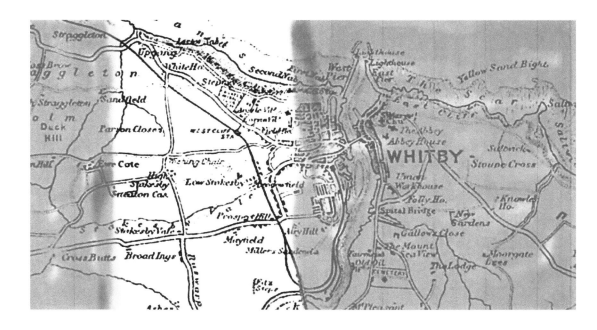

Register of Electors between 1932 and 1939 suggests around 250 houses were built. People attracted to these new developments included those who could afford to move away from the town centre; some retired to the seaside like Mr Sowler, a retired cashier from Scotland; and some were attracted by employment opportunities such as Mr Leeming, who became the garage foreman for the United Automobile Services.

The following pages show the housebuilding on Ordnance Survey Maps. The first shows that there was limited building work in the years after the First World War, but in the next decade, there is a fine example of how Britain started to build itself out of the depression.

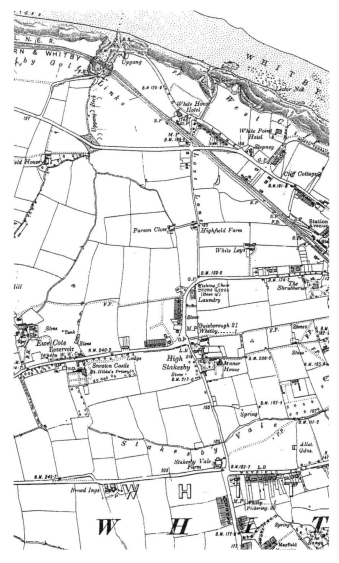

This 1928 Ordnance Survey map has the housebuilding in the 1920s highlighted and illustrates how limited developments were when compared with the next map from 1938.

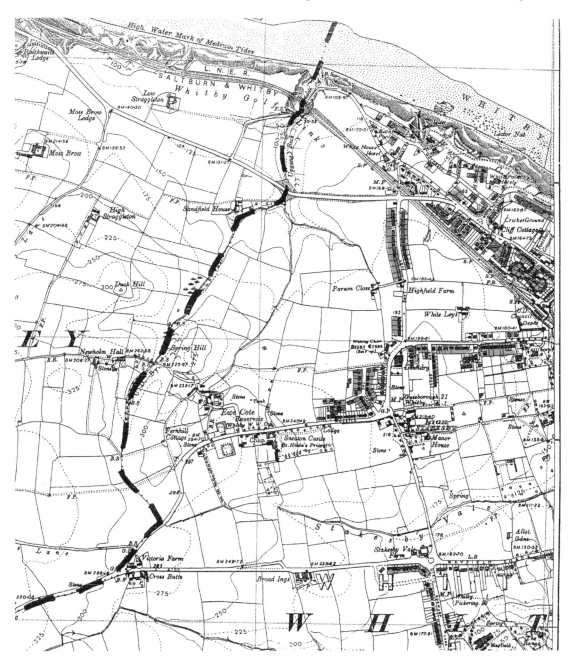

Housing developments during the 1930s are highlighted on this 1938 map.

Conclusion

Whitby had to adapt during the inter-war years, and the resort was developed to provide the entertainment expected by the great majority of holidaymakers – cinemas and dancing.

Fortunately, there had been forces that prevented the changes becoming radical and destroying the heart of the town. Unemployment demanded time and resources, as did maintaining the port and tackling the housing problem, and consequently, this limited the funds that might otherwise have been used for any grand schemes to grow the resort. The early example of a move to protect our heritage had stopped the mass destruction of the picturesque harbourside. When the clearance of the slum properties was able to go ahead again in the late 1950s, the local Preservation Society took the baton handed on by Bewley.

Today the crowds that swell the town's population in the summer are fortunate that the influence of 'old Whitby, native Whitby, born with the bitterness of the sea' was preserved in these years.